그해 여름

꿈과 모험이 만나다

김홍태 지음

김홍태

작가는 교직에 다년간 재직하며 학교현장과 교육기관에서 남다른 경륜을 쌓아왔다. 일본문부과학성초청 국비유학으로 쓰쿠바대대학원(舊.동경교육대학)에서 연구했고, 한국교원대대학원에서 『지식기반사회의 교육체제 패러다임 전환 연구』로 교육학 박사학위(Ph.D.)를 받았다. 『Charter School 운영의 실제』, 『수요자의 교육선택 기회 확대』 등 다수의 교육 논문을 발표하였으며, 청소년들의 삶과 성장에 관심을 가진 작가는, 심리·정서적 문제로 부적응하는 아이들의 사례를 묶은 『놀러와요, 마음상담소』를 공동 집필하였다. 수년째 독서 지도에 힘써 온 작가는 게임이나 학습만화에 익숙한 아이들의 문해력과 독해력 신장에 도움이 되고자 소설을 집필하게 되었다. 청소년들이 열광하는 신비스럽고 흥미진진한 미스터리 모험 소설 '그해 여름'을 통해 우리 아이들이 꿈을 찾아 모험심과 도전 정신을 기르고, 평생 독자로 성장할 수 있기를 소망한다.

• 작가 브런치(나꿈)
https://brunch.co.kr/@kimht7770
• 작가 블로그(배움너머배움)
https://blog.naver.com/kimht7770

차 례

1부

1화 어떤 꿈

모래톱 마을에 사는 소년은
시냇가에서 물장구를 치며 물놀이를 한 후
원두막에서 그만 깜박 잠이 들었다.
잠이 든 소년은 깨고 싶지 않은
이상한 꿈을 꾸었다.

아득한 옛날 깊은 산기슭에 설(雪)이라는 소녀가 홀어머니와 함께 토막집에서 살았다. 어느 여름날 천둥과 번개를 동반한 세찬 소나기가 내려 후덥지근하던 더위를 걷어 가버렸다. 한나절이 지나자 비는 그치고 멀리 서쪽 하늘에 아름다운 무지개가 떴다. 토막집 옆 계곡물은 금세 불어나 콸콸 쏟아져 나오며 좁은 도랑을 넘쳐흘렀다. 무지개는 유난히 선명했으며, 한동안 사라지지 않고 산등성이 위에 그림처럼 걸려 있었다. 그러더니 하늘에서 하얀 비단옷을 입은 선인이 무지개를 타고 내려왔다.

처음에는 소녀의 눈에 선인의 모습이 보이지 않아 그의 정체를 알아채지 못했다. 선인은 신기루에 감싸이듯이 점차 그 모습에서 은빛 머리카락을 드러내며 형체를 갖추어 갔다. 인자한 얼굴을 한 선인은 소녀의 토막집 앞에 서서 목이 마르니 물 한 모금만 달라고 했다. 소녀는 수줍어하며 얼굴을 돌려 선인을 외면한 채 버들잎 하나를 띄어, 두 손으로 바가지에 물을 떠주었다. 물을 건네주던 바가지에 소녀의 아리따운 자태가 살짝 비쳐, 선인의 시선을 사로잡았다. 천상의 선녀들도 범접할 수 없는 소녀의 자태가, 바가지 속 물의 파문에 흐릿하게 일렁거렸다. 풀잎에 맺힌 이슬처럼 영롱한 눈망울과 가녀린 목선이 환영처럼 선인의 눈앞에 어른거렸다. 선인은 물바가지에 비친 소녀의 자태에 빠져, 한동안 넋을 잃고 멍하니 바가지만 쳐다보았다.

꿈이었다. 소년은 맑은 물바가지 속에 비친 소녀의 얼굴이 궁금해, 목을 빼고 보려다가 그만 잠에서 깨어났다. 깨고 싶지 않은 꿈이었다. 선인이 본 아름다운 자태의 소녀는 꿈에서 본 환영이었다. 소년의 이름은 단(丹)이라고 불리며, 친구들 사이에 인기가 많았다. 모래톱 마을의 소꿉친구들은 단을 중심으로 뭉쳐 어린 시절을 보내고 있었다. 단은 학교를 파하고 늦게까지 친구들과 함께 마을과 조금 떨어진 시냇가에서, 물장구를 치며 놀다가 원두막에서 그만 깜박 잠이 들었다. 동무들과 틈만 나면 숲이나 강가를 쏘다니기도 하고, 물놀이를 며칠째 하여 피로가 쌓였던 것 같았다. 한낮 땡볕에 거무튀튀하게 탄 얼굴로 잠이 들었는데, 깨어보니 석양이 뉘엿뉘엿 서쪽으로 넘어가고 있었다.

단은 친구들과 함께 모래톱 마을로 돌아오는 길에, 조금 전 잠결에서 보았던 꿈속 소녀의 모습이 뇌리에서 떠나지 않았다. 함께 길을 걷고 있던 석이라는 친구가 물었다.
"단, 너 무슨 고민 있어? 왜 아까부터 아무 말도 하지 않고 걷기만 해?"
옆에 있던 윤택이도 맞장구를 치며 거들었다.
"좀 이상한 것 같아, 무슨 걱정이라도 있는 아이처럼……."
"……."
단은 친구들의 말에 아무 대꾸도 하지 않았다. 아이들에게 꿈 이야기를 하려다가도 꾹 참았다. 꿈 이야기를 하면 좋은 꿈도 헛꿈이 된다고, 어른들이 늘 했던 말이 떠올랐기 때문이다. 단은 서쪽 하늘의 붉은 노을을 지그시 바라보았다. 꿈속에서 보았던 소녀에 관한 이야기는, 끝내 입 밖에 내지 않았다. 소년은 무슨 생각에라도 잠긴 듯 하늘만 쳐다보고 걸으며 모래톱 마을로 돌아왔다.

해가 서산에 걸려 있는 시간이었지만 근처 냇가에서는 아직도 아이들이 놀고 있는 것 같았다. 장승이 서 있는 마을 어귀에 들어서니, 아이들의 웃음소리며 물장구치는 소리가 점점 크게 들려왔다. 여름날의 하루해는 참 길기도 했다. 오전 공부를 마치고 동무들과 놀았는데, 실컷 놀았는데도 여전히 해는 넘어가지 않았으니 말이다. 이제 달포 남짓 지나면 여름방학이 된다. 아직 한참 더 남은 방학이었지만 물놀이를 즐기며 더위를 피하는 모래톱 마을 아이들의 맘은, 이미 방학이 온 것처럼 느껴졌다.

2화 모래톱이 만들어낸 땅

모래톱 마을은
산기슭에서 발원한 물줄기가 하염없이 흐르다가
바다가 떡 막고 선 곳에 자리하고 있었다.
수백 리 물줄기를 따라 흘러 내려온 모래나 자갈들이
갈 곳을 잃고 오랜 세월 한곳에 머물다가
마을은 생겨났다.

모래톱이 만들어낸 땅은 산에서 흐르는 맑은 물소리가 쉼 없이 들려오고, 지나가던 새들도 쉬어가는 한적하고 조용한 시골 마을이었다. 강 하류의 모래톱이 수백 년에 걸쳐 땅을 만들고, 땅은 산이 되고 논과 밭이 되었다. 모래톱 마을은 그 땅 위에 생겨났다. 마을을 끼고 흘러가는 강 건너편에는 작은 읍내가 있었다. 마을 사람들은 오일장이라도 서는 날이 다가오면, 다들 까닭 없이 분주해졌다. 장날이 되면 오랜만에 마실 나가듯이 코에 바람을 쐬기도 하고, 물물교환을 위해 나룻배를 타고 읍내로 나가는 사람들이 많았다. 장날에 물건 판 돈을 모처럼 손에 쥔 촌민들은, 투전판에서 노름으로 귀하게 번 돈을 물 쓰듯 헤프게 쓰기도 했다. 돈을 그렇게 흥청망청 뿌리고 다니면 화수분이라도 못 당할 것 같았다. 과유불급(過猶不及)이라고, 돈을 쓰는 것도 적당해야 하는데 정도가 지나쳐 생활에 어려움을 겪는 빚쟁이도 생겨났다. 동네 부잣집 사람들은, 소달구지나 경운기 같은 운송 수단으로 좁은 시골길을 지나 읍내나 큰 시장으로 나다니기도 했다. 하지만 대다수의 마을 사람은, 강나루에서 나룻배의 도움을 받아 마을 밖으로 나갔다.

　　모래톱 마을 나루터는 하나의 중요한 요충지였다. 나룻배가 떠났다가 되돌아오는 시간을 놓치기라도 하는 날에는, 건너편에서 뱃사공을 부르는 고함이 들리기도 했다. 배를 놓쳐 낭패(狼狽)를 본 사람들이 나룻배를 애타게 부르는 소리였다. 핑계 없는 무덤이 없다고 배를 놓친 사람들은 너나 할 것 없이 이런저런 사정도 제각각이었다. 나룻배를 놓친 사람들은, 소달구지가 다니는 길로 한참을 돌아서 마을로 들어올 때 생각지도 못한 골탕을 먹기도 했다. 오일장 대폿집에서 막걸리라도 한잔 걸치며 회포를 풀다가는, 큰 봉변을 당할 수도 있었다. 읍내 쪽에서 마을로 들어가는 마지막 배를 놓치기라도 하면, 무섭고 고단한 밤길을 걸어 밤늦게나 마을에 도착할 수 있었다. 칠흑 같은 어둠을 뚫고 마을로 들어오는 길은, 모두에게 등골이 오싹한 공포감을 주기도 했다. 나룻배를 놓치고 밤길을 걷게 되면, 사람들은 마을 어귀에 서 있는 장승을 지나야 안심이 되었다. 또 폭풍이나 비바람이 세차게 불게 되는 날엔 아예 배가 뜨지 않기도 했다. 이처럼 모래톱 마을은, 불편함과 정겨움을 동시에 간직한 한 폭의 그림 속의 순박한 시골 풍경을 떠오르게 하는 곳이었다.

곳곳에는 하천과 시냇가가 거미줄처럼 이어져 흘러가고, 논둑에는 버드나무와 수양버들이 무성하게 자라고 있었다. 시냇가에서 노는 아이들은 버들잎이 그늘을 만들어 주는 곳을 찾아, 조금 깊은 웅덩이에서 주로 놀았다. 까치들이 버드나무 가지에 지은 집들이 듬성듬성 보이기도 했다. 까치집은 시골 학교 운동회 때 박 터트리기 경기에서 자주 보기도 했던 박처럼 매달려 있었다. 봄에는 어김없이 강남에서 제비들이 날아와 처마에 제비집을 짓기도 했다. 제비들이 한 철 터전을 만들어 살다가, 알을 낳고 새끼를 쳐서 섬 너머로 떠나가는 곳이었다.

마을에는 아이들이 다니는 작은 분교도 하나 있었다. 동네 아이들의 보금자리인 학교는, 강 하류와 섬들이 내려다보이는 작은 산등성이 쪽에서 바다를 내려다보고 있었다. 마을 어귀 조금 외딴 곳에는 큰 기와집 한 채와 맞은편 마을 귀퉁이에 작은 돌담집과 함석집들이 다닥다닥 붙어 있었다. 아이들은 마을과 마을을 이어주는 갈림길을 사이에 두고 왕래하였다.

강 하류에 있는 모래톱 마을은 얕은 바다와도 인접해 있었다. 마을의 근동에는 농촌, 어촌, 산지촌 등 자연 속의 촌락들이 즐비하였다. 강 상류 골짜기나 섬으로 이어지는 강나루 바다 쪽은, 늘 안갯속에 묻혀있는 날이 많았다. 마을에서 바닷가 쪽을 바라보면 안갯속에 그 모습이 보일락 말락 하는 섬이 하나 있었다. 아이들은 그 섬에 관해 전해져 내려오는 이야기를 귀동냥으로만 들었을 뿐, 누구도 섬에 가본 적은 없었다. 신비스러운 섬은 숱한 전설을 품은 채 마을과 때로는 가까이, 또 한편으로는 먼 곳으로 생사고락(生死苦樂)을 같이하며 존재해 왔었다. 오랜 시간에 걸쳐 강물이 모래톱을 만들고 땅을 만들 듯이, 그렇게 흘러 흘러 세월과 함께 마을과 섬은 바람 가는 데 구름 가듯이 한 몸처럼 같이 살아온 것이었다.

3화 마을 장승제

외지인들이 마을로 들어올 때,
나루터 상류 물길이 돌아 나오는 모래톱을 지나면
큰 느티나무 한 그루가 눈에 들어왔다.
그곳에서 마을 장승제가 열렸다.

멀리서 바라보면 아름드리 자란 느티나무는, 마치 지붕처럼 모래톱이 만들어낸 작은 마을의 어귀를 차지하고 있었다. 지나는 사람들에게 그늘을 만들어 주기도 하고, 그 밑에 놓인 평상은 한여름이나 농한기에는 마을 노인들의 휴식처가 되어 주었다. 어른들은 장기판이나 윷놀이판 같은 것들을 거기에 둬, 소일거리가 없는 날엔 더위를 피하며 시간을 보내기도 했다. 한여름철에는 주로 장기판을 많이 사용했으며, 날씨가 선선해지면 멍석이나 덕석에 윷판을 그려놓고 윷놀이를 즐기기도 했다.아이들은 어깨너머로 배운 장기로, 어른들과 장기 대결을 펼치기도 했다. 흥미를 끌었던 것은 단이와 어른들이 장기 대결을 하는 날이었다. 구경하는 아이들이나 어른들은, 누가 이길지 내기를 걸기도 했다. 내기 장기를 둘 때는, 옆에서 지켜보는 구경꾼들이 괜한 참견이나 훈수를 두면 큰일이 났다. 대결이 끝날 때까지, 장기 수를 읽으며 뒷짐 지고 지켜보거나 승부와 관련 없는 말만 해야 했다.

　장기 두는 사람 중에 한쪽이
　"장군이요!"라고 하면, 다른 쪽에서
　"멍군이요!"라고 하여, 바로 응수했다. 아이들은 장기 대결에서 서로 주고받는 "장군이요, 멍군이요!" 같은 말에 추임새를 넣듯이 장단을 맞추기도 하고, 장기를 두는 사람들이 하는 말을 따라 반복하여 재미를 더하기도 했다.
　단은 장기 대결에서 어른들을 아슬아슬하게 물리치고, 아이들이 내기에서 이기도록 해주었다. 장기에 진 어른들은 멋쩍게 웃으며
　"이야, 단이 장기 실력 대단한데."라고 하며, 대견스러워하기도 하고, 또 어릴 때 글을 못 배워 까막눈이었던 한 노인은

"단이는 학교에서 공부도 그렇게 잘한다며?"라고 치켜세워 주며 부러워하기도 했다. 그러면 신이 난 아이들은

"축구도 잘해서 시합이 있으면 다들 단이랑 같은 편 먹으려고 줄을 서요."라고 하며, 입에 침이 마르게 맞장구를 치기도 했다. 윤택이도 어른들과 장기 대결을 하고 싶어 했다. 그 말을 듣고 있던 아이들은

"하룻강아지 범 무서운 줄 모른다더니, 걸음마 수준인 네가 어른들을 감히 이길 수 있겠니?"라고 하며 빈정댔다. 어른들과 장기 대결을 꼭 한번 해보고 싶었던 윤택이는, 짓궂게 놀리는 아이들 말에 김이 식어 풀이 죽은 채 아쉬운 표정을 감추지 못했다.

장기 대결을 끝낸 후, 아이들이 옥신각신 주고받는 말을 듣고 있던 단이가 윤택이 편을 들어주며 한마디 했다.

"오르지 못할 나무는 쳐다보지도 말아야 하는 거니?"라고 하며, 윤택이를 빈정대는 친구들을 향해 쏘아붙였다. 그러자 윤택이는 다소 표정이 밝아지고 기를 펴는 것 같았다. 단은 친구들을 구석으로 불러 모으더니 "어른들 앞에서 티격태격 다투며 서로 홍보하는 게 누워서 침 뱉기인 줄도 모르는가 봐!"라며, 따끔하게 아픈 곳을 찔렀다. 아이들은 모두 유구무언(有口無言)으로 변명할 말을 찾지 못하였다. 평소 통이 크고 속이 깊었던 단은 언중유골(言中有骨)이라는 말처럼 예사로운 말속에 깊은 속뜻이 숨어 있는 말을 가끔 하기도 했다. 단의 충고에 윤택이를 얕잡아 보거나 빈정댔던 아이들은 다들 긴장하여 움찔했다. 잠자코 그 광경을 지켜보고 있던 윤택이는 속이 시원한 듯한 표정을 지었다. 자존심이 상한 아이들은 가자미눈을 하여 윤택이를 째려보았다. 작은 일도 허투루 보지 않았던 단의 표정을 살피던 아이들과 윤택이는, 이내 무덤덤

한 듯이 아무 일 없다는 시늉을 하며 딴청을 부렸다. 아이들은 너도나도 그 상황을 모면하려고 시치미를 뚝 뗐다. 단은 모래톱 마을의 순진하고 착한 아이들을 바라보며 맘속으로 미소를 짓기도 했다. 그런 단의 모습을 보니 배포가 커서 매사 여유가 있어 보였다.

장기 대결이 끝나면, 어른들은 누룩으로 빚은 막걸리와 주전부리를 시켜 먹었다. 그때, 아이들은 꼽사리 끼어 하얀 거품이 올라오는 사이다 같은 단 음료를 얻어 마시기도 했다. 그 맛은 꿀맛이었다. 막사발에 따라 준 사이다를 흘리지 않고 마신 후, 쪽쪽 핥다 먹는 모습이 꼭 몇 끼는 굶은 개구쟁이들 같았다. 사이다를 마시다가 석이는 어른들이 마시고 있는 막걸리 사발에 눈독을 들이며 군침을 흘렸다. 그 낌새를 알아채고, 옆에 있던 노인이 한마디 했다.

"세 살 적 버릇 여든까지 간다는데, 어린애들은 술을 입에 대면 안 돼!"라고 하시며, 주전부리만 한 조각씩 떼어 내어 아이들 입 안에 쏙 집어넣어 주었다. 그런 자잘한 일들이 느티나무 아래에서 행해졌고, 언제나 훈훈하고 정겨운 추억을 아이들에게 간직하게 해주었다.

마을 수호신 같은 느티나무 옆에는, 마을을 지키는 키 큰 장군처럼 장승이 서 있었다. 한 쌍의 나무 장승에는 천하대장군, 지하여장군이라는 글이 각각 새겨져 있었다. 어릴 때부터 보아온 조금 우스꽝스럽기도 하고 무섭기도 한 장승을, 아이들은 마을을 표시하는 기둥으로 알고 자라왔다. 장승이 서 있는 곳에서 조금 뒤쪽으로 돌아가면 돌무더기로 쌓은 돌탑도 보였다. 산과 강과 바다가 접한 곳에 있었던 모래톱 마을은 언제나 자연환경의 영향 아래에 놓여 있었다. 마을 주변에는 예부터 마을 사람들이 미신이나 신앙심에 의존하며 살아온 흔적들이 여기 저기에 남아 있었다.

장승제는 동네 어귀에 서 있는 장승에게 지내는 마을 제사의 하나였다. 어떤 마을에는 장승뿐만 아니라 솟대를 세워놓은 곳도 있었다. 미신으로 가느다란 나무 위에 새를 깎아 앉힌 솟대를 동네 입구에 장승과 함께 세워서 잡귀를 물리쳤다. 흔히, 장승들은 길가 쪽에는 천하대장군을 세우고, 안쪽으로 지하여장군을 세워 서로 눈을 마주 보게 했다. 마을에는 당산의 산신제와 같이 엄숙히 진행하는 마을 공동제사도 있었지만, 떠들썩하고 잔치 분위기를 내는 마을 장승제 같은 행사도 있었다. 아이들은 잔치 분위기를 내는 장승제를 더 좋아하기도 하고, 그런 행사를 기다리는 아이들도 많았다. 그런데 올해 장승제는 예전과는 사뭇 달랐다. 소문난 잔치에 먹을 것 없다더니, 이번 장승제는 잔치 분위기는 고사하고, 당산에서 지내는 산신제보다 더한 엄숙함이 엿보였기 때문이다. 장승제를 하는 날, 마을 어른들은 검정 갓과 흰색 두루마기를 갖춰 입고, 술과 떡, 과일과 다과를 비롯해 평소에는 좀처럼 먹기 어려운 비싼 조기 등을 정성껏 준비하였다.

며칠 전부터, 온 천지에 무서운 병이 돈다는 소문이 파다하더니, 마을에 들어오는 잡귀를 물리치기라도 할 양으로 마을 공동제사를 지내는 것 같았다. 역병 같은 감염병이 위쪽에서 점차 남도 지방으로 내려온다는 연통이라도 받은 것일까. 장승제가 열린 다음 날, 단은 친구들과 함께 장승이 서 있는 곳으로 가보았다. 그곳에는 청년들과 마을 어른 몇 사람이 서성이며, 고민이 있는 것처럼 심각한 표정으로 웅성거리고 있

었다. 늘 지나다니다 앉아서 쉬곤 했던 평상도 보이지 않았다. 마을 어귀 느티나무 아래 쉼터 역할을 했던 평상과 장승 주변에 널브러져 있던 물건들이 말끔히 치워져 있었다. 마을 입구는 새끼줄을 쳐서 마을로 드나드는 사람들을 통제하기도 했다. 읍내에는 늦은 밤에 통금이 있다는 것을, 어른들이 하는 말이나 귀동냥으로 들어 어렴풋이 알고 있었다. 그런데 사람들이 띄엄띄엄 다니는 외진 모래톱 마을에, 새끼줄을 쳐서 대낮에 감시한다는 것이 도무지 이해되지 않았다. 동네 아이들도 이상한 낌새를 눈치채고 수군거리기 시작했다. 어른들도 군데군데 모여, 작은 소리로 수군거리는 모습이 곳곳에서 눈에 띄었다. 마을에 이상한 일이 벌어지고 있다는 것을, 동네 사람들이라면 다들 눈치를 채고 있는 것 같았다.

한 며칠 사이, 이웃 마을 사람들도 너나 할 것 없이 그 마을에서 이상한 기운을 감지하고 있는 것 같았다. 분교에 다니는 고학년 아이들도 동네가 예전과 달라지고 있다는 사실을 다들 눈치를 챈 것 같았다. 쉬는 시간이 되어 교무실 앞을 지나가다 보면, 선생님들도 끼리끼리 모여서 무슨 이야기를 하는 모습이 자주 보였다. 마을에 무슨 심상치 않은 일이 조만간 벌어지기라도 할 것 같았다.

아이들은 느티나무 근처에 우뚝 서 있는 장승을 다시 쳐다보았다. 장승도 장승제를 치른 뒤에 보니, 표정이 달라진 것처럼 느껴졌다. 그전에는 마을 입구를 표시하는 기둥쯤으로 알았던 그 장승이 아니었다. 갑자기 우뚝 선 장승이 마을을 내려다보며 지키고 있다는 생각이 들었다. 그리고 보니 장승의 표정도 우스꽝스러운 것이 아니라, 마을로 들어오는 사람들을 무섭게 노려보는 것 같기도 했다. 강 건너편 절 입구에 그려놓은, 톱니바퀴처럼 칼날이 날카로운 장검을 찬 무서운 형상의 무사들이 떠올랐다. 곧 방학을 맞이할 아이들의 들뜬 기분은, 장승제를 지내며 차분히 가라앉기 시작했다. 이제 마을을 나가는 사람도, 마을로 들어오는 사람도 마을 어귀 느티나무 아래에서 검문을 거친 뒤 출입이 가능하였다.

4화 역병의 창궐

역병이 창궐하여
남도 지방으로 퍼진다는 소문이 무성하였다.
모래톱 아이들은 이제 마을을 벗어나 물놀이는 물론이고,
산이나 강을 따라 쏘다니는 일도
맘대로 할 수 없게 되었다.

여름방학이 다가오는데 아이들은 마을에서 갇혀 지내야 하는 딱한 신세가 되었다. 울상이 된 아이들은 물론, 어른들의 생활 속 불편함도 이만저만한 것이 아니었다. 이런 일들은 모두 역병(疫病)이 퍼져 남쪽으로 내려온다는 괴소문 때문이었다. 마을에서 북쪽으로 솟아 있는 첩첩산중(疊疊山中)의 높은 산들과 숲을 바라보니 계곡 너머에서 연기가 피어올랐다. 대낮에 피어오르는 연기를 보더니, 산불이 났다며 여기저기서 웅성거리는 소리도 들려왔다. 그때 단이와 친구들 일행이 강나루에서 만났다. 단이는 어디서 들었는지 산 너머에 피어오르는 연기는 역병 때문에 일부러 불을 피우는 것 같다고 얘기했다. 감염병이 번져 사람들이 죽어 나가면 마을에서는 잡귀를 쫓아내려고 온갖 미신이 난무하기도 했었다. 다들 역병 때문에 골치가 아팠다. 역병이 창궐(猖獗)하면 일부러 짚단으로 불을 지피기도 한 일이 오래전 옛날에도 있었다고 어른들이 하는 얘기들이 전해지기도 했다.

시간이 지날수록 청정 모래톱 마을 근처에도, 역병이 가까이 온 것 같은 불안감이 사람들의 표정 속에 역력했다. 산 너머 어느 마을에는 역병으로 죽은 사람들이 소달구지에 실려 나간다는 이야기도 있었고, 마을을 떠나서 산속으로 피신하는 이들도 있다고 했다. 한여름이 되면서 감염병에 관련된 괴소문들은, 꼬리에 꼬리를 물고 인근 지역은 물론이고, 온 동네를 두려움 속으로 몰아가 골머리를 앓고 있었다.

이런 소식을 모르고 뱃일에 나갔다가 뭍으로 돌아온 어부들은, 뜬금없는 소문들과 동네마다 마을 어귀에서 통금을 하는 새끼줄이 가로막고 있는 것을 보며 의아해하기도 했다. 옆 동네에서는 마을을 지나가려던 사람들이 제지당하여 되돌아갔다는 소문도 들려왔다. 언제나 필요할 때는 편하게 왕래가 있었던 마을들이, 서로 연을 끊고 지내는 모습은 생전에 본 적이 없는 일이었다. 마을과 마을은 발이 끊기고, 몇몇 장사꾼들만 가물에 콩 나듯 뜨문뜨문 눈에 띄었다. 시골 사람들은 세상 돌아가는 소식을 듣는 일도 점점 어려워졌다. 역병이 퍼지니 서로 등을 돌리고 지냈다. 사라지고 거의 볼 수 없었으나 간혹 전국으로 돌아다니기도 했던 행상인 방물장수나 보부상으로부터 간간이 들려오는 연통에 의존하는 딱한 신세가 되었다.

한편, 방학을 며칠 남겨두고 아이들은 학교에서 책거리와 종업식을 준비하였다. 책거리는 서당에서 책을 한 권 뗄 때마다 학동들이 훈장님께 고마움을 표시하는 행사로 예부터 전해져 왔다. 책거리 행사는 여러 가지 모습이 있었다. 마을 어른들이 간단한 음식을 준비하여 서로 나눠 먹으며 아이들을 격려하고, 훈장님께 감사를 드리며 덕담을 나누기도 했다. 우리 조상들의 스승에 대한 감사와 공부하는 학동들의 노고를 격려하는 자리를 마련하는 데 의의가 있었다. 모래톱 마을 분교에서도 이런 훌륭한 전통을 이어받아, 아이들이 책을 다 배우게 되어 간단한 음식을 준비한 후 책거리를 하기로 했다.

학교에서는 마을에 이상한 소문이 흉흉한데 책거리와 같은 행사를 하는 것이 옳은 일인지 고민하는 것 같기도 했다. 선생님께서는 내키지 않는다는 표정으로 심드렁하게 말씀하셨다.

"이웃 마을에 역병이 번지고 있다는데, 우리가 교실에서 행사를 하는 것이 옳은 일일까요?"

선생님의 말씀을 듣고 있던 아이들은 다들 '구더기 무서워 장 못 담글까.'라는 말을 속으로 하며 시무룩한 표정을 지었다. 또 어떤 아이는 대뜸 "선생님, 지켜야 할 것들을 잘 지키면서 행사를 진행한다면 괜찮을 것 같아요."라고 말하는 것이 아닌가. 아이들은 마을 밖으로 나가지 않고, 학교 교실에서 하는 책거리는 괜찮다는 의견이 많았다.

"여러분! '예방이 최선이다.'라는 말 잘 알고 있지요?"라고 하시며, 선생님께서는 아이들에게 마을 밖으로 출입하지 말고, 역병을 조심하라고 강조하셨다. 믿는 도끼에 발등 찍힌다는 속담도 있다며 힘주어 말씀하시는 선생님의 표정에서 단순한 엄포는 아니란 걸 느낄 수 있었다. 하지만 아이들은 늘 하던 대로 공기놀이도 하고, 매미를 잡으러 다니기도 하는 것을 보니, 인근 지역의 역병을 실감하지 못하는 것 같았다.

어떤 나그네가 마을 입구에서 출입을 제지당할 때 한 말이 떠돌아다니기도 하였다. 서울이나 수도권 쪽은, 역병이 크게 번져 사람들이 다른 곳으로 피신하는 사람들도 있다고 하였다. 전염병 대응이 한 치 앞도 못 보는 실정이라 너나 할 것 없이 다들 속수무책(束手無策)이었다. 하지만 모래톱 마을은 큰 산을 수십 개나 넘고 넘어야 서울이니 역병에서 안전지대인 것 같기도 했다. 마을에 출입하여 잠시 쉬어가려고 했던 나그네들이, 통금을 맡은 청년들에게 제지당하여 되돌아갔다는 소문도 여기저기서 들려왔다. 오일장에 경운기를 타고 읍내에 다녀온 기와집 사람이 최근의 읍내 소식을 마을에 전하기도 했다. 읍사무소에서 읍내에 온 사람들이 볼 수 있도록 경고문을 벽보로 붙였다고 했다. 수도권을 중심으로 감염병이 크게 번져 남도로 내려오고 있으니 다른 마을 출입을 삼가라고, 사람이 많이 모이는 곳에는 각처에 방을 붙이기도 했다.

모래톱 마을이 있는 곳은 육지의 끝자락이라 감염병에서 안전한 것 같았다. 더욱이 마을 어른들이 미리 장승제를 지내고 마을 어귀에서부터 통금을 실시하기도 하여, 산 너머 인근 지역처럼 감염병에 걸려 사람들이 죽어 나가는 일은 아직 없었다. 높은 산 너머 위쪽 지방은, 역병의 창궐로 모든 일손을 멈추고, 학교는 방학이 되기도 전인데 미리 학교 문을 닫았다는 소문도 있었다. 온 세상이 감염병으로 몸살을 앓고 어른들은 일자리를 잃기도 하였다. 읍내 장터에 있는 점방들도 문을 닫는 곳이 점점 늘어나고 있었다. 물건을 사고파는 사람들이 없으니 장사가 되지도 않을뿐더러, 역병이 퍼지는 것을 막기 위해 나라의 녹을 먹는 관청 사람들의 감시도 점점 심해졌다. 어떤 상인들은 숨어서 장사하다가 벌금을 크게 물기도 하고, 영업이 정지당하기도 했다는 소문도 퍼졌다.

한편, 출입이 금지된 곳이나 지역을 방문한 사람들도 적발되면 벽보에 이름이 붙여지고 벌금도 물린다고 하였다. 세상은 감염병 이전의 모습과는 크게 달라지고 있었다. 사람들은 난생처음 경험하는 딴 세상의 모습에 벙어리 냉가슴 앓듯 속만 썩이고 있었다. 나이 든 어른들도 홍역을 치른 적이 있었지만 이런 세상은 처음 겪는 일이라며, 여기저기서 답답한 심정을 토로하였다. 무더운 여름은 다가오고, 기승을 부리는 폭염(暴炎) 속에서 눈에 보이지 않는 병마와 사투를 벌여야 하는 처지로 너나 할 것 없이 내몰리고 있었다. 사람들은 삶의 정교한 톱니바퀴가 한순간에 멈추는 듯한 살벌하고 답답한 나날이 이어지는 현실이 원망스럽기만 했다.

5화 움막에 머문 사람들

역병으로부터 마을을 지키기 위해
통금을 실시하고, 마을 어귀 느티나무 옆에는
외지인의 출입을 통제하기 위한
움막도 설치하였다.

모래톱 마을은 잡귀를 쫓고 역병을 물리치려는 장승제를 올리고, 마을 어귀에서는 통금을 실시하는 등 단속을 철저히 하였다. 오랜 삶 속에서 터득한 어른들의 기지로, 모래톱 마을은 인근 지역과 달리 괴소문들이 난무하는 가운데 평온을 찾아가는 듯했다. 수도권이나 산 너머에서 들려오는 감염병 소식은 딴 세상의 이야기처럼 여겨졌다. 오래전부터 대대로 모래톱 마을을 지켜온 선조들의 지혜와 슬기는 언제나 삶의 터전에 쏠려 있었다. 그런 삶의 오랜 경험과 단합된 마을 전통은 이번 역병의 창궐에서도 그 빛을 발하고 있었다. 눈에 보이지 않는 잡귀를 무슨 수로 막을 수 있겠는가. 하지만 어른들은 세상의 이치와 삶의 원칙 속에서 늘 답을 찾아왔듯이, 무서운 역병의 엄습에도 혼란을 줄이고 흔들림 없이 마을의 중심을 잡아 주었다.

이런 모습은 모래톱 마을이 숱한 역경을 딛고, 지금까지 대대손손 존재해 온 까닭이기도 하였다. 윗대 선조들은 어른들에게 삶의 교훈을 일깨우고, 청년들에게 전수했으며, 그 속에서 어린아이들은 마을의 전통과 문화를 삶 속에서 자연스럽게 터득해 왔다. 콩 심은 데 콩 나고 팥 심은 데 팥 난다고 하지 않던가. 윗대에서 뿌리고 노력한 결과는 후손들에게 그대로 전해졌다. 모래톱 위에서 사는 법과 삶을 살아내는 순리가, 마을 사람들 모두의 정신과 뼛속까지 배어 온 것 같았다. 어른이나 아이, 남녀노소(男女老少) 할 것 없이 괴로움도 즐거움도 함께하며 언제나 동고동락(同苦同樂)하였다. 아이들은 깐깐한 어른들로부터 많은 것들을 배우기도 했다. 마을 어른들은 평소에는 아이들과도 잘 어울리며 한없이 너그러웠지만, 때로는 단호했고 강단이 있었다. 그것이 모래톱을 지키고, 자라나는 아이들을 지키며, 모두의 삶을 지키는 올바른 길이라 굳게 믿었다.

그런 마을 어귀에 어느 날, 읍내에서 외지인을 태운 경운기 한 대가
멈춰 섰다. 역병으로 외지인의 출입을 금하고 있었으니 동네 기와집 댁
의 경운기였지만 마을에 함부로 들어올 수가 없었다. 마을에는 순식간
에 그 소문이 파다하게 퍼졌다. 마을 어귀에서 출입이 제지된 사람이
세 사람이라는 말도 들리고, 두 사람이라는 소리도 들렸다. 사람들이
산 너머 연기가 났던 마을을 지나왔다느니, 서울에서 역병을 피해 내려
왔다느니 근거 없는 말들이 무성했다. 이 소문은 삽시간에 근동으로 퍼
져, 인근 촌민들을 크게 긴장시키고 역병에 관련된 온갖 억측들도 난무
하였다.

평온하던 모래톱 마을은 갑자기 역병의 혼란과 소용돌이 속으로 다
시 빠져들어 갔다. 마을 어른들은 삼삼오오(三三五五) 모여서 심각한 표
정으로 수군거리기도 하고, 통금을 서던 젊은 청년들도 심상치 않은 일
이 생긴 것처럼 분주하게 움직였다. 그해 여름, 역병이 생기고 마을을
지나치려는 나그네들은 있었지만 마을에 꼭 출입해야 할 일로 찾아온
사람들은 없었다. 그런데 이번 경우는 달랐다. 마을에 들어올 목적으
로 멀리서 찾아왔기 때문이다. 들려오는 소문도 그렇고, 자초지종(自初
至終)을 들어 보니 그들은 기와집에서 당분간 머물기 위해 온 사람들이
라고 했다. 기와집 할아버지는 젊은 시절에 큰 벼슬을 한 토박이 어른
이었다. 동네에서는 명망이 있고 영향력을 가진 유지로 통했으나 마을
사람들과 공동체의 의견을 따를 수밖에 없었다.

마을 어른들은 석양이 뉘엿뉘엿 넘어가는 해질녘에 마을 어귀에 도착한 사람들의 출입을 금하였다. 무서운 전염병이 퍼진다고 하니 외지인들을 마을 밖에 머물게 한 후, 당분간 지켜보기로 했다. 우선 강나루 상류에 있는 움막을 정리하여, 그들을 그곳에 머물도록 했다. 그리고 역병이 퍼진 서울에서 내려왔으니 읍내에서 의원을 불러 진찰도 마쳐야 마을 출입이 가능하다는 언질도 주었다. 서울에서 온 사람들은 어쩔 수 없이 하룻밤을 불편한 움막에서 지새워야 했다. 외지인들은 움막에서 밤을 지내야 하는 일로 몹시 심난(甚難)한 것 같았다.

　다음날 날이 밝자, 청년들은 나룻배를 이용해 아침 일찍 읍내로 가서 외지인들을 진찰할 의원을 데리고 왔다. 진찰을 받을 사람은 부모와 아이 등 세 사람이었다. 부모는 40대쯤으로 보였고, 아이가 하나 있었는데 고학년쯤 되어 보이는 여자아이였다. 외지인들이 하룻밤을 움막에서 지내고 의원의 진찰을 기다리고 있다는 사실은 마을 사람들이면 누구나 알게 되었다. 그들이 마을로 들어오는지, 되돌아가는지 어른들은 물론이거니와 단이와 아이들도 초미의 관심사가 되었다. 아마도 동네 아이들은 자기들 또래의 여자애가 딸려 있으니 그런 것 같았다. 나라에 무서운 역병이 창궐하고 있는 시국이니 외지인의 출입은 곧 두려움을 의미하기도 했다. 역병을 막아내고 마을을 지키기 위해 모래톱 마을 어른들이 외지인들에게 행했던 여러 가지 원칙과 절차를 가까이서 지켜보며, 아이들은 알게 모르게 많은 것을 배웠다. 학교에서 배우고 익히며 성장해 가고 있는 아이들은, 지역사회나 마을 공동체 속에서도 보고 듣고 느끼며, 배우는 것들이 많았다.

오라고 청하지 않았는데도 스스로 찾아와 움막에 머문 불청객들은, 정오가 되기 전에 의원을 만난 뒤 마을로 들어오고 있었다. 아이들은 경운기를 타고 기와집으로 가고 있는 외지인들을, 냇가에서 물장구를 치다가 멀찍이서 지켜보았다. 자기들 또래로 보이는 얼굴이 하얗고 긴 머리를 양 갈래로 땋은 소녀도, 경운기에 타고 있는 것이 보였다. 단이와 친구들은 먼 곳에서 시골 마을에 온 여자아이에게 유난히 눈길이 쏠렸다. 처음 보는 아이에게 다들 관심이 많았다. 윤택이는

"저 아이 몇 학년쯤 되어 보이는데?"라고 하며, 몹시 궁금하다는 듯이 아이들에게 물었다.

"잘 모르긴 해도 중학생은 아닌 것 같아."라고 옆에 있던 석이는 혼잣말로 중얼거렸다.

"우리 반 리솔이보다 더 예쁘고 키도 큰 것 같은데……."라고 하며, 평소 숫기 없는 창의도 한마디 거들었다.

단은 아무 말도 없이, 어디선가 본 듯한 그 소녀를 무심한 듯이 바라보기만 했다. 소녀의 나이나 학년은 물론이고, 언제까지 마을에 머물게 되는지 등 궁금한 것들이 한둘이 아니었다. 먼발치에서 바라보긴 했으나 여자아이는 눈에 띄는 외모였다. 무엇보다 시골에서는 좀처럼 보기 드문 하얀 피부와 예쁜 자태에, 아이들은 너나 할 것 없이 목을 빼고 바라보았다. 경운기가 기와집 헛간으로 들어가 시동을 끄는 순간까지, 아이들의 시선은 그 소녀에게 머물러 있었다.

어젯밤만 하더라도, 아이들은 외지인들이 역병을 옮길지도 모른다는 두려움에 사로잡혀 있었다. 이제 그런 걱정은 온데간데없고, 소녀가 마

을에 나타난 것이 큰 축복이라도 되는 것처럼 여기는 것 같았다. 열 길 물속은 알아도 한 길 사람 속은 모른다더니 몇 시간을 사이에 두고, 아이들의 마음이 너무 확 바뀐 것이 이상할 노릇이었다. 경운기가 기와집으로 사람들을 태우고 들어간 후, 한동안 아무런 소식이 없었다.

모래톱 마을은 다시 평온을 되찾고, 해는 서산으로 저물고 있었다. 서쪽 하늘의 붉은 노을을 가로질러 힘차게 날아다니는 어미 제비와 새끼 제비들의 그림자가 강 하류의 물살에 크게 비쳤다. 제비들은 모래톱 마을에서 새끼를 치고 비행 연습을 하고 있었다. 제비 가족들은 계절이 바뀌기 전에 강남으로 날아갈 준비를 하는 듯, 오늘따라 유난히 자신감 넘치는 한여름날 저녁의 힘찬 날갯짓을 보여 주었다.

6화 기와집에 남은 소녀

마을에
통금이 실시되고 있는 가운데
움막에서 하룻밤을 지낸 손님들이 기와집으로 왔다.
동네 아이들이 크게 관심을 보였던 소녀는
기와집에서 당분간 머물게 되었다.

움막에서 하룻밤을 머물렀던 사람들은 기와집 댁의 가족들이었다. 기와집 할아버지는 군수를 하다가 퇴임하였는데 마을에서는 그 집을 군수 어른 댁이라고도 불렀다. 기와집에는 딸이 둘이었는데 이번에 온 사람들은 결혼해 도회지에 나가서 사는 큰딸 부부와 외손녀였다. 부부는 직장에서 해외 연수를 가게 되어, 방학을 맞아 혼자 남게 되는 손녀를 시골 외할아버지 댁에 머물게 하려고 데리고 내려온 것 같았다. 서울은 역병이 크게 퍼져 위험한 상황이 지속되고 있는 것도, 시골로 내려온 하나의 이유이기도 했다. 모래톱 마을처럼 수려한 자연경관을 두루 갖춘 곳에서 자녀를 교육해 보고자 하는 부모의 오랜 바람도 조금은 영향을 미쳤다는 소문도 있었다. 맹자의 어머니가 맹자에게 좋은 교육 환경을 만들어 주기 위해 세 번이나 이사했다는 교훈을 주는 가르침인 맹모삼천지교(孟母三遷之敎)라는 말도 있지 않던가. 외할아버지께서 계시는 모래톱 마을로 오게 된 것은, 무엇보다 소녀 자신의 시골 생활에 대한 동경도 크게 작용한 것 같았다. 전학이라기보다는, 서울에 역병도 퍼지고 있으니 당분간 위탁해 시골 분교에서 공부하는 조건으로 내려왔다는 소문도 들렸다.

소녀의 부모들은 출국 준비도 해야 해서, 이틀 뒤에 서울로 올라가고 소녀만 기와집에 머물게 되었다. 소녀는 서울에서 방학이 시작되기 전에 역병으로 학교가 문을 닫았기 때문에 배울 공부를 다 끝내지도 못하고 시골로 내려왔다. 모래톱 마을에 온 소녀는 분교에서 방학 전에 당분간 남은 공부를 하다가 여름방학을 맞이할 작정인 것 같았다. 소녀의 부모는 아이들이 하교한 후 소녀를 데리고 분교 교무실에 들러, 분교에 다니기 위해 절차를 밟고 난 뒤 서울로 올라갔다고 했다. 소녀는 당장 내

일부터 분교에 등교하기로 되어 있었다. 부모님이 서울로 떠난 오후, 외할아버지께서 마실 가시는 길에 따라나서 소녀는 동네 이곳저곳을 둘러봤다. 외할아버지 댁에는 일손을 도와주는 분들이 여럿 있었다. 강나루에 있는 논밭을 관리하기도 하고, 바닷가 양식장 일도 해내려면 손이 많이 필요했다.

학교 일과는, 며칠 지나면 방학이라 여름방학 종업식을 할 때까지 오전 수업을 하기로 되어 있었다. 아이들은 오전에 수업을 마치고, 점심을 먹은 후 바깥으로 나가지 못하여 주로 마을 안에서 어울려 놀았다. 단이도 늘 같이 어울려 다니던 몇몇 아이들과 강나루에서 함께 수영도 하며 놀다가 집으로 돌아갔다. 단은 내일 제출해야 할 과제를 마무리하고, 해질녘이 되어 저녁을 먹기 전에 강나루의 포구에 나와 바람을 쐬고 있었다.

기와집에 남은 소녀는 부모님이 서울로 올라가고 낯선 곳에서 혼자 남게 되니, 갑자기 허전함과 쓸쓸함이 밀려오는 것을 느꼈다. 소녀는 아까 외할아버지와 둘러봤던 강나루 쪽을 다 보지 못하고 기와집으로 돌아왔다. 기와집에 혼자 있으니 심심하기도 하여, 못다 본 강나루 쪽에 나가보려고 다시 집 밖으로 나섰다. 기와집 어른들이 미리 일러준 조심해야 할 일들을 기억하며, 소녀는 마을에서 첫날 저녁을 시작하였다. 기와집에 사는 사람들이 여러 가지 마을의 생활에 관한 이야기를 들려주었으나 마을 남서쪽 먼바다에 있는 섬에 관해서는 어떤 얘기도 해주지 않았다. 늘 안갯속에 묻혀 신비스러움을 자아내는 전설의 섬에 대해서는 누구도, 아무 말도 해주지 않는 것이 이상했다. 예전에 어머니로부터 잠깐 섬의 전설을 들은 기억이 나서, 섬과 관련된 궁금증을 물어보았으나 섬 이야기만 나오면 모두 입을 굳게 닫아버렸다.

혼자서 강나루 포구 쪽으로 산책을 하던 단은, 기와집 쪽에서 아까 낮에 본 그 소녀가 걸어오는 것을 보았다. 단은 처음 보는 소녀를 만나는 것이 왠지 쑥스러워서 반대쪽 강나루로 돌아가려고 몸을 재빨리 휙 돌렸다. 그때 누군가가 뒤에서 부르는 소리가 들려 뒤돌아보니 소녀가 환하게 웃으며 손짓하였다. 소녀는 단이가 서 있는 강나루 쪽으로 급히 걸어오더니 먼저 말을 걸어왔다.

"안녕, 이 마을에 사는 아이니?"라며 소녀는 인사를 하였다.

"안녕, 으, 응."하고, 단은 엉겁결에 긴장된 표정으로 대답했다. 소녀는 자신의 이름을 말해주었다.

"나, 난, 서울에서 내려온 지은설이야. 6학년인데 넌 누구니?"라고 하며, 소녀는 외모와 달리 당차게 물었다. 단은 소녀와 눈길이 마주칠 때마다 얼굴을 옆으로 돌리며 말했다.

"나, 난, 저…, 마을 분교에 다니는 목로단이야. 나도 6학년이야. 만나서 반가워."라고 하며, 조금 당황한 듯 급하게 짧은 자기소개를 하였다.

"나도 너희 학교에 당분간 다닐 거야."

"우리 하, 학교에?"

"아마, 6학년에 한 학급뿐이라고 했으니, 같은 반에서 공부하게 될지도 몰라."

"그, 그래? 6학년이면 한 반뿐이니…, 그럼, 우리 교실에 등교하겠구나."

단은 언젠가, 어디에서 본 듯한 낯이 익은 소녀가 오늘 처음 만난 아이처럼 느껴지지 않았다. 하지만 좁은 시골에서만 살아온 단은, 자신이 저렇게 예쁜 소녀를 다른 곳에서 만났을 리가 없었기 때문에 낯이 익다는 말은 차마 꺼내지 못하였다. 소녀와 단은 순진하고 착하게 커 가는 아이들답게 금방 낯을 텄다. 두 아이는 오래전부터 잘 알고 지낸 사이처럼 서로의 궁금한 점을 묻기도 하며 강나루를 함께 산책하였다.

모래톱 마을에 관한 이야기를 주고받다가 소녀는 불현듯 기와집 사람들이 말해주지 않은 신비스러운 섬에 대해 단에게 물어보고 싶어졌다. 단도 서울의 역병에 관한 소식이 궁금하기도 하였다. 그때 기와집에서 일하는 사람이 강나루 쪽으로 걸어오며 소녀를 불렀다. 외할아버지께서 찾아보라고 해서 나왔다면서, 저녁을 먹으러 빨리 집으로 오라고 손짓했다. 시골 외할아버지 댁에는 손이 많으니 이 사람 저 사람이 그때그때 필요한 일도 쉽게 처리하는 것 같았다. 소녀는 섬에 관한 의문점을 묻고 싶었으나 집으로 돌아가야 해서 단에게 그 질문은 하지 못하였다. 단과 소녀는 내일 학교에서 만나기로 하고, 눈인사만 간단히 나누고 서둘러 헤어졌다.

7화 소녀, 생각에 잠기다

이른 아침 소녀는
낯선 시골 마을의 강나루를 거닐며
모래톱 마을로 들어오면서 겪게 된 일들을 떠올려 보았다.
마을의 풍요로운 대자연과의 교감을 통해
마음으로부터 나오는 내면의 목소리를 듣기도 하며
소녀는 깊은 생각에 잠겼다.

단과 소녀가 강나루에서 헤어진 다음 날, 소녀는 시골 분교로 등교하기로 되어 있었다. 강 하류의 아침은 딱딱하고 네모진 건물들이 다닥다닥 붙어 있는 도시의 모습과 사뭇 달랐다. 마을 어귀에 도착해 움막에서 조마조마한 맘으로 불편하게 밤을 지새우고, 기와집에서 부모님과 함께 바쁜 하루의 일과를 보낸 날과는 다른 고요하고 평화로운 아침이었다. 도심의 시끄러운 굉음도, 역병의 위험을 알리는 구급차의 사이렌 소리도 들을 수 없었다. 말 그대로 한 폭의 온전한 그림, 아름다운 산수화가 바로 눈앞에 펼쳐져 있었다. 더할 나위 없이 좋은 환경이었다.

  새벽이슬을 머금은 숲과 어둠이 서서히 걷히며 잔물결을 그려내는 강물이 그랬다. 소녀는 태어나서 처음 느껴보는 생경한 풍경에 예쁜 눈이 화등잔만 해졌다. 여기저기 듣기 좋은 새소리와 풀벌레 소리며, 시원하게 쭉쭉 뻗은 버드나무가 거리 두기를 하듯 서 있는 모습도 복잡하지 않아서 좋았다. 눈을 뜨면 이런 아침을 바라볼 수 있고, 가까이서 느끼며 자라는 아이들이 부러웠다. 소녀는 빨리 그들을 만나보고 싶어졌다. 어제 만난 듬직하고 순수하며 잘 생기기도 한 단이 생각도 갑자기 떠올랐다. 이런 촌에도 그런 멋진 아이가 있다니, 미처 서울에서는 생각지 못한 일이었다. 어린아이 때부터 풍요로운 자연환경 속에서 강나루를 바라보며 자란 모래톱 아이들과 친하게 지내고 싶은 마음이 절로 우러나왔다.

  갈매기 한 쌍이 바닷가 작은 모래톱에 앉았다가 나란히 보조를 맞추며 걸어갔다. 청둥오리들도 떼를 지어 얕은 강물을 헤엄쳐 다니고, 긴 다리를 한 왜가리 한 쌍은 큰 걸음을 내딛기도 하며 가다 서기를 반복했다. 전국에 역병이 번져 사람들이 죽어 나간다는 것을, 시골 마을에서는 누구도 짐작할 수 없는 현실 앞에, 소녀는 자기 얼굴을 꼬집어보기도 하였다. 어찌 꿈엔들 상상할 수 있었겠는가. 며칠 전의 혼란스러운 도시의 모습과는 너무나 동떨어진 시골 마을이 연출하는 강나루의 풍경은 달라도 너무 달랐다.

소녀는 어린 나이였지만 며칠 사이에 일어난 서로 다른 삶의 모습을 직시하며, 모든 현상은 같기도 하고 크게 다를 수도 있음을 어렴풋이 느꼈다. "누가 어떤 생각을 하고 어떻게 사느냐에 따라, 꼭 같은 처지라도 서로 크게 다를 수 있다."라고, 어느 책에서 본 글귀의 의미도 조금은 이해가 되었다. 풍요로운 대자연과 소통하며 끊임없이 질문을 쏟아내는 소녀는, 제6의 감각이나 영감과 같은, 이른바 고요하고 평온한 내적 목소리의 힘을 인식하는 것 같기도 했다. 이른 아침 생각에 잠긴 소녀는 자기 내면을 들여다보기도 하고, 마음의 소리에 귀를 기울임으로써 세상을 대하는 어떤 신비스러운 힘이라도 얻고 있었단 말인가. 될성부른 나무는 떡잎부터 알아본다는 말도 있지 않던가. 인간의 꿈과 삶의 형태를 결정짓는 보이지 않는 힘은, 우리가 하루하루 길러내는 태도와 마음가짐에서 나오는 법이다.

생각에 잠긴 소녀를 보니 "의문은 '삶의 수준'을 결정하고, 질문은 '삶 자체'를 바꾼다."라는 말이 떠올랐다. 1950년대 미국 흑인 민권 운동의 도화선(導火線)이 된 마틴 루터 킹 목사가 이끈 "몽고메리 버스 승차 거부 운동"은 우리의 삶 속에서 의문이나 질문이 왜 필요한지를 보여 주는 하나의 사건이라 할 수 있다. 어떤 '의문'의 순간에 맞닥뜨렸을 때, '질문'을 통해 '삶 자체'를 바꾼 이야기이기 때문이다. 누구든지 자신의 주인으로서 스스로 자기 내면의 목소리를 듣는다는 건, 우리에게 옳은 길을 택할 수 있는 용기와 자신감을 가지게 하기에 그만큼 소중한 일이 된다. 의문과 질문은 마음이 내는 신호인 직관을 통해서 나오기도 한다. 그것을 무시하며 지나칠 수도 있겠지만 내면으로부터 끌림이 있다면 그 신호를 따라 움직여야 한다. 그렇지 않으면 인간은 결코 자신이 간절히 소망하는 꿈과 행복을 이룰 수 없기 때문이다. 소녀는 스스로 자신의 주인이 되어, 자기 내면의 목소리에 따라 용기 있게 행동함으로써 자신이 원하는 변화를 이끌고 싶은 욕망을 품고 있는지도 몰랐다.

소녀는 오늘 분교에 첫 등교를 하면 새로운 아이들을 만날 것이다. 새 선생님과 새 교실, 모든 게 새롭고 낯선 환경을 마주하겠지만 자신이 어떻게 생각하고 행동하느냐에 달렸다는 생각이 갑자기 들었다. 아침 강나루를 산책하며, 소녀는 낯선 환경에 대한 두려움이나 긴장감보다는 오히려 맘은 편해지고 좋은 추억에 대한 기대가 앞서는 걸 느꼈다. 어제까지만 해도, 새 학교에 적응할 일에 대해 힘든 생각만 했었는데, 혼자 이런저런 생각에 잠기면서 다가올 일을 대하는 자신의 달라진 모습이 너무나 신기하기도 했다.

사실은 움막에서 불편한 밤을 보낼 때 짜증도 내고, 군수 할아버지께 말씀드려 빨리 마을에 들어가게 해달라고 부모님을 조르기도 했다. 작은 촌구석에 무슨 통금이냐며 비아냥거리기도 했다. 그럴 때마다 부모님께서는 말씀하셨다.

"작은 마을이라고 업신여기면 안 된단다. 마을 공동체에서 정한 원칙과 절차가 있는데……."라며 소녀의 맘을 달래주었다.

"군수 할아버지께 말씀드리면 금방 해결될 거잖아요?"라고 소리치며 응석도 부렸다. 그럴 때마다 어머니께서는

"설아, 네가 외할아버지께 엄마가 야단맞는 걸 보고 싶어서 그러냐?"라고 하시며, 답답하다는 듯이 타이르고 또 타일렀다.

소녀는 이른 아침 강나루를 거닐다가 생각에 잠기면서 의문들이 서서히 풀리는 것을 느꼈다. 며칠 전에 했던 말들이나 투정들이 부끄러워졌다. 촌구석이란 표현은 물론이거니와 외할아버지의 권세에 의존하려 했던 자신의 비뚤어진 생각에 헛웃음이 나왔다. 통금으로 마을의 출입을 까탈스럽게 굴었던 청년들과 노인들을 비웃거나 우습게 본 일이 수치스럽게만 느껴졌다.

소녀는 평소 문해력을 키우기 위해 틈틈이 익히기도 했던 고사성어(故事成語) 가운데 '도둑이 도리어 매를 든다는 뜻으로, 잘못한 사람이 아무 잘못이 없는 사람을 도리어 나무란다.'라는 적반하장(賊反荷杖)이라는 말이 떠올랐다. 아침에 맑은 새소리를 듣기도 하고 흐르는 강물을 바라보며 곰곰이 생각에 잠기기도 하니, 굳어진 표현 중에 그와 유사한 말들도 고구마 줄기처럼 줄줄이 떠오르는 것이 아닌가. '제 눈의 들보는 보지 못하고 남의 눈의 티만 찾는다.', '똥 묻은 개가 겨 묻은 개 나무란다.', '방귀 뀐 놈이 성낸다.', '숯이 검정 나무란다.' 등의 관용 표현들이다. 소녀는 이해하기 쉽고 편한 그 표현을 곰곰이 생각해 보니, 마을로 들어올 때 남 탓만 했던 자신의 비뚤어진 마음이 분명히 드

러나는 것 같아 내심 놀랐다. 소 잃고 외양간 고친다는 말도 있듯이 일이 이미 잘못된 뒤에는 손을 써도 소용이 없다는 것을, 모래톱 사람들은 오랜 경험을 통해 잘 알고 있었다. 모래톱 마을과 그곳에 사는 사람들을 위해 우를 범하지 않으려고 애썼던 그들의 조마조마한 마음이 이해되었다. 사소한 원칙과 절차지만 그것을 소중히 여기며 지키고 안 지키느냐에 따라, 세상이 달라지고 삶이 바뀔 수 있다는 것을, 막연하지만 조금은 알 것 같기도 했다.

선생님께서는 늘 아이들에게 공부만 하지 말고, 여러 가지 체험을 해 보고, 책을 통해서도 간접적인 경험을 많이 하라고 하셨다. 모래톱 마을에 오게 되면서 며칠간의 여러 가지 일들을 겪고, 또 시골에 혼자 남아 생각에 잠긴 시간이 소녀를 크게 성장하게 하는 것 같았다. 우리가 온종일 생각하는 것, 그것이 바로 그 사람이고, 우리의 마음이 현실을 만들어낸다는 말도 있지 않던가. 소녀는 친숙한 서울 생활에서 시골로 내려오면서, 마음먹은 대로 안 되어 괴로울 때가 더 많았으나 그 괴로움조차도 기꺼웠다. 그전에는 잘 이해가 되지 않았던 어른들의 고리타분한 말들이 하나둘씩 떠오르며 절로 고개가 끄덕여졌다. 평소에 선생님이나 어른들의 말씀을 귀담아들어야겠다는 다짐도 하였다. 소녀는 각오를 새롭게 한 듯 주먹을 불끈 쥔 채 버드나무 그늘이 드리워진 황톳길을 따라 기와집으로 돌아왔다.

8화 시골 분교에 등교한 소녀

서울에서 학교에 다니던 소녀가
모래톱 마을에서 당분간 지내게 되었다.
시골 분교에 등교한 첫날,
아이들은 서울에서 내려온 소녀에게
관심이 많았다.

느티나무 밑, 마을 어귀에서 출입이 제지됐다가 외지인들이 마을로 들어올 때, 아이들이 목을 빼고 쳐다봤던 그 소녀가 마을 분교에 등교하였다. 시골 아이들은 서울에서 내려온 소녀에 대해 알고 싶은 것들이 많았다. 서울에서 다니던 큰 학교에서 시골의 작은 분교에 온 소녀가 어떤 느낌을 받는지, 모래톱 마을에서의 며칠간은 어떻게 지냈는지, 시골 아이들은 궁금한 것이 한둘이 아니었다. 또, 서울에는 역병이 크게 번지고 있어 조기 방학을 했을 정도라니, 그런 것에 대해서도 묻고 싶었다.

전날에 시골 분교에서 공부하기 위해 서류 제출로, 소녀는 부모님과 함께 학교에 온 적이 있었다. 아침에 등교해보니 서울의 큰 학교와 달리 교사(校舍)는 나지막한 건물 두 동으로 되어 있었다. 어제 선생님께서 일러주신 대로 현관에서 신발을 벗어 신발장에 넣고, 복도를 따라 2층에 있는 교실로 올라갔다. 이른 아침인데도 아이들 몇몇이 벌써 교실에 와 있었다. 장난꾸러기 남학생들이, 며칠 전에 마을 어귀에서 본 아이라면서 아는 체를 하였다.

그때, 마침 단이가 교실에 들어왔다. 소녀는 어제 말을 건넨 적이 있는 단이를 반갑게 맞았다.
"단이, 안녕!"
"안녕!"하며, 단이는 들릴락 말락 작은 목소리로 쑥스러운 듯이 인사를 했다. 옆에 서 있던 석이와 윤택이는, 두 사람이 서로 아는 사이처럼 인사하는 것을 보며 한마디씩 했다.
"얌전한 고양이가 부뚜막에 먼저 올라간다더니 너희들 다시 봐야겠다."라며 빈정대는 투로 석이가 말했다.

"너희들, 서로 아는 사이야?"라며 윤택이도 이것저것 물었다.

"응, 어제 강나루에서 본 적이 있어."라고 소녀가 대답했다.

"아하, 빠르다 빨라. 벌써 인사를 나눈 사이라니……."라고 하며 친구들이 부러워하기도 하고, 약간 놀리는 듯한 표정으로 관심을 보였다.

아이들이 소녀에게 정신이 팔려있을 때, 교실 문이 스르륵 열리더니 선생님께서 들어오셨다. 아이들은 다들 재빨리 자기 자리로 돌아갔다. 선생님께서는 소녀의 자리를 정해주시며 말씀하셨다.

"설이는, 맨 뒤쪽에 비어 있는 단이 옆에 앉아 있어라. 아이들 다 오면, 자기소개는 나중에 하고……."

선생님께서 나가신 후, 아이들은 다시 단이와 소녀가 앉는 자리로 갑자기 우르르 몰려갔다. 처음 본 소녀에게 재잘거리며 이것저것 궁금한 점을 물었다. 특히, 오랜만에 본 원피스가 눈길을 끌었으며, 여자애들의 부러움을 크게 사기도 했다.

학교 종소리는 하루의 일과가 시작되는 것을 알렸다.

"땡! 땡! 땡!"

나지막한 학교 운동장 주변을 맴돌다가 멀리 강나루로 종소리는 퍼져 나갔다. 종소리는 마치 강물의 파문처럼 눈에 보이는 듯했다. 어제 기와집에서 소녀가 머물고 있을 때도, 땡땡땡 학교 종이 울리는 소리를 듣기도 했다. 조용하고 한적한 시골 마을이라 그런지, 학교 아이들 노는 소리나 종소리가 온 마을에 들리는 것이 신기하였다. 며칠밖에 되지 않았으나 시골 생활은 느긋하고 여유가 느껴졌다. 도시에서는 빨리 빨리하도록 외치기도 하고, 급하게 서두르는 생활이 언제나 좋은 줄로만 알고 지내왔다. 시골 마을이나 분교에서의 느린 삶이나 생활은, 세상을 자세히 들여다보게 하고 혼자 깊이 생각하게 할 여유를 주어 좋았다.

아침에 하는 조례 때, 선생님께서 함께 공부할 새 친구가 우리 반에 왔으니 자기소개를 들어 보자고 하셨다. 그러시면서 선생님께서는 아이들이 다 알고 있는 소녀의 시골 생활의 자초지종을 간단히 정리해서 언급하셨다. 선생님의 말씀이 끝난 뒤에, 소녀는 연분홍빛 원피스를 단정히 차려입고 칠판 앞에 나가서 인사말을 했다.

"새 친구들을 만나서 반가워요. 서울에서 내려와 여러분들에게나 마을 사람들에게 걱정을 끼쳐드려 미안합니다. 시골 풍경이나 마을 아이들이 너무 좋고, 무엇보다 강나루와 모래톱 마을이 마음에 듭니다. 이곳에서 태어나 자라며 공부하는 여러분들이 무척 부럽습니다. 앞으로 잘 부탁드립니다. 좋은 친구가 되도록 노력할게요."라고 예의를 갖추어, 마치 연습이라도 한 듯 유창하게 인사말을 했다. 아이들은 환호와 큰 박수로 소녀의 말에 화답했다.

시골 분교라 그런지 한 학년에 한 학급씩만 있었다. 6학년 교실은 2층 복도 끝자락에 있었는데 매우 조용했다. 학교 울타리는 대나무 숲으로 되어 있어서 아담한 느낌을 주었다. 산등성이에 있는 학교 복도의 창가에 서서, 아래쪽을 내려다보면 대나무 숲 너머로 강나루가 한눈에 들어왔다. 소녀가 평소 궁금해했던 신비스러운 섬도 안개에 싸여 수평선 너머 흐릿하게 보였다.

서울에서는 역병이 퍼져 학교가 조기 방학에 들어갈 정도였으니 아이들끼리 어울리는 것이 금지되었지만 이곳 분교는 아직 그러지는 않았다. 소녀는 어제 단과 만나 헤어지기 전에 신비스러운 섬에 관한 이야기를 듣고 싶다고 했다. 그때, 섬에 관한 이야기를 못 듣고 헤어져서, 밤새 그 생각 때문에 밤잠을 설치기도 하였다. 오늘 오후, 학교 일과를 마치면 단이를 만나 그 얘기를 꼭 듣고 싶었다. 섬사람들과 섬의 전설에 관한 이야기가 무슨 연유에서인지 무척 궁금했다.

　학교는 여름방학이 곧 다가와서 일과 운영은 오전 수업만 하고 대부분 마친다고 하였다. 선생님께서는 종례 시간에 낼모레 책거리와 장기자랑을 할지도 모르니 준비할 사람은 연습을 미리 하라고 하셨다. 소녀는 단이와 쉬는 시간에 책거리와 장기자랑에 대해 궁금한 점을 묻기도 하고, 오후에 무엇을 할 건지도 서로 물었다. 단은 여름방학 전에 늘 해왔던 여름철 물놀이 안전 생활을 위해, 강나루 하천과 시냇가 주변에서 친구들과 함께 봉사활동을 할 예정이라고 했다. 소녀는 단에게 봉사활동을 마치면 어제 만났던 강나루에서 시간을 낼 수 있는지 물었다. 둘은 오후 늦게 약속한 장소에서 만나기로 하였다. 소녀는 자신이 궁금하게 생각했던 섬 이야기를 들을 수 있다는 생각에 기분이 좋았다. 아이들은 학교가 파하자 급히 집으로 돌아가고, 단이랑 친구들과 소녀는 나란히 교문을 빠져나와 마을로 내려오다가 갈림길에서 헤어져 각자 집으로 향했다.

9화 신비스러운 섬의 전설

어릴 때부터
공상과학이나 역사 이야기에 빠져 있었던
소녀는 모래톱 마을 어른들이 입 밖에 내지 말라고 했던
신비스러운 섬의 전설에 대해 무척 관심이 많았다.
"코끼리는 생각하지 마!"라고 하면
외려 코끼리를 더 생각하게 되는 것과 같은 이치였다.

소녀는 오후에 단이와 만나기로 한 약속 장소로 나갔다. 단이도 친구들이랑 마을 청년들과 함께 매년 해 오던 강나루와 하천 주변 청소 봉사를 마치고, 소녀를 만나러 강나루로 향했다. 강나루에서 만난 둘은 내일 있을 책거리와 장기자랑에 대해 의논했다. 또 오늘 있었던 소녀의 첫 등교와 봉사활동 등 즐겁고 보람을 느꼈던 시간도 함께 얘기했다. 두 아이는 오래전부터 알고 지냈던 친한 친구처럼 서로 통하는 감정을 느꼈다.

소녀는 분교에서 매년 해왔던 책거리와 장기자랑은 어떻게 하는지 묻기도 하고, 서로 무슨 종목을 발표하면 좋겠는지 의견을 나누며 발표할 것을 정하기도 했다. 단은 친구들과 사물놀이 연주를 할 예정이라고 했으며, 소녀는 서울에서 익힌 바이올린 연주를 들려주면 어떻겠냐고 물어봤다. 단은 소녀가 시골 아이들이 평소에 자주 접할 수 없는 바이올린을 연주해주면 좋아할 것 같다고 말해주었다. 내일 학교에서 있을 일에 대해 이런저런 이야기를 나누다가, 소녀는 섬에 대해 궁금했던 것을 단에게 물어보았다.

소녀는 어릴 때부터 공상과학 소설이나 역사 이야기에 빠져 있기도 했으며, 백과사전이나 식물도감을 즐겨 보았다. 한 번은 "숲속의 인간 오랑우탄"이라는 책을 읽고, 부모님을 졸라 동물원에 가서 침팬지를 하루 내내 관찰한 적도 있었다. 책을 통해 오랑우탄은 인간을 제외하고 다섯 손가락을 가진 동물 중에서 가장 영리하며, 모성애가 강한 영장류라는 것에 놀라워하기도 했다. 또한, 오랑우탄은 고도의 지능은 물론, 감정과 문화를 지니고 있으며, 오랑우탄(Oran Hutan)이라는 말은 말레이어로 "숲속의 인간"을 뜻한다는 사실도 알아내어 부모님이나 친구들에게 가르쳐 주기도 했다.

오랑우탄이 아시아의 자연유산이라는 것을 아는 사람은 그리 많지 않았다. 소녀는 오랑우탄이 인도네시아 어느 섬에서만 야생하고 있다는 데 의문을 품은 적도 있었다. '인간과 닮은 동물이 왜 그 섬에서만 살고 있을까?', '우리가 사는 땅에는 정말 그런 짐승이 없는 것일까?' 등 소녀는 남들이 평소 등한시하는 신비한 일들에 대해 지적 호기심이나 탐구심이 강했다. 서울에 있을 때, 소녀는 친구들 사이에서 과학 박사로 통하기도 했다.

지난 봄방학에, 산골 할머니 댁을 방문했을 때는 숲속과 계곡을 헤매다가 길을 잃어 할머니와 마을 사람들이 소녀를 찾아 나선 적도 있다고 했다. 소녀는 그때 산골에 내려와 있으면서 식물도감으로 그림과 설명을 흥미롭게 읽고 있었다. 여러 식물 가운데 어떤 식물이 자기가 내려와 있는 곳에 서식한다는 것을 식물도감에서 읽고, 직접 그 식물을 찾아 나서기도 했다. 식물의 모양, 서식 장소, 환경 조건 등을 꼼꼼히 메모하여 산골 주변을 몇 날 며칠을 샅샅이 찾아보다가, 깊은 계곡까지 들어가게 되어 길을 잃은 적도 있다고 했다. 소녀는 결국 그 식물을 찾아내고는, 어떤 생물도 생태 조건이나 환경이 갖추어지면 서식하게 된다는 것을 알게 되었다. 또한, 그런 정보를 잘 활용하면 모르는 곳에 있을지라도 과학적인 탐구 방법으로 발견해내는 것이 가능하다는 사실도 경험으로 확인할 수 있었다. 도시에서 시골로 내려왔던 소녀는, 지리를 잘 모르는 산골에서 독서 정보에만 의존해 도감에 나와 있었던 식물을 발견했을 때, 기쁨이 북받쳐 숲속에서 자신도 모르게 큰 환호성을 질렀다. 소녀의 환호성은 메아리가 되어 되돌아올 정도로, 발견에 대한 기쁨을 맘껏 표현했던 기억을 잊지 못하였다.

소녀는 커다란 눈으로 단을 쳐다보며, 어제 만났을 때 묻고 싶었던 것을 꾹 참고 있었는데 묻지 못하고 헤어졌다면서 신비스러운 섬에 관해서 물었다. 예전에 어머니께서 이곳에 살 때부터 그 섬에 전설이 있다고 해서, 궁금한 점을 여쭈어봤지만 대답해주지 않았다고 했다. 기와집에 내려와서도 외할아버지나 일꾼들로부터도 섬의 전설에 관해서는, 어떤 대답이나 설명도 듣지 못해 궁금해 죽을 지경이라며 너스레를 떨었다. 단이도 어릴 때부터 호기심이 많아 섬에 대한 전설을 동네 형들에게 묻기도 했었지만 시원한 답은 듣지 못했다고 했다. 섬의 전설은 무시무시한 내막이 있으니, 아무에게도 말하면 안 된다고 몇 번이고 신신당부하면서, 단은 자신이 들은 일에 대해 무거운 입을 열었다. 단은 마을에서 똑똑하고 대범한 아이로 소문이 나 있었다. 동네 형들과도 친하게 지내온 단은, 귀동냥으로 들었다면서 섬의 전설에 관해 일부분을 소녀에게 들려주었다.

지금 살아있는 마을 어른들이 어렸을 때는 전설의 섬에 건너가기도 했었는데, 어느 때부터인지 모래톱 마을과 섬은 왕래가 끊겼다는 것이었다. 아이들의 부모들이 태어나기 전부터 섬에 대한 이상한 이야기가 나돌았으며, 지금까지 불가사의한 미스터리로 남아 있다고 했다. 신비한 섬에는 자신은 물론, 동네 형들이나 부모들도 가본 적이 없다고 하였다. 섬은 언제나 안개에 휩싸여 있어서 정확한 형체를 알 수가 없을 뿐만 아니라, 주변을 항해하는 배들이 침몰하기도 하고, 오래전부터 주변 해역에서 조업하던 어부들도 많이 죽었다는 이야기였다. 읍내 고등학교에 다니는 형들 말로는, 섬 뒤쪽에 이상하고 무서운 소리를 내는 동굴이 있다고 했다. 섬 주변 해저의 어떤 곳은 깊이를 알 수 없는 해구가 있어, 한 번 물속에 빨려 들어가면 헤엄쳐 나오는 사람이 없다고도 했다. 또 사람이 살지 않는 무인도인데, 어떤 날 밤에는 희미한 불빛이 이리저리 이동하는 장면을 보았다는 소문이 전해 내려온다고도 했다.

윗대 선조 때부터 조상들은 중요한 절기마다 바다의 신에게 제사를 지내기도 하며, 맛난 음식과 술을 부유물에 묶어 섬으로 떠내려 보내기도 한다는 일화도 덧붙였다. 그러면서 자연스럽게 섬은 전설로 남게 되었고, 이제까지 마을과 섬의 왕래는 끊겨있다고 했다. 지금은 무서운 소문 때문에, 그 섬에 가보려는 사람이 아무도 없어 섬은 전설 속에 남게 되었다는 얘기였다. 전설의 섬에 관한 얘길 들으면서 소녀는 몸이 오그라드는 느낌을 받았다. 하지만 다른 한편으로는 그 섬에 대해 더욱 이상한 의문이 생기기도 했다.

신비한 섬의 전설에 관한 무서운 이야기를 듣고 있던 소녀는, 호기심이 발동하여 더 많은 이야기를 꼬치꼬치 캐묻기도 했다. 겁을 먹을 줄 알았는데 생각지 못한 반응에 단은 당황스러웠다. 소녀는 눈을 반짝반짝 빛내며 자신은 그 섬에 꼭 가보고 싶다고도 했다. 마을 어른들이 들으면 정말 놀랄 일이 아닐 수 없었다. 단은 자신은 무서워서 섬에 갈 엄두도 내지 못한다며 자리에서 일어나 집으로 가려고 했다. 그러자 소녀는 단의 옷소매를 붙잡으며, 섬에서 밤에 도깨비불이 보이기도 한다는

데 언제 그것을 볼 수 있는지 물었다. 단은 바다에 안개가 적은 날 밤에 도깨비불을 봤다는 사람들이 있다고 하였다. 소녀는 단에게 도깨비불을 볼 수 있도록 해달라고 애걸하며 졸랐다. 단은 섬의 불빛 소리만 듣고도 소름이 돋고 머리카락이 쭈뼛쭈뼛 서는 듯하였으나 소녀 앞에서 차마 내색할 수가 없었다. 소녀는 큰 눈망울을 가진 가녀린 몸매였지만 대범하고 무서움이 없는 것 같았다. 어른들이 그렇다고 하면 그냥 믿고 따르는 모래톱 마을의 겁 많고 순진한 아이들과는 영 딴판이었다. 신기한 듯이 묘한 눈빛으로 단은 소녀를 쳐다보았다.

"언제 섬에서 불빛 나는 것을 볼 수 있을까?"라고 하며, 소녀가 궁금해 죽겠다는 듯이 물었다.

"어디서 보면 잘 보이는 거야?"라고 재촉하며, 소녀가 또다시 묻자

"우리 학교 뒷산 중턱은 올라가야 조금 보인다고 했어."라고, 단은 기어들어 가는 듯한 작은 목소리로 마지못해 대답하였다.

"너도 본 적이 있어?"

"응, 딱 한 번 형들과 같이 학교 옥상에서 까치발을 하고 본 적이 있어. 그때 너무 무서웠어."

"우리, 언제 밤이 되면 섬에서 보인다는 도깨비불을 보러 갈까? 다른 친구들도 같이?"

"아이들과 같이 가서 소문이 나거나 마을 어른들이 그 사실을 눈치채기라도 하는 날엔 우리는 모두 마을에서 쫓겨날지도 몰라. 학교 다닐 때는 소문이 날 수도 있으니 방학하는 날이나 방학 중이면 모를까."

"그, 그래, 좋아. 방학하는 날 도깨비불인지 아닌지 보러 가보자."라고 하며, 소녀는 겁도 없이 호기심에 가득 찬 눈으로 들떠서 말했다. 단

은 어쩔 수 없다는 표정을 지으며 고개를 끄덕였다.

　우리가 세상을 바라보는 방식을 형성하는 정신적 구조물 가운데 프레임이라는 말이 있다. 어떤 낱말을 듣게 되면 인간의 뇌 안에서 그와 관련된 프레임이 활성화되게 된다는 것이다. "코끼리는 생각하지 마!"라고 말하면, 사람들은 오히려 코끼리를 더 생각하게 된다는 논리이다. 어떤 프레임을 부정하면 그 프레임은 더 자주 활성화되고, 그럴수록 인간의 뇌리에 각인되어 더욱더 강하게 남게 된다는 주장이다. 두 사실이 이치상 어긋나 주장의 앞뒤가 서로 맞지 않으니 어딘가 모순(矛盾)이 들어있는 것 같았다. 모래톱 마을 어른들이 섬에 대한 전설을 입막음하기도 하고 은연중에 숨기게 되면서, 아이들이나 소녀는 그것에 대해 더욱더 의문을 품게 된 것은 아닐까. 둘은 방학하는 날, 신비스러운 섬의 도깨비불을 보러 산 중턱으로 가기로 약속하고 헤어졌다. 소녀와 단은 내일 책거리와 장기자랑 준비도 잘해오라고 서로 격려해주었다.

10화 방학맞이 책거리와 장기자랑

시골 분교에서는
방학 종업식이 다가오면 책거리도 하고
아이들은 장기자랑 시간에 끼를 발휘하기도 했다.
모처럼 즐거운 시간을 갖게 된 아이들은
다들 한껏 들뜬 기분이 되었다.

한 학기를 마무리할 시기에, 분교에서는 여러 가지 행사를 하기도 했다. 종업식을 맞아 책거리와 장기자랑이 있다는 것을 눈치챈 마을 부모님들께서는, 교실에 풍선도 달아놓고 격려하는 글을 칠판에 적어 놓기도 했다. 한 학기 동안 아이들이 열심히 공부하고, 역병도 이겨 내고 있어 대견했던지 교실을 마치 잔칫집 분위기로 만들어놓으셨다. 아침에 달라진 교실을 본 아이들은, 다른 날보다 일찍 등교하여 기분을 내며 다들 한마디씩 했다.

"우아, 교실이 파티장 같아!"

"와! 하트 모양 풍선이 너무 예뻐! 나중에 핑크 풍선은 내가 갖고 싶어."

교실을 둘러보던 소녀도 부모님들께서 안목이 있고 눈이 높다며 한마디 했다.

"도시에서는 부모님들이 이렇게 교실을 꾸밀 시간이 없는데……. 너무 멋지다. 부모님들의 열성을 보니 시골 분교가 최고네. 우와! 발표회 기분이 나서 너무 좋아!"

아마도 책을 다 배웠으니 기다리던 책거리도 하고 장기자랑도 하게 되어 아이들은 모두 들뜬 기분이 된 것 같았다. 소녀도 장기자랑 발표를 위해, 서울에서 방학 때 연습하려고 챙겨 내려온 손때 묻은 바이올린을 교실에 들고 왔다. 아이들은 선생님께서 예전에 보여 주셨던 그 악기와 닮았다며 소녀 옆으로 몰려갔다. 소녀는 손에 익은 바이올린을 꺼내어 악기와 활을 친절하게 보여 주었다. 아이들은 책거리한다고 부모님께서 챙겨줬다며 옥수수와 감자 찐 것을 가져오기도 했다. 또 어떤 아이는 집에서 키우는 닭이 낳은 달걀을 삶아오기도 했다. 텃밭에서 따온 토마토랑 도시에서는 잘 보지 못했던 앵두 같은 작은 열매를 가져온 친구들도 보였다. 소녀는 자신이 특별히 챙겨 온 것이 없어 내심 걱정을 하고 있었다. 그런데 집안일을 하는 사람들이 손이 커서 그런지 챙겨 준 보자기를 열어보니 수수떡이 가득 들어있어 기뻤다. 보기 좋은 떡이 먹기 좋다고 음식도 예쁜 보자기에 싸여 있으니 더욱 먹음직스러워 보였다.

책으로 공부하는 날이 아니라 아침 활동을 간단히 마치고, 모두 운동장으로 나갔다. 아이들은 저마다 제각각 가져온 물병이나 풍선을 이용하여, 운동장 뒤편 대나무 숲 근처 수돗가에서 물총놀이를 하였다. 남녀로 편을 나누어 물총놀이를 하며, 아이들은 옷이 젖는 줄도 모르고 신나게 놀았다. 방학이 되면 친구들을 만나기도 어려우니 함께 뛰놀며 즐거운 추억을 쌓았다. 얼마간 시간이 흐른 뒤, 아이들은 놀이시간이 끝나자 햇빛에서 젖은 옷을 말리고 교실로 들어왔다.

아이들이 모두 교실에 들어오자 장기자랑의 막을 열었다. 장기자랑을 준비한 친구들이 발표 순서를 정해, 온갖 끼를 발휘하며 실력을 뽐내었다. 평소에 틈틈이 배웠던 율동을 노래에 맞춰 춤으로 표현하기도 하고, 제기차기로 민속놀이 실력을 뽐내기도 했다. 또 남자아이 둘은, 숲으로 둘러싸인 울타리에서 대나무 잎을 따서 풀피리로 노래를 연주하였다. 여자아이 세 명은 리솔이가 풍금을 치고, 둘은 모래톱 마을과 잘 어울리는 "섬집아기"라는 노래를 불렀다.

엄마가 섬 그늘에 굴 따러 가면
아기가 혼자 남아 집을 보다가
바다가 불러주는 자장노래에

팔 베고 스르르르 잠이 듭니다

발표가 끝나갈 때쯤, 소녀의 발표 차례가 되었다. 소녀는 다소곳이 인사를 한 후, 아이들에게 아까 보여 주었던 그 바이올린으로 "등대지기"를 연주했다. 강나루 남쪽 먼바다를 힐끗힐끗 바라보며, 소녀는 등대와 바다를 지키는 사람들의 노고가 떠오르는 듯 연주 사이 사이에 예쁜 표정을 짓기도 했다. 시골 아이들에게 소녀가 선보인 바이올린 연주는 새롭고 놀라웠다.

얼어붙은 달그림자 물결 위에 차고
한겨울에 거센 파도 모으는 작은 섬
생각하라 저 등대를 지키는 사람의
거룩하고 아름다운 사랑의 마음을

소녀의 생소하기도 하고 멋진 손놀림에 흠뻑 빠져 있던 아이들은, 잘 아는 등대지기 노래를 2절부터는 따라 부르기도 했다. 연주가 끝나자 아이들과 선생님께서는 큰 환호와 함께 목소리를 높여 앙코르를 외쳤다.

"앵콜! 앵콜! 앵콜……."

여기저기서 앙코르 소리는 멈추지 않았다.

"앵콜! 앵콜! 앵콜!"이라 하며, 아이들은 모두 한 마음이 되어 외치고 또 외쳤다. 선생님께서도 새로 시골에 내려온 소녀를 격려라도 하듯이 앙코르를 합창하셨다. 갑자기 받은 앙코르 소리와 아이들의 응원에 신이 난 소녀는 앙코르곡으로 어른들도 좋아하는 곡이라며 "꽃반지 끼고"라는 노래를 들려주겠다고 하였다. 소녀의 바이올린 앙코르곡 연주가 시작되자 갑자기 교실은 조용해졌다. 아이들은 연주에 맞추어 어느새 고개와 발을 까딱까딱 놀리고 있었다. 긴 머리를 한 소녀의 가느다란 팔과 하얀 손은 자유자재로 활을 움직여 바이올린 현에 마찰시켰다. 좁고 가녀린 어깨를 살짝살짝 움직이는 소녀의 동작을 응시하며, 아이들은 노래 속으로 빠져들었다. 가녀린 손동작에 악기는 꼼짝없이 굵고 묵직한 소리를 내기도 하고, 소녀를 닮은 듯한 가녀린 음도 내었다. 아이들은 그 모습이 아름답고 신기하여, 눈을 뗄 수가 없었다.

오솔길, 모래성, 바닷가를 표현한 소녀의 "꽃반지 끼고" 연주가 끝나자, 또다시 아이들은 책상을 두드리며 앙코르를 연호하였다. 이어서 단이는 하모니카로 "오빠 생각"을 연주했으며, 친구들의 앙코르를 받아 "반달"도 들려주었다.

마지막으로 단이와 석이, 창의, 윤택이는 학교 음악실에 있는 꽹과리, 징, 장구, 북을 준비하여, 평소 국악 시간에 배운 사물놀이 연주를 멋지게 보여 주었다. 아이들은 우리 가락인 흥겨운 사물놀이 발표로 큰 박수를 받기도 했다. 단이와 친구들이 연주하는 동안 아이들은 자신들도 함께 익혀 온 사물놀이 연주를, 자기가 쥔 물건으로 책상을 두드리며, 추임새와 노래를 곁들여 따라 하기도 했다. 발표회가 끝나자, 아이들은 가져온 음식들을 함께 나누어 먹었다. 특히, 설탕도 소금도 없이 삶아서 먹는 여름 감자는 참 맛있는 먹거리 중의 하였다. 갓 수확한 삶은 감자를 먹어보면 제철 음식이 제맛이라는 말이 실감 났다. 선생님께서는 한 학기 동안 공부하느라 고생한 아이들을 격려하시고, 무섭게 퍼져 내려오고 있는 역병에 대해 주의도 당부하셨다. 또한, 교실을 잔칫집 분위기로 만들어 주신 부모님들께도 감사의 말씀을 전하라고 일러 주셨다.

부모님들의 교육에 대한 열의와 소박하고 순수한 시골 인심은, 아이들의 배움과 성장에 커다란 지렛대 역할이 되기도 했다. 풍요로운 환경 속에서 행복해하는 아이들의 얼굴 하나하나가 교문을 빠져나가는 재잘거림과 함께 바람결에 스쳐 갔다. 종업식 전에 책거리와 장기자랑이라는 것도 하며, 각자의 끼를 한껏 발산시킨 하루였다. 아이들은 모처럼 또 하나의 풋풋하고 싱그러운 학창 시절의 추억 한 페이지를 간직한 채, 모두 총총히 집으로 돌아갔다.

11화 짝사랑일까

아이들은 저마다
계획을 세우며 방학을 맞이하고 있었다.
소녀와 단은 서로가 서로에게 길들어지고 있음을
알아채기 시작한 것일까.
둘은 멋진 모습을 떠올리며 서로에게
빠져드는 마음을 멈출 수가 없는 것 같았다.

몹시 애를 먹거나 어려움을 겪을 때 사용하기도 하는 말에 홍역을 치른다는 말이 있다. 지금 번지고 있는 역병이 꼭 그 꼴이었다. 산 넘어 산이라는 말이 딱 어울렸다. 아이들은 무더위도 이겨 내야 했고, 역병이라는 병마도 물리치거나 피해야 하는 이중고(二重苦)를 겪으며 여름을 보내야 했다. 전염병의 확산으로 사람들의 고통 지수는 날이 갈수록 태산이었다. 마음껏 뛰놀고 싶고 다양한 체험도 하고 싶었으나 맘대로 할 수 없는 방학이 되어 안타까웠다. 단이도 평소에 체험하지 못했던 일들을, 방학이 되면 하나씩 해나가려고 했었다. 역병이 퍼져 그런 일이 틀어지게 되고, 방학이 되면 소녀도 자주 볼 수 없게 되어 생각만 해도 속상하였다. 아이들은 다들 심심하고 울적한 방학을 보내야 하는 딱한 처지가 되었다.

며칠 되지는 않았으나, 그동안 학교에서 보여 준 소녀의 모습이 자꾸 머리에 떠오르는 것이 이상하였다. 언젠가 본 듯한 얼굴이었지만 그럴 리 없다고 생각하면서도, 소녀에 대한 좋은 기억을 부정할 수는 없었다. 단은 혼자 강나루를 거닐며, 장기자랑에서 바이올린을 켜던 소녀의 예쁜 모습을 떠올려 보았다. 가녀린 소녀의 모습에서 찾아보기 어려운 대담한 연주에 또 한 번 놀랐다. 처음에 놀란 것은, 신비한 섬의 전설을 얘기했을 때 겁이 없는 당돌한 태도에 놀랐다. 이번 장기자랑에서는 시골 아이들에게서는 느낄 수 없었던 또 다른 매력을 보여 주었다. 연약한 듯했으나 강인하고, 가녀린 듯했으나 대범하였다. 소녀를 생각하니, 겉으로는 부드럽고 순하나 속은 곧고 꿋꿋함을 이르는 외유내강(外柔內剛)이라는 말이 떠올랐다. 소녀가 모래톱 마을에 오기 전에, 단은 동네 아이들의 우상이었고, 어른들이나 선생님들의 시선을 한 몸에 받는 아이였다. 소녀가 보여 준 남다른 대범함은 물론, 호기심이나 섬세함은 지금까지 자신이 누려온 위치가 흔들릴 수도 있음을 어렴풋이 느끼게 해주었다. 단은 소녀로 인해 더욱 분발하는 사람이 되어야 하는 처지가 되었으나 왠지 소녀가 밉지 않은 것이 이상하였다.

소녀는 시골 생활 속에서도, 서울에서 하던 일이나 부모님과의 약속을 꾸준히 실천하고 있었다. 시골에 온 처음 며칠은, 강나루를 구경하러 산책도 자주 나오더니 요즘은 바이올린 연습도 하고, 외할아버지께서 사주신 권장 도서 읽기에 열중하였다. 외할아버지께서는 서재에 계실 때 정성을 다해 종이, 붓, 먹, 벼루 등 문방사우(文房四友)를 챙기시는 모습을 종종 보여 주시곤 하셨다. 서울에 있을 때, 새해를 맞이하거나 봄이 되면 늘 외할아버지께서 보내주신 한지로 된 편지 봉투가 우편함에 꽂혀 있었던 기억이 났다. 입춘을 맞이할 때는 길운을 기원하는 입춘대길(立春大吉)이나 건양다경(建陽多慶)과 같은 서예 글이 봉투에 들어 있었다. 외가에 내려와서 직접 보니 서재에서 그런 좋은 의미를 담은 글들을 쓰셨다는 짐작이 되었다. 외할아버지께서는 그 외에도 틈틈이 좋은 글들을 작품으로 남겨, 시골 마을 사람들에게 나눠드리기도 하셨다.

시골 외가의 사랑채에 표구(表具)하여 걸어 둔 몇몇 작품들 가운데 수신제가치국평천하(修身齊家治國平天下)나 진인사대천명(盡人事待天命), 가화만사성(家和萬事成)과 같은 글귀가 눈에 띄었다. 몸과 마음을 닦아 수양하고 집안을 돌본다는 수신제가(修身齊家)나 사람으로서 해야 할 도리를 다한다는 진인사(盡人事)와 같은 교훈이 되는 말씀은 평소 자주

들은 기억도 났다. 또한, 집안이 화목하면 모든 일이 잘된다는 가화만사성(家和萬事成)은 행복의 근원이 되는 것 같기도 했다. 외할아버지께서 보여 주시는 서예 모습과 귀감(龜鑑)이 되는 작품을 감상하는 것만으로도 교훈이 될 수 있다니 놀라운 일이었다. 그런 소녀를 보니 달리는 말에 채찍질한다는 주마가편(走馬加鞭)도 여러 종류가 있을 수 있다는 생각이 들었다. 크게 채근하거나 힘들여 이끌지도 않으면서 단지, 서예 도구를 정갈하게 챙기시고 붓글씨를 쓰시는 모습을 보거나 좋은 글귀를 접하는 것만으로도 교육이 되고 자극을 받을 수 있다니……

소녀의 시골 생활은 여유를 느끼면서도 눈코 뜰 새도 없이 바쁜 것 같았다. 부모님께서 서울로 떠나실 때 선물로 주신 책 속에, 예쁘게 꾸민 책갈피 하나가 끼워져 있었다. "책은 우리 안의 얼어붙은 바다를 깨는 도끼여야 해. - 카프카 -"라는 글귀가 눈에 들어왔다. 소녀는 책갈피를 만지작거리며 '얼어붙은 바다? … 책이 도끼라니?'라며 의아한 듯이 속으로 되뇌어 보기도 했다. '어쩌면 우리의 마음을 가두는 불안이나 우울?, 선입견 같은 자의식? … 마음을 흔들어 깨우는 책을 가까이하라는 말인가?'라고 알듯 모를듯한 의문을 품기도 하며, 책갈피를 빼내어 손에 쥐고는 책을 펼쳤다.

한편, 단은 학교를 마치고 오후에 친구들과 만나 여름방학 숙제로 동식물 채집 계획을 세우기도 하고, 다른 체험 계획을 세웠으나 옛날과 달리 신이 나지 않았다. 학교에서 쉬는 시간에 잠깐 소녀의 얼굴을 보지 않으면 좀처럼 만나기도 어려웠다. 온 세상을 집어삼키고 있는 역병도 짜증 나는 일이었지만 왠지 소녀와 함께하지 않는 일들은 까닭 없이 재미가 없었다. 스스로 왜 그런지 곰곰이 생각해 보았으나 자신에게서 특별히 달라진 것을 찾지 못하였다. 단지, 모래톱 마을에 역병을 피해 설이라는 소녀가 서울에서 내려와, 잠시 같은 학교에 다니는 일 말고는 아무것도 변한 것이 없었다.

단은 친구들과 헤어지고 집으로 돌아왔지만 심심하여 강나루로 다시 나왔다. 소녀를 만날 수 있을까 하여, 기와집 대문 앞을 서성거렸다. 혹시나 소녀의 얼굴을 볼 수 있을지도 모르고, 또 자신을 발견한 소녀가 강나루를 산책하자고 할지도 몰랐기 때문이었다. 기와집 대문 앞을 서성이며 생각에 잠기기도 하고, 소녀의 얼굴이 눈앞에 어른거리기도 했다. 한참을 대문 앞을 왔다 갔다 해도, 소녀는 보이지 않고 집 밖으로 나오지도 않았다. 단은 마을 아이들을 휘어잡았던 예전의 모습과 너무 달라진 자신의 처지를 생각하니 쓴웃음이 나왔다.

기와집 대문 앞에서 오랜 시간 서성였으나 단은 소녀를 만나지 못하고, 하는 수 없이 집으로 돌아왔다. 한여름이라 한낮이 길어서 그런지 저녁을 먹었는데도 해는 지지 않고 훤하였다. 낮의 길이가 길어지니 하루가 성글어서 지루한 느낌마저 들었다. 오늘따라 하루해가 늦게까지 남아 있는 것이 야속했다. 빨리 밤이 찾아오고 아침이 되어 날이 밝았으면 하는 생각도 들었다. 하루가 짧게만 느껴졌던 그날들은 어디로 가고, 혼자서 이렇게 동네를 배회하고 있다니 마음 깊은 곳에서 외로움이 불현듯 밀려오는 것을 느꼈다. 울적한 기분을 달래려고 나루터로 다시 나갔다. 단은 시원한 바람이 불어오는 바다에 나가려고 나룻배를 막 타려고 했다.

그때, 멀리서 소녀가 달려오며 단이를 불렀다.

"단, 나룻배로 어디 가려고?"

"응, 갈대숲 사이로 청둥오리도 보고, 바닷바람도 쐬려고."

"우와! 너, 나룻배를 저어 바다로 나갈 수도 있다는 거야?"

"어, 응, 노를 저을 수 있어."

"아하! 단, 너 정말 멋지구나! 노를 저어 바다에도 나갈 수 있다니!"

소녀는 자신도 나룻배를 타고 같이 가도 되는지 물었다. 단은 한참을 대문 앞에서 기다려도 만나지 못했던 소녀의 제안에, 흔쾌히 함께 나룻배를 타고 나가기로 하였다. 소녀는 큰 배는 많이 타봤지만 이처럼 자그마한 배는 타본 적이 없다고 했다.

잔물결이 이는 호젓한 강과 바다가 만나는 지점의 갈대숲 사이로, 강물에 미끄러지듯이 노를 저어 나갔다. 나룻배를 저어 가는 단의 모습이 믿음직해 보였다. 한낮의 더위는 서서히 사라지고, 서늘한 강바람이 이마를 스치며 긴 머리칼을 흩날릴 때, 소녀는 한없이 달콤한 행복감을 느꼈다. 함께 나룻배를 타고 있는 단의 모습이 서쪽 하늘의 노을에 반사되어 물결 위에 일렁거렸다. 소녀는 마치 아름다운 꿈을 꾸고 있는 듯하였다. 서로 마주 보며 쳐다보는 것이 어색했는데, 물결 위에 비친 소년의 얼굴을 몰래 볼 수 있어 소녀는 기뻤다. 갈대숲 사이로 불어오는 해질녘의 강바람이 너무 좋았다. 귓가에는 행운을 가져다주는 종달새 노랫소리도 들려오는 것 같았다. 좋은 일에 더 좋은 일이 더해지는 듯하여, 비단 위에 꽃을 더한다는 금상첨화(錦上添花)라는 말이 딱 들어맞는 장면이었다.

세상은 참으로 변화무쌍하고 다양한 모습을 연출하는 마술사 같다는 생각도 들었다. 러시아의 대문호 톨스토이가 "안나 카레니나"에서 적었다는 유명한 글을 어른들이 자주 인용하는 것이 떠올랐다. "행복한 가정은 다 비슷한 이유로 행복하고, 불행한 가정은 제각각 서로 다른 이유로 불행하다."라는 말이다. 삶 속에서 행복과 불행은 떼려야 뗄 수 없는 동전의 양면과 같으나 행복한 사람들은 다들 비슷한 이유를 가진다는 생각이 들었다.

　역병의 창궐이나 감염병 위험에 노출되는 것 또한 마찬가지인 것 같았다. 모래톱 마을처럼 역병에서 벗어나 행복한 공동체를 꾸리느냐 그렇지 못하느냐는 것도 동전의 양면과 같은 것은 아닐까. 모래톱 마을과 같이 안전한 곳은, 전염병의 특성을 정확히 파악해 올바른 대처를 하는 등 다들 비슷한 이유로 안전을 담보하고, 행복도 찾아가는 것 같았다. 하지만 역병에 걸리거나 그로 인해 아픔이나 불행을 겪는 사람들은, 제각각 서로 다른 이유로 전염병에 노출되어, 모두 지옥 같은 불행을 경험하는 것 같기도 했다.

　소녀는 황혼이 물드는 나룻배 위에서 대자연과 교감하며, 행복의 의미에 대해 온몸으로 느끼고 있었다. 세상에는 여러 유형의 아이들이 태어나 자라고 있으나 소녀는 특별히 영특하고 성숙한 아이의 면면을 여과 없이 드러내고 있었다. 서울 생활의 연장선에서 낯선 시골에 내려와서도 잘 적응하며 지내는 소녀의 모습이 대견하였다. 누군가가 탁월한 사람에게 규칙적인 습관이란 야망의 또 다른 표현이라 했던가. 소녀가 어떤 삶을 살아가고 성장해 갈 것인지 무척 궁금하기도 하고 기대가 되었다.

나룻배가 강 하구 모래톱을 지나 바다로 접어드는 곳으로 나갈 때쯤, 해는 뉘엿뉘엿 빠르게 물속으로 빠져들고 있었다. 단은 오늘은 늦어서 먼 바다로 나가기가 어렵겠다면서 나룻배의 이물을 마을 쪽으로 돌렸다. 소녀는 바다 쪽을 응시하더니 단에게 바다 수영을 할 수 있는지 물었다.

"응, 바다 수영도 할 수 있어. 검푸른 깊은 바다는 어릴 때부터 친하게 지내 무섭지 않아."

"정말? 대단한데. 난 실내 수영만 해. 바다 수영은 파도 때문에 무섭기도 하고, 좀 힘들어해."

"처음 바다 수영을 하는 초보자는 파도 때문에 짠 바닷물을 마실 수도 있어."

"언제, 나룻배 타는 거나 바다 수영도 좀 가르쳐 줄 수 있어?"

"방학이 되면, 그때 가서 계획을 짜 보자."

소녀와 단은 바다 수영에 관해 얘기하며 마을로 돌아오고 있었다.

노를 저어 오는 사이에 한 무리의 오리 떼들이 사뿐히 물 위에 내려앉기도 하고, 한 쌍의 쇠백로도 먹이 활동을 하러 갈대숲 사이로 느릿느릿 걸어 다니기도 했다. 소녀와 단은 자연이 주는 풍요로움 속에서 평화롭게 지내는 새들과 마찬가지로 하루의 저녁을 의미 있게 갈무리하고 있었다. 두 아이는 강나루에 나룻배를 묶어놓고 뭍으로 올라왔다. 단은 어둠이 내리고 있는 길을 따라 기와집 앞까지 소녀를 배웅해주었다. 단은 배려하는 마음과 아량이 넓은 반듯하고 멋진 소년이었다. 소녀는 오늘 있었던 나룻배 체험이 정말 뜻밖의 서프라이즈였다며, 단에게 귀여운 눈인사로 깜찍하게 고마움을 전하였다.

집에만 있다가 배를 타고 바람을 쐬고 나니, 숨이 트이는 것 같았다. 강나루에서 우연히 만나 나룻배를 타고 가는 동안, 소녀가 기뻐했던 모습들이 단의 뇌리를 스쳐 갔다. 단은 소녀를 기와집까지 배웅해주고 돌아오는 길에, 소녀를 만나기 조금 전 오후에, 자신이 혼자였을 때 느꼈던, 그 우울함이나 쓸쓸함이 갑자기 사라진 듯해 신기하였다. 갈대숲 사이로 나룻배를 타고 가며 행복감을 느낀 것과 아까 소녀가 보고 싶어 기와집 대문 앞을 울적한 맘으로 서성거린 것이 대비되었다. 그 짧은 순간에, 상반되는 두 가지 감정과 마음의 흐름이 생겼다 사라지기도 하니 이상했다. 이런 맘의 변화가 해거름이 되기 전부터 노을이 질 때까지 눈 깜짝할 사이에 모두 일어났다니, 이전에는 경험하지 못한 일이라 놀라울 뿐이었다. 설상가상(雪上加霜)에서 금상첨화(錦上添花)로 갑자기 감정의 변화가 일어날 수도 있다니…. 우리의 삶이나 마음의 흐름은, 어쩌면 절대 시간이나 절대 감정과 무관할 수 있다는 생각에 고개를 갸웃거리기도 했다. 단은 해거름에 경험한 알 수 없는 감정의 굴절에 의문을 품은 채 발걸음을 집으로 돌렸다.

12화 도깨비불

드디어 방학하는 날이 다가왔다.
소녀는 신비스러운 현상에 흥미를 강하게 느꼈으며,
마을에 떠돌고 있었던 도깨비불에도 관심이 많았다.
아이들은 여름방학을 손꼽아 기다렸으나
소녀는 도깨비불을 보러 갈 날을
더 기다렸는지도 몰랐다.

종업식 날이 되어 아이들은 1학기 동안의 활동을 적은 통지표를 받았다. 다들 자신의 통지표를 펼쳐 "수우미양가"를 각각 세어 보기도 하고, 선생님께서 써주신 글을 찬찬히 읽어 보기도 했다. 석이는 창의, 윤택이와 같이 단에게 가서 통지표를 보자고 하며, 부러운 듯이 넌지시 물었다.

　"단이 너, 이번에도 모두 '수'를 받았겠네?"

　"단이 말고 누가 전 과목 '수'를 받겠어. 전 과목 '수'는 정말 어려운 것 같아." 윤택이도 작은 소리로 한마디 거들었다. 아이들은 소녀에게로 다가가서 단이가 공부도 잘한다며 친구를 치켜세웠다. 다들 한 마디씩 경쟁하듯이 단이 자랑을 늘어놓기도 했다.

　"설이 너, 단이가 운동 잘하는 것만 알고, 공부 일등 하는 건 몰랐지?"

　"단이는 6년 내내 일등만 하는 아이야."

　아이들은 끼리끼리 수군거리더니 단에게 일등 비결을 묻기도 했다. 그러자 단이는

　"수박 겉핥기식으로만 하지 않으면 돼!"라고, 짧고 굵은 한마디를 남겼다. 아이들은 옆에 있던 소녀에게도 다가가서 한마디 했다.

　"설이는 통지표 안 주시네. 서울에서 받아서 그런가?"라고 넘겨짚어 웃으며 말하기도 했다. 소녀도 서울에서 전 과목 수를 받았지만 차마 그 말을 꺼내지는 못했다. 소녀는 단의 통지표를 보고, 자신의 통지표인 것처럼 기뻐하며 축하해 주었다. 윤택이는 자신의 통지표에 수가 하나밖에 없고, "양가"만 있다며 부모님께 통지표를 어떻게 보여드릴지 걱정이 태산 같았다. 그래서 그런지 평소 자존심도 세고 콧대가 높아 큰소리를 자주 쳤던 윤택이는, 성적표가 나오는 날에는 코가 납작해져 말수가 줄기도 했다.

모두 한 학기 동안 공부한 결과인 통지표를 받고 잠깐 쉬는 시간이 되었다. 소녀는 복도 끝자락 섬이 바라보이는 쪽으로 단을 불러내었다. 지난번에 약속한 말을 상기시키며 소녀는 언제 도깨비불을 보러 갈 것인지 물었다. 단은 그 약속을 깜박 잊고 있었던 아이처럼 묻는 말에 바로 대답하지 않았다. 소녀가 다시 물으며 도깨비불을 보러 가는 약속을 상기시켰다.

"그, 그게, 좀….”이라고 하며, 단은 고개를 숙인 채 미적거리며 말끝을 흐렸다.

"그게 좀? 못 간다는 말이니?"라고 하며, 소녀가 상기된 얼굴로 조금 실망한 듯이 되물었다.

"그, 그게 좀 어려울 것 같아. 마을 사람들의 눈을 피해 산 중턱으로 간다는 게.”

"……."

단이가 한 말이 너무 뜬금없었는지 소녀는 무척 당황한 표정이었다. 소녀와 단둘이 도깨비불을 보러 가는 일이 아무래도 마음이 찜찜한 듯, 단은 평소와 달리 발뺌을 하며 중언부언(重言復言)했다. 잔뜩 기대하고 있었던 일인데 단의 맥 빠지는 대답에, 소녀는 그만 낙담하여 변덕이 죽 끓듯 한다는 표정으로 말을 잇지 못했다. 단은 산 중턱에 가면 도깨비불을 볼 수 있다는 얘기를 들은 적이 있어 소녀와 약속했었다. 그런데 산 중턱으로 가는 길에서, 바다가 잘 보이는 쪽으로 조금 비켜 샛길로 내려가면 망부석을 세워놓은 곳이 있었다. 주변에 망부석은 십여 군데나 있다고 했다. 옛날에 섬 앞바다에서 죽어 돌아오지 못한 어부들을 그리워하는 글이 새겨진 슬픈 사연을 간직한 비석이었다. 단은 소녀와 도깨비불을 보러 가려고 며칠 전에 형들에게 에둘러서 산 중턱에 관해 물어보다가 무서운 이야기를 우연히 듣게 되었다. 학교 뒷산에는 망부석이 모여 있는데 늦은 밤이나 흐린 날에는 그 주변에서 이상한 울음소리가 들린다는 으스스한 소문이었다. 망부석이 있는 언덕 아래쪽에는 귀신이 나온다는 다 찌그러진 흉가도 한 채가 있다는 말도 흘렸다. 그 말을 전해 듣고 난 뒤, 단은 소녀와 산 중턱으로 한밤중에 가는 일이 두려워졌다. 소녀가 약속을 상기시킬 때, 단은 차마 대답할 수가 없었다.

그때, 아이들이 1학기 마지막 날 종례를 한다고 우르르 몰려갔다. 소녀와 단은 이야기를 다 끝내지 못하고 교실로 급히 들어갔다. 선생님께서는 아이들이 방학 동안에 역병 예방에 신경을 써야 한다면서 면역과 관련해 힘주어 말씀하셨다.

"요새, 역병이 창궐하여 '면역에 관하여'라는 책을 읽어 보았어요. 설마가 사람 잡는다고 누구든 역병에 걸리지 말라는 법도 없으니 다들 조심합시다."

"선생님, 역병에 걸리지 않고 우리 몸을 지키려면 어떻게 해야 하나요?"

"네, 좋은 질문이군요. 그 책에서는 우리 몸을 정원에 비유했더군요. 나쁜 것이 우리 몸이라는 정원에 들어오려고 할 때, 그것을 내쫓는 것이 불가능하다면 어떻게 해야 할까요?"

"내쫓아버리면 좋겠지만 그럴 수 없다면 피하거나 예방에 신경을 더 써야 할 것 같아요."

"그렇죠, 좋은 생각이에요. 이번 여름방학 중에는 역병에 걸리지 않도록 조심하고, 우리 몸을 지키기 위해 예방에도 신경을 쓰면 좋겠군요."

역병 예방에 대한 설명이 끝나자, 아이들은 떠도는 소문을 서로 얘기하며 수군거리다가 선생님의 말씀이 이어지자 다시 교실은 조용해졌다.

"책에서는 우리 몸을 건강하게 지키기 위해 예방주사 같은 것도 맞아 두는 것이 좋다고 했어요."라고 하셨다. 아울러 건강한 생활을 위해 여름방학 동안 각자 몸을 청결히 하고, 안전 수칙을 지킬 것을 간곡히 당부하셨다.

아이들은 선생님께서 하신 역병에 관한 당부의 말씀을 잘 새겨듣는 것 같았다. 방학식을 마친 아이들은 선생님과 인사를 나눈 후, 다들 건강하게 잘 보내고 방학을 마치면 다시 보자며, 손을 흔들면서 모두 집으로 내려갔다. 소녀는 단이랑 같이 교문을 빠져나와 내려가다가 갈림길에서 헤어졌다. 소녀는 아까 한 약속을 상기시키며, 나중에 저녁 먹고 해거름이 되면, 강나루 근처에서 만나자고 하고 집으로 달려갔다.

소녀는 집으로 돌아와 점심을 먹은 후, 외할아버지께 저녁에는 친구들과 과제를 하기로 되어 있어서 조금 늦게 밤중에 돌아올 것이라고 말씀드렸다. 외할아버지께서는 위험한 곳에는 가지 말고, 과제를 마치면 다른 데로 새지 말고 곧장 집으로 와야 한다고 하셨다. 외할아버지께서는 밤중에 돌아온다는 소녀의 말에 걱정이 되어 노파심(老婆心)에서 하시는 말씀 같았다. 소녀는 일꾼들과 저녁 식사를 마치고 살그머니 집을 나섰다. 대문을 벗어나자 무슨 급한 일이라도 있는 아이처럼 서둘러 단이를 만나러 강나루로 뛰어갔다. 단이는 먼저 나와서 소녀를 기다리고 있었다. 단은 어제저녁 나룻배를 타고 바다로 나갔을 때, 소녀가 행복해하는 모습을 떠올리며 마음을 바꾼 것 같았다. 소녀가 강나루에 왔을 때, 아까 학교에서 오늘 도깨비불 보러 가기 어렵다고 한 말을 취소한다면서 약속을 지키겠다고 말했다. 소녀는 손전등과 서울에서 가져온 카메라도 준비하여, 잔뜩 기대하고 왔기 때문에 단의 말을 듣고 무척 기뻐했다.

해질녘이 되어, 둘은 학교 뒷산 대나무 숲을 지나 산 중턱으로 올라가고 있었다. 강나루에 있었을 때는 석양이 건너편 산 위에 걸려 있었다. 학교 뒷산 작은 고개를 넘어 올라가는 도중에 해를 보니 벌써 물속으로 빨려 들어가려고 했다. 서쪽 하늘과 바다는 비단을 펼쳐놓은 것처럼 은은하게 노을이 물들고 있었다. 산 중턱으로 올라갈 때, 언덕 위에서 밭일을 마치고 내려오는 아주머니를 만나 인사를 하였다. 좀 더 올라가니 망부석이 모여 있는 곳에서 누군가가 내려오는 기척에 고개를 돌렸다. 몸에 효험이 있는 약초나 풀뿌리를 캐러 다니는 노인이 망태기를 메고 내려오고 있었다. 단이는 서로 잘 아는 사람처럼 인사를 하였다.

아이들을 보더니 약초 심마니 할아버지께서는
"너희들, 세 사람 어디 가는 거니?"하고 물으셨다.
"세 사람이라뇨? 우리 둘인데요?"라고 하며 단이가 되물었다.
심마니 할아버지께서는
"너희 둘하고, 저 뒤쪽에 한 명 더 따라오네."라고 하며, 뭘 잘 모른다는 어투로 말씀하셨다.
"……."
소녀와 단은 심마니 할아버지께서 잘못 본 것이라 여기며, 그 말에 별로 신경 쓰지 않고 산 중턱 쪽으로 걸어 올라갔다. 분명 둘이 걸어가고 있었는데 세 명이라고 하니 이상하다는 생각이 들었다. 두 아이가 서로 이야기하면서 걷고 있는데 뒤쪽에서 자꾸 누군가가 두 사람이 하는 말을 따라 하는 것 같았다. 아이 둘은 동시에 뒤돌아보았으나 뒤에는 아무도 없었다. 소녀와 단은 조금 이상한 생각이 들기도 했으나 곧 밤이 깊어질 것 같아 조금 빠른 걸음으로 걸어 올라갔다. 몇 발짝 더 걷고 있는데 또 뒤에서 말소리가 들리는 것 같았다. 아이들은 자신들과 같은 보폭으로 누군가가 따라오는 것 같아 재빨리 다시 뒤돌아보았다. 아이들 뒤에는 역시 아무도 없었다. 거친 산바람 소리만 휭하니 지나갔다. 단은 형들이 전해준 괴상한 소문이 떠올라 갑자기 식은땀이 나고 소름이 돋았다. 소녀는 땀을 뻘뻘 흘리며 걸어 올라가는 단의 모습을 보며, 힘드냐고 묻기도 하였으나 단은 무서운 생각에 대답할 기분이 아니었다.

산 중턱 언저리에 도착하여 바다 쪽을 바라보니, 안개 속에 흐릿하게 자그마한 섬이 보였다. 소녀는 손전등으로 불을 밝히고, 카메라로 섬의 모습을 찍기도 하며 도깨비불이 보이는지 묻기도 하였다. 꼭 탐험가처럼 호기심에 찬 눈빛으로 이리저리 유심히 섬을 바라보는 모습이 매우 진지하였다. 먼바다에서 등대처럼 반짝이는 불빛도 있었고, 오징어잡이 어선에서 집어등을 켜서 나오는 불빛 같은 것도 희미하게 보였다. 안개가 짙어 뿌유스름하게 빛이 조금 보였는데 섬에 도깨비불 같은 것은 보이지 않았다. 그런데 잠시 뒤에 자세히 보니 섬 아래쪽 주변에 조금 선명한 불빛이 자갈밭으로 왔다 갔다 하는 것이 잠깐 보였다. 납량특집 드라마 같은 데서 본 적이 있는 그런 휘황찬란한 불빛은 아니었다.

소녀와 단이 한참 동안 섬을 바라보고 있는데 갑자기 조금 아래쪽에서 이상한 울음소리가 들려오는 것 같았다. 사람의 울음소리 같기도 하고 짐승의 울부짖음 같기도 했다. 이상한 느낌이 들고 겁이 나서, 두 아이는 급히 섬을 배경으로 카메라 자동 셔터를 눌러 사진을 몇 장 찍고 내려가기로 했다. 단은 아까 내려가던 사람이 다쳐서 그런지도 모르니, 울음소리가 나는 쪽으로 내려가 보자고 했다. 서둘러 산 중턱 샛길 쪽 망부석이 있는 곳으로 내려가는데, 갑자기 울음소리가 점점 커졌다가 작아졌다가를 반복하였다. 주변에 냉기가 흐르는 듯 싸한 느낌이 엄습했다. 이상한 것은 둘이 망부석 부근에 왔을 때, 갑자기 울음소리는 멈췄다. 망부석 주변을 샅샅이 둘러봐도 인기척은 없었다. 자신들이 잘못들은 소리인 줄 알고, 산 중턱 아래로 내려가려고 하는데 또 뒤쪽에서 누군가 흐느끼며 우는 소리가 들려왔다. 갑자기 몸이 오그라들고 오싹해지며 무서워졌다. 야밤에 들려오는 흐느끼는 울음소리는 공포 그 자체였다. 이번에는 소녀도 단도 둘 다 모두 식은땀이 등골을 타고 흐르는 것 같았다.

한여름 밤 열대야 속 무더위는 온데간데없이 날아가 버리고, 삽시간에 으스스하고 묘한 기분이 되었다. 그 순간, 망부석 돌무더기 뒤쪽에서 길고 하얀 천이 휘감기며, 시커먼 그림자가 쫓아오는 것 같았다. 바다에 나간 지아비를 기다리다 돌이 된 여인이 환생하기라도 했단 말이던가. 움직이려 해도 무서워 발이 떨어지지 않았다. 다시 뒤돌아봤을 때, 흰색 천이 바람에 날려오는 것이 꼭 긴 머리를 휘날리며 쫓아오는 하얗게 소복을 입은 여인처럼 보였다. 둘은 '다리야 날 살려라!'라는 심정으로, 학교 뒷산으로 방향을 잡고 잽싸게 뛰었다. 체육 시간에 겁을 집어먹고 벌벌 떨며 뜀틀을 넘을 때와는 달리, 몇 미터나 되는 높은 언덕도 두려움 없이 훌쩍 뛰어내렸다. 또 늘 피해서 다니기만 했던 가시덤

불도 거침없이 가로질러 한순간에 언덕 밑으로 내달렸다.

학교 뒷산 쪽에 가까이 내려오니 마을의 불빛이 희미하게 보이기 시작했다. 얼굴은 온통 땀범벅이 되었고, 다리는 나뭇가지에 걸려 피가 비쳐서 나오기도 하였다. 하지만 마을이 보이고 이상한 울음소리를 따돌렸다고 생각하니, 기분은 상쾌했고 몸은 날듯이 가벼웠다. 단이와 소녀는 뭔가 큰일을 해낸 것 같은 느낌에 자신들도 모르게 서로 손을 맞잡고, 만세를 부르는 동작으로 탄성을 질렀다. 아이들은 이렇게 무한한 상상력과 다양하고 예측할 수 없는 경험을 통해, 자신도 모르는 사이에 괄목할만한 성장을 이루어나가는 존재일까.

학교 뒷산을 지나 마을에서 옹기종기 모여 있는 불빛이 새어 나오는 곳까지 내려왔을 때, 아이들은 비로소 이제 살았다는 생각이 들었다. 소녀와 단은 조금 전에 있었던 무서운 기억은 금방 잊어버리고, 모래톱 마을에서 보이는 훈훈한 불빛을 바라보며 천천히 걸어 내려왔다. 누가 먼저랄 것도 없이 장기자랑 시간에 불렀던 섬집아기와 등대지기 노래도 흥얼거리며…. 학교 밑 마을 입구에 도착했을 때 소녀는, 밤이 늦었으니 내일 다시 만나 카메라로 찍은 사진도 뽑고, 섬의 전설에 관한 의문도 풀어보자고 하였다. 둘은 오늘 있었던 일은 비밀로 하기로 하고, 먼저 기와집 쪽으로 향했다. 단은 소녀가 기와집으로 들어가는 것을 보고, 강나루를 지나 자기 집으로 돌아갔다.

13화 바다로 나간 아이들

아이들은 우연히 바다에 나가
푸른 바다가 붉게 변하는 적조 현상을 관찰하였다.
육지에서는 역병이 퍼져 사람들을 두려움 속으로 몰아가고,
바다마저 붉게 변한 걸 목격하며, 이런 재앙들이
누구의 탓인지 곰곰이 생각해 보기도 했다.

전설을 간직한 섬의 도깨비불을 보러, 야밤에 소녀와 단이는 학교 뒷산 중턱에 올라갔다가 섬을 배경으로 사진을 찍었다. 다음 날 아침, 그때 찍은 카메라 필름을 사진관에 맡겼다. 아이들은 점심을 먹은 뒤 인화된 사진을 찾으러 사진관으로 갔다. 섬의 도깨비불이 신기하여 두 사람이 찍힌 사진을 자세히 들여다보았다. 섬을 배경으로 엉겁결에 찍은 사진에는 이상한 형체도 희미하게 같이 찍혀 있었다. 단은 사진 속에 희미하게 비치는 부분을 유심히 살펴보면서 말했다.

"사진을 보니 이상해. 우리 둘이 찍었는데 뒤쪽에 누군가가 또 찍혀 있어."

"어디 봐. 정말 그렇네. 사진관에 다시 가서 물어보자."라고 하며, 소녀도 의심스럽다는 듯이 말했다.

둘은 사진관으로 다시 들어가, 전설의 섬을 배경으로 찍은 사진을 사진사에게 보여 주었다. 사진을 들여다보던 사진사는 의심스러운 듯 고개를 갸우뚱하며 되물었다.

"그곳에 세 사람이 갔니?"

"아뇨, 우리 둘만 가서 찍었어요."라고 소녀가 말했다.

"……."

사진사는 한동안 아무런 말이 없었다. 두 사람만 갔다고 했더니 사진사는 세 사람이 찍힌 것 같다면서 보관되어 있던 필름을 다시 가지고 나왔다. 필름을 요리조리 햇빛에 비춰보더니 사진을 인화하는 암실로 들어가서 밝은 조명에 비춰보기도 했다. 밖으로 나온 사진사는, 희미하긴 하나 분명히 다른 물체도 같이 찍힌 것 같다면서 이상한 표정을 지었다.

그 모습을 지켜보던 두 아이는 섬뜩한 생각이 들었다. 소녀와 단은 알겠다고 하면서 사진관을 나와 강나루 하류 갈대밭 사이에 조성된 연못가로 갔다. 연못가 쉼터에서 둘은, 아까 그 사진을 꺼내어 다시 살펴보았다. 그날 산 중턱으로 올라갈 때 만났던 심마니 할아버지가 말한 것도 그렇고, 사진사도 사진에 찍힌 사람이 희미하지만 세 사람이 찍힌 것 같다고 하니 불현듯 이상한 생각마저 들었다. 갑자기 전설의 섬에서 전해 내려오는 불가사의한 무서운 소문들이 자꾸 떠올랐다. 아이들은 지난밤에 어둠 속에서 들었던 울음소리도, 가까이서 들리는 듯하여 한낮이었지만 말로서는 형언하기 어려운 으스스한 기분이 되었다.

사진을 뚫어져라 들여다보며 놀란 표정을 짓고 있을 때, 석이와 친구들이 손짓하며 달려왔다. 소녀는 재빨리 자리에서 일어나 뒤돌아서서 쥐고 있던 사진을 황급히 숨겼다. 섬의 전설과 관련된 떠도는 소문도 두렵고, 밤중에 찍은 사진에도 이상한 물체가 찍히기도 하여, 소녀는 그 섬에 대해 점점 더 의문을 품기 시작했다. 역병의 창궐로 마을 밖으로 나갈 수가 없어서 늘 마을 앞 강나루 근처에서만 지내던 소녀는, 더 넓은 바다 쪽으로 나가고 싶었다. 역병이 산 너머 수도권에서 많이 퍼져 남도 지방으로 번져 내려온다고 하니, 육지와 멀리 떨어진 바다는 역병으로부터 안전지대(安全地帶)라는 생각도 들었다.

소녀는 아이들에게 조심스럽게 물었다.
"너희들, 배를 타고 바다로 나갈 수 있어?"라고 하자
"방학도 되고 심심했는데 나룻배로 먼바다에 바람 쐬러 나가면 좋겠어."라고 석이가 호응했다.
"강나루에 두 척의 나룻배가 묶여 있어."라고 단이도 맞장구를 치며

거들었다.

"남학생 세 사람이 타고 먼저 나갈 테니, 단이는 설이와 함께 나룻배를 타고 뒤따라와."

석이의 말이 끝나자마자 아이들은 모두 일어서서 나룻배가 정박해 있는 쪽으로 뛰어갔다. 창의는 바다를 무서워하는 편이지만 석이나 윤택이는 나룻배를 타고 노를 저어 가는 것을 즐겼다. 평소 어른들을 따라 가끔 고기잡이에 나서기도 했던 아이들은, 먼바다에 대한 자신감이 넘쳐 큰소리를 치기도 했다.

석이랑 남자애들이 먼저 나룻배를 타고 갈대숲을 지나 바다 쪽으로 미끄러져 나갔다. 뒤따라서 소녀와 단이가 탄 나룻배도 바다 쪽으로 노를 저어 뭍에서 멀어져 갔다. 단이와 단둘이 탄 배에서, 소녀는 전설의 섬을 배경으로 찍은 사진 속 인물은 누구인지 품고 있었던 꺼림칙한 의문을 끄집어내었다. 먼저 단이가 궁금했던 것을 물었다.

"사진 속 인물이 망부석에 새겨진 어부의 영혼일 수도 있을까?"

"공상과학 소설 같은 데서는 그런 장면이 나오기도 하지만 실제로 그런 경험을 한 적이 없으니…, 머릿속이 복잡해지고 혼란스러워."라고 하며, 소녀가 자신의 심경을 말했다.

소녀와 단은 전설의 섬에 실제로 도깨비가 사는지, 또 그런 도깨비들이 사진에 찍히기라도 하는지 등 의문이 꼬리에 꼬리를 물고 끊임없이 생기는 것이 이상했다.

신비한 섬 이야기를 하는 사이 아이들이 탄 나룻배는 먼바다로 나가고 있었다. 강 하류에서 아직 육지가 되지 못하고 밀물에서는 사라졌다가 썰물이 되면 다시 보이기도 하는 작은 모래톱도 몇 개나 지나쳤다. 물에 잠길락 말락 띄엄띄엄 자라고 있는 갈대숲과 잡초 무더기를 지나, 나룻배는 큰 바다와 마주하게 되었다. 아이들은 나룻배가 지나온 강 하류를 물끄러미 되돌아봤다. 모래톱 마을의 학교나 집들이 멀리서 보니 그림처럼 자그마하게 보였다. 앞장서서 노를 저어서 나가던 석이 팀이 먼바다 한가운데쯤 갔을 때, 더 멀리 나가지 않고 배를 세워놓고 있었다. 뒤따라가던 소녀가 탄 나룻배는 석이가 탄 배 옆으로 살짝 붙여 두 배를 밧줄로 묶었다. 물결에 흔들림이 줄어들게 두 배를 나란히 하여 서로 묶어놓고, 잠시 바다에 떠 있었다. 묶인 나룻배 사이에서 바닷물이 심하게 출렁거려 물방울이 튀어 오르기도 했다.

아이들은 바다를 유심히 보더니, 바닷물 색깔이 이상하다면서 다들 이런 바다는 처음 본다고 했다. 눈으로 보기에도 푸른색 청정 바다가 아니라, 붉은 색깔을 띤 바닷물은 보통 바다와는 크게 달랐다. 장난꾸러기인 석이는 손을 바닷물에 넣어 보고 냄새도 맡아보았다. 손바닥으로 바닷물을 떠서 보더니, 플랑크톤처럼 작은 미생물 같은 것이 느껴진다고도 하였다. 겁이 많은 창의는 무섭다면서 빨리 마을로 돌아가자고 했다. 그때, 소녀가 어릴 때 만화책에서 읽은 이야기를 들려주었다. 환경이 오염되면 미생물이 서식하게 되는데 아마도 주변 하천의 오염으로 바다가 붉게 변한 것 같다고 했다. 아이들이 바다에서 본 것은 바다, 하천, 호수 등의 물 색깔이 변할 정도로 플랑크톤이 많이 번식해 있는 상태를 말하는 적조 현상이었다.

육지에는 역병이 돌고 있고, 바다에는 쪽빛 바닷물이 붉게 변해 있으니 참으로 이상한 일이 아닐 수 없었다. 귀신이 곡할 노릇이었다. 이런 일들이 왜 생기는지 아이들은 자신들이 가진 궁금증을 쏟아내며, 나룻배 위에서 이것저것 서로 묻기도 하였다.

"인간들이 너무 욕심을 부려, 자연이 야단을 치는 것 같아."

"사람들이 오염된 물질을 하천이나 호수에 많이 버려서, 바다가 병에 걸린 것은 아닐까?"

"역병 이야기를 떠올려봐. 마치 사람과 병균이 숨바꼭질하는 것 같아."

"옛날에 얼굴 피부에 검은 반점이 생기다 사망하는 무서운 병도 있었다던데…."

"혹시, 흑사병이라는 병 아냐?"

흑사병은 페스트라고도 불렸던 유행성 감염 질환을 말했다. 중세 유럽에서 유행했던 감염병으로 어느 지역에서 시작되었는지 불투명했던 질병이었다. 아이들이 자신들의 생각을 제각각 쏟아내자, 소녀도 한마디 했다.

"육지에서 곳곳에 창궐하고 있는 역병이나 푸른 바다가 붉은빛으로 변한 것도 모두, 인간이 자연의 섭리(攝理)를 거스르는 데서 비롯된 것은 아닐까?"

"사람들이 산처럼 살고, 물처럼 살며, 바람처럼 살아간다면 이런 일들이 생길 수가 있을까?"라고 하며, 이상한 일들이 세상에 생기는 것에 대해 사람들의 책임이 클 것이라는 투로 얘기했다. 아이들은 모두, 소녀가 한 말에 수긍이 가는지 고개를 끄덕였다. 마을을 둘러싸고 있는 바다나 하천의 오염을 예방하는 법에 대해 이런저런 얘기를 나누며, 아이들은 나룻배의 이물을 마을 쪽으로 돌리기 시작했다.

바다로 나간 아이들은 붉은 바다가 가로막아 먼바다로 더는 나갈 마음이 생기지 않았다. 전설의 섬 쪽으로 가보고 싶었던 소녀는, 더 멀리 나가지 못하고 되돌아가야 하는 나룻배가 원망스러웠다. 지금 소녀가 전설의 섬으로 간다는 것은 그림의 떡, 화중지병(畵中之餠)이었다. 맥이 빠지는 느낌이 온몸을 감싸는 것 같았다. 소녀는 왜 역병이 생기는지, 왜 청정 쪽빛 바다가 붉은 바다로 변하게 되는지 등 의문에 고개를 갸우뚱하며 생각에 잠기기도 했다. 또한, 전설의 섬은 왜 전설로 남아 있어야 하는지도 궁금하기만 했다. 만약 그 섬에 갈 수만 있다면, 소녀는 모래톱 마을의 전설이 된 이야기를 밝혀보고 싶었다. 마을 사람들은 지금껏 그런 생각을 아무도 하지 못하였으며, 또 그런 사실을 입 밖에 내어도 안 되었다. 그런 말을 하게 되면 심지어 마을에서 쫓겨날 수도 있다니, 다른 좋은 방법을 찾아야 했다.

소녀는 시골 마을에 내려와, 자기 내부로부터 들리는 목소리에 귀를 기울이며 주변 현상을 마주했을 때, 어떤 모종의 의문들이 종종 생기는 것이 이상했다. 오늘은 나룻배를 타고 바다에 나가게 되었으나 전설의 섬에는 가지 못했다. 기회가 온다면, 꼭 바다를 건너 섬에 상륙해 전설이 생긴 까닭을 조사해 보고 싶었다. 소녀에게는 자신이 궁금해하는 것을 풀어가는 데 든든한 버팀목이 되어 주는 단이라는 아이가 있어 큰 힘이 되었다. 모래톱 마을에는 씩씩한 친구들도 많으니 바다를 건너 전설의 섬에도 갈 수 있다는 생각이 들었다. 나룻배를 잘 다루는 아이들과 힘을 합치면 의문을 푸는 모험에 도전하는 일이, 결코 불가능한 일만은 아니라는 생각이 들기도 했다. 돌아오는 배에서 소녀는 이번 여름방학엔 전설의 섬을 탐사할 것이라고, 혼자 맘속으로 다짐했다.

14화 우정과 우정 사이

아이들의 우정은
마음 한 켠에 다락방 하나를 짓는 것일까.
창문을 달고 커튼을 쳐서 가슴속에 인형 하나를 키우는 것일까.
좋은 친구와 함께하는 작은 공간이기도 하며,
소중히 간직하고 싶은 친구 사이의 정인
우정이라는 말도 떠올리게 되었다.

어린 시절로 돌아가 보면 누구나 다락방에서 혼자만의 시간을 가지고 싶어 했을 것이다. 다락방 천장에 유리창이라도 하나 달려 있어 밤하늘의 여름철 별자리를 볼 수만 있다면, 아이들은 끝이 없는 상상 속으로 빠져들기도 했다. 국자 모양의 북두칠성도 타보고, 백조자리를 보며 날갯짓도 따라 해보았다. 백조자리에서 제일 밝은 별 "데네브"를 유심히 관찰하며, 한 마리의 아름다운 백조와 그 꼬리를 상상하기도 했다. 백조자리의 모양 선을 따라가며, 양 날개를 넓게 펴고 목을 길게 내민 백조의 모습도 그려 보았다.

그때, 밤하늘의 백조는 남쪽으로 흐르는 은하수 위를 날고 있었다. 남북을 가로질러 하늘의 강을 이루는 은하수도 건너보며, 은하수 양쪽에서 견우와 직녀가 끝없이 서로 마주 보기만 하는 슬픈 사랑도 상상해 보았다. 음력 칠월 초이렛날 밤인 칠석을 기다리기도 했다. 칠월 칠석에는 은하의 서쪽에 있는 직녀성(織女星)과 동쪽의 견우성(牽牛星)이 오작교에서 일 년에 한 번 만난다는 전설을 믿었기 때문이다.

더운 여름날, 바닷가 선창에서 엄마의 팔베개에 머리를 기대어 눈을 감으면, 자장가처럼 들려오는 파도 소리에 스르르 잠에 빠져들기도 했다. 깊은 밤, 바스락거리는 낙엽 소리에 까닭 없이 작아지기도 하고, 뻐꾸기며 부엉이 울음소리는 아이들의 마음속에 연민과 함께 한 편의 아름다운 동심의 세계를 선사하곤 했다. 어디 그뿐이던가. 세상의 모든 순간순간이 아이들을 자라게 하고, 꿈을 키우게 하는 기운이 되고, 힘이 되어 주었다. 따뜻한 봄이었을 때, 산천은 매화며 산수유로 뒤덮여 산골 마을은 온 천지에 꽃 잔치를 벌이기도 했다. 그 흐드러지게 핀 꽃들이 지고 나면 잎이 보이듯이, 버팀목이 되어 준 친구가 곁에 없으면, 그때야 비로소 빈자리도 크게 다가오게 마련이다. 그런 시간을 지나며, 아이들은 허전함이나 외로움도 알게 되는 것 같았다.

단은 여름방학을 맞아 가족들과 함께 은모래 빛 해변이 있는 가까운 섬으로 휴가를 떠났다. 모래톱 마을에 혼자 남은 소녀는, 단이가 없는 빈자리가 유난히 크게 느껴졌다. 부모님 곁을 떠나 낯선 환경에 적응을 시작했을 때, 새로운 생활에 대한 불안감이나 허전함이 소녀의 마음을 짓눌렀다. 그럴 때마다, 소녀의 쓸쓸하고 꽉 막힌 듯 캄캄한 마음에 한 줄기 빛을 준 아이는 좋은 친구 단이었다. 며칠째 단이가 없는 시골 마을은 텅 빈 공허함으로 소녀의 가슴을 흔들었다. 모래톱 마을에서 적응하며 선생님이나 친구들과 잘 어울렸던 것도 어쩌면 모두 단의 따뜻한 배려 때문이라 생각했다. 아무리 소중한 것도 늘 곁에 있을 때는 잘 알지 못한다. 눈앞에서 사라지고 없으면, 그때야 비로소 그 가치를 알아차리게 되는 것 같았다. 어쩌면 이것이 우둔한 인간의 삶이고, 세상의 이치는 아닐까.

단은 은모래 빛 해변에서 가족들과 같이 텐트를 쳤다. 사랑하는 가족들과 함께 오랜만에 해변으로 휴가를 왔으나 마음은 모래톱 마을에 그대로 머물러 있는 것 같았다. 단은 혼자서 은빛 모래 위를 거닐며, 눈앞에 펼쳐진 하얗고 맑은 모래가 소녀를 닮았다고 생각했다. 바닷가 모래 위에서 맨발로 얕은 물에 발을 담가보기도 했다. 저 멀리서 수평선 위에 통통배 한 척이 지나가고 있었다. 배가 남긴 하얀 거품은 파란색 도화지에 흰색 선을 그었다. 얼마간 시간이 흘렀을까, 통통배가 남긴 물결은, 단이가 발을 담그고 있는 곳에 와닿았다. 통통배가 남긴 잔물결은 멈추지 않고, 계속 이어져서 뭍으로 다가오며 맨발을 간지럽혔다. 단은 모래톱 마을에 혼자 남은 소녀의 해맑은 얼굴이 떠올랐다. 통통배가 남긴 파문이 맨발에 닿을 때, 마치 소녀가 자신에게 손짓하며 달려오는 듯한 느낌을 받았다. 맨발로 물살을 더 느끼고 싶던 단은, 은모래 빛 해변의 더 깊은 곳까지 천천히 걸어서 들어가기도 했다.

단은 멀리 떨어져 있었으나 왠지 소녀와 함께 해변에 나란히 서 있다는 느낌을 받았다. 파도가 밀려간 모래밭 위에 '지은설'이라는 이름을 곱게 쓰고는, 세 글자를 되뇌어 보았다. 자신이 예전에 꾸었던 꿈속에서, 무지개를 타고 내려온 선인이 설이라는 소녀를 바라보았던 모습이 불현듯 떠올랐다. 단은 은모래 빛 해변에서 '꿈속의 설이가 자신 앞에 나타난 소녀란 말인가.'라고 되뇌며, 엉뚱한 상상을 해보기도 했다. 그럴 때마다, 그럴 리는 없을 거라며 고개를 절레절레 저었다. 자기 자신이 무지개를 타고 온 선인이 아니듯이, 어찌 꿈속의 설이가 모래톱 마을에 내려온 소녀가 될 수 있단 말인가. 부정에 부정의 표현으로, 고개를 좌우로 심하게 흔들어 머리가 어지러울 지경이었다. 하지만 부정의 부정은 강한 긍정이라는 말도 떠올랐다.

단에게 소녀는 새로운 세상을 보는 눈과 꿈을 향해 분발해야 함을 일깨워 준 소중한 존재였다. 늘 우물 안 개구리처럼 육지의 끝자락에서 시골 아이들과 편하게 지내왔던 자신에게 경쟁심을 부추기게 했다. 소녀의 생각이나 행동 하나하나는 대범함이 무엇인지 자연스럽게 느끼게 해주었다. 소녀는 단에게 긴장감을 주기도 했으나 무료한 모래톱 마을의 일상에 활력을 불어넣기도 하고, 더 넓은 세상이 있음을 상상하게 해주었다. 은모래 빛 해변에서 소녀와 떨어져 있다 보니 그 빈자리가 실감이 났다. 눈앞에 있을 때는 몰랐던 소녀의 존재감에 단은 스스로 놀라며, 친구 사이의 우정이 무엇인지 깊이 생각하게 되었다. 단은 해변을 거닐며, 유난히 하얀 작은 고동과 조개껍데기를 몇 개 주워 텐트로 돌아왔다. 소녀의 환한 미소와 자신을 부르는 예쁜 손짓을 떠올리며, 틈틈이 수집한 것들을 모아 실에 꿰어 목걸이를 정성껏 만들기도 했다.

소녀와 단은 친구들이 늘 함께하며 도움을 주고받는 것도 좋지만 떨어져 있어도 서로에게 도움이 된다는 것을 알게 되었다. 좋은 친구가 곁에서 떠나고 나면, 그 빈자리의 무게가 얼마나 되는지 짐작이 가능하다는 것도 느낄 수 있었다. 사람에 대한 것도 그렇고, 건강도 그런 것 같았다. 창궐하여 전국으로 퍼져 나가는 감염병으로 고초를 겪는 사람들을 보며, 건강이 무엇인지에 대해서도 나름대로 깊이 생각하게 되었다. 모두 건강한 상태에서는 건강의 고마움이나 예방의 중요성을 깨닫지 못하였다. 세상이 역병으로 혼란 속으로 빠져들고, 멀쩡하던 사람들이 소달구지에 실려 죽어 나간다는 소문을 듣게 되니, 그제야 사람들은 건강의 소중함을 알아차리는 것 같기도 했다.

모든 세상일이 다 그런 것은 아닐까. 사람도 있을 때 잘해야 하고, 건강도 건강할 때 잘 지켜야 한다. 어쩌면 그것은 진리일지도 모른다고 생각하며, 혼자 남은 소녀와 단은 각자 스스로 자신을 성찰하는 소중한 시간을 가졌다. 둘은 혼자였던 지난 며칠 동안, 서로에 대한 진실한 우정을 꽃피우고 싶었던 것일까. 서로가 서로에게 길들어지고 있음을 느끼며, 앞으로 더 좋은 친구가 되고 싶었다. 삼강오륜 중에 벗의 도리는 믿음에 있다는 뜻의 붕우유신(朋友有信)은 소녀와 소년을 두고 이르는 말은 아닐까. 함께 슬퍼하고, 함께 웃고, 함께 어울리며, 믿음이 되고, 힘이 되는 좋은 친구가 되기로 두 아이는 마음먹었다. 짝사랑이더라도 사랑을 느끼면 항상 지금의 자신보다 더 나아지고 싶어 하는 것이 아이들의 마음인 것 같았다. 아름다움에 대해 꿈꾼 적이 없다면, 한걸음 내디딜 때마다 그것을 날려 보내게 될 것이란 말도 있지 않던가. 떨어져 있는 동안 누가 먼저랄 것도 없이, 소녀와 단은 서로의 가슴 깊숙한 곳에 단단하고 아름다운 기둥 하나를 세웠다. "사랑은 왔다가 가지만 진정한 우정은 영원하다."라는 말의 의미도 떠올려 보았다.

15화 누군가 지켜보고 있다

소녀의 가족들은
외할아버지와 함께 여름휴가 기간에
민가가 몇 채 있는 작은 섬으로 휴가를 떠났다.
혼자서 바다 수영을 하던 소녀는 "도와주세요! 도와주세요!"라는
바람결에 들려오는 희미한 목소리에 머리카락이 쭈뼛쭈뼛 서고,
다리에는 쥐가 나서 뻣뻣해지는 느낌이 들었다.

소녀의 외할아버지는 어린 시절에 작은 섬에 사시다가 오래전에 뭍으로 나오셨다고 하였다. 그곳에는 옛날에 살던 집을 수리하여 휴가철이면 별장으로 사용하는 집이 한 채 있었다. 섬에 있는 별장에는 건물을 관리하는 사람과 해녀 일을 하는 사람들이 인근에 살면서 별장을 지키고 있었다. 남해안 청정 바다의 양식장 조업에 필요한 동력선인 목선도 한 척 소유하고 있었다. 이번 휴가철에는, 별장이 있는 섬에서 목선을 모래톱 마을까지 보내와, 소녀의 가족들을 섬으로 싣고 갔다.

　남도 지방은 해안가에 숱한 섬들이 점점이 보석처럼 흩어져 있었다. 소녀가 휴가를 보낼 별장이 있는 섬 앞에도 작은 무인도가 하나 딸려 있었다. 신비한 전설의 섬도 별장 건너편에 아주 멀리 떨어져서 희미하게 보일락 말락 했다. 별장에서 보이는 섬은, 모래톱 마을에서 보이는 쪽의 반대편인 그 섬의 뒷부분이 보였다. 밀물과 썰물의 조수간만의 차가 큰 사리 때는 바닷물이 많이 빠져 섬의 형체가 조금 더 크게 드러나기도 했다. 음력 보름이나 그믐 무렵에는 별장이 있는 섬과 앞에 있는 작은 무인도 사이에 물이 많이 빠져, 간조(干潮)가 되면 뭍과 뭍이 서로 연결되기도 했다. 그곳에서는 바다 수영이나 낚시도 할 수 있어서 여름철에는 사람들이 많이 찾았다. 휴가철을 맞아, 별장이 있는 섬에서 무더운 여름을 보낼 생각을 하니 소녀는 날아갈 듯이 기뻤다. 바다 수영도 배우고 별장 앞의 작은 무인도에 가서 조개나 해산물을 채취하며, 평소에 하기 어려운 여러 가지 체험을 하고 싶었다.

　외할아버지께서는 소녀를 데리고, 물이 빠져 뭍이 된 별장 앞 무인도에 긴 장화를 신고 걸어서 건너갔다. 사리 때가 되어 물이 빠진 모래톱에서 해양 체험도 하면서 조개도 캐고, 미끼를 넣어둔 항아리나 통발에 들어있는 문어나 꽃게를 잡기도 했다. 모처럼 신기한 체험도 하고 싱싱한 해산물도 잡으니 "꿩 먹고 알 먹고"나 "도랑 치고 가재 잡고"와 같은 말들이 떠올랐다. 낙지는 갯벌에서 구멍을 찾아 호미나 삽으로 주변을 넓게 파서 잡아야 했다. 소녀는 색다른 체험에 빠져 시간 가는 줄 모르고, 여러 가지 해산물을 채취하며 즐거운 한때를 보내었다. 서울에 있을 때는, 엄두도 낼 수 없었던 일이었는데 모처럼 무인도에서 정말 즐겁고 유익한 해양 체험을 하였다.

소녀는 단이랑 모래톱 마을 아이들이 바다 수영을 잘할 뿐만 아니라, 깊은 바다에서도 자신감을 가지는 게 무척 부러웠다. 서울에 있을 때 실내 수영장에서 여러 가지 영법을 배웠으나 바다에서는 시도해본 적이 한 번도 없어 두려움을 가지고 있었다. 이번 기회에 소녀는 바다 수영에 적응하여, 울렁이는 파도와 검푸른 바다에 대한 자신감도 확실히 가지고 싶었다. 무더위도 피하고 해산물도 캐고 바다 수영까지 배우다니, 한번 휴가를 와서 두세 가지의 보람을 얻게 될 줄이야. 일석이조(一石二鳥)나 일석삼조(一石三鳥)가 따로 없었다. 책상 앞에서 암기하는 공부와 달리 체험이라는 것도 제대로만 하게 되면, 자연으로부터 생산물을 얻기도 하고, 유익한 공부도 될 수가 있었다.

별장에 온 다음 날 오후, 소녀는 해녀들이 갯바위 근처로 해산물을 채취하러 가는 길에 따라나섰다. 바다 수영을 평생 해 온 갯가 사람들이라, 소녀가 바다에서 수영하는 모습을 지켜보더니 몇 가지 조언을 해주었다. 바다 수영은 실내와 달리 수심이 깊고 파도가 거칠기도 하니, 한

순간도 주의를 게을리해서는 안 된다고 했다. 숨을 쉴 때, 바닷물을 들이마시지 않도록 호흡에 특히 신경을 써야 한다고도 했다. 바다에서 무서움을 떨쳐버리는 요령도 알려주었다. 깊은 바다는 수면 밑을 보면 두려움이 생길 수도 있으니, 바다 밑은 보지 말고 수면 위의 앞쪽을 바라보며 목표 지점을 향해 헤엄치는 것이 좋다고 했다. 이틀 정도 해녀들과 함께, 바다에서 자맥질도 하고 물속에서 놀면서 적응도 하였다. 며칠 지나니 소녀는 혼자서도 깊은 바다에서 수영하는데 자신감이 점점 생기는 것 같았다. 파도가 없는 날에는, 자유형으로 조금 더 멀리, 별장 맞은편 작은 섬까지 헤엄쳐서 횡단했다가 돌아오기도 하였다.

다음 날은, 휴가를 마치고 모래톱 마을로 돌아가야 했다. 소녀는 석양이 넘어가는 어스름한 저녁인데도 혼자서 수영 연습을 한 번 더 해보고 싶었다. 수영 장비를 대충 챙겨 빠른 걸음으로 바닷가로 혼자 내려갔다. 해는 서쪽 하늘 아래로 서서히 넘어가고 있었다. 붉은 저녁노을 너머 전설의 섬은, 멀리 안갯속에 휩싸여 섬의 좌측 부분만 어렴풋이 보였다. 소녀는 바닷가에 도착해, 저녁노을이 지는 바다에서 마지막 수영 연습을 했다. 며칠 동안 익힌 동작을 해보기도 하고, 자맥질도 몇 번 하고 있을 때였다. 물속에 들어갔다가 수면 밖으로 머리를 내밀고 긴 호흡을 하려는 순간이었다. 갑자기 알 수 없는 시선이 느껴졌다. 해녀들이 해산물을 채취할 때처럼 물속으로 자맥질을 하고 물 위로 올라오는 순간이었다.

그때, 소녀의 눈에 뭔가가 자신을 지켜보다가 사라지는 느낌을 받았다. 소녀는 전설의 섬을 찍은 사진 속에 보였던 이상한 형체가 생각나면서 몸이 한순간 뻣뻣해지며 다리에 쥐가 나는 것 같았다. 소녀는 이곳 어딘가에 자기 자신 말고, 다른 누군가가 자신을 지켜보고 있다는 느낌을 강하게 받았다. 수영을 멈춘 후, 물속에서 머리를 내밀고 주변을 아무리 둘러봐도 어떤 인기척도 없었다. 물결치는 소리만 가볍게 들렸다. 소녀는 자기 주변에 아무도 없다는 사실에 안도하며, 다시 자맥질을 몇 번 더 하였다.

소녀는 수영 연습을 다 마친 후, 물속에서 나와 장비들을 챙겨 별장을 향해 천천히 해안가 바닷길을 걸어갔다. 아까 그 이상한 느낌은 엉뚱한 상상에 불과하다고 스스로 위안하며, 별일 아니라고 여기려고 애썼다. 황혼이 짙게 물드는 저녁노을을 뒤로하고 서둘러 외할아버지께서 계시는 곳으로 향할 때, 자신도 모르게 걸음이 빨라지고 동작도 민첩해졌다. 해거름에 별장으로 걷는 동작을 서두르게 되니, 갑자기 무서운 생각들이 머리를 스쳐 지나갔다. 아까 누군가가 헤엄치고 있던 자신을 지켜보고 있었다는 이상한 느낌이, 좀처럼 뇌리에서 사라지지 않았다.

그때였다.
"도와주세요! 도와주세요!"라는 목소리가 가늘고 희미하게 들려왔다. 소녀는 주변을 두리번거리며 바람결에 들려오는 희미한 목소리의 정체에 신경이 곤두섰다. 갑자기 식은땀이 등줄기를 타고 흐르는 것 같았다. 몇 번을 두리번거려도 주변에는 아무도 없었다. 어떤 기척도 느낄 수 없었다. 이상한 생각만 들었다. 고개를 갸우뚱하며, 소녀는 다시 갯가에 나 있는 좁은 길을 따라 별장으로 빠르게 걸었다. 마음이 조급해져서 서둘렀다. 어둠은 점점 내려앉고 겁도 나서, 아까보다 좀 더 빠른 걸음으로 걷기 시작했다. 한참을 걷고 있는데 바람을 타고 소녀의 등 뒤에서 조용한 목소리가 또 들려왔다.

"도와주세요! 도와주세요!"라는 목소리가 분명한 것 같았다.

"누구세요? 당장 나오세요!"라고, 소녀는 겁에 질려 자신도 모르게 고함치듯이 크게 소리쳤다.

주변에는 아무도 없고 무서운 정적만 흘렀다. 철썩이는 파도 소리만 간간이 들릴 뿐, 바닷가는 고요하고 평화로웠다. 극도의 긴장감 속에서 자신이 내뱉은 떨리는 목소리만 메아리가 되어 돌아왔다. 수영할 때 누군가가 지켜보고 있는 것 같은 느낌을 받았는데 '정말 누군가가 자신을 지켜보고 있는 것인가.'라는 생각도 들었다. 소녀는 갑자기 온몸이 파르르 떨리고, 숨이 막힐 듯이 긴장되어 발이 떨어지지 않았다. 아직 별장까지 가려면 어스름한 해안을 따라 십여 분은 더 걸어가야 했다. 이마에서는 식은땀이 비 오듯이 흘러내리고, 속옷은 땀으로 흥건해졌다. 정신을 차린 소녀는, 온 힘을 다해 어둠이 내려앉는 밤길을 두리번거리며 서둘러 달리기 시작했다.

"도와주세요! 도와주세요!"라는 목소리가 귓전을 또 때렸다. 마치 누군가가 자신을 바짝 뒤따라오는 것 같았다. 부스럭 소리만 들려도 소녀는 사지가 졸아들었다. 심상치 않은 일이라도 금방 일어날 것 같은 예감에, 소녀는 안절부절못했다.

"누구세요? 누구냐니까?"라고 하며, 고함을 치며 힘껏 달렸다.

숨이 차서 잠깐 걸음을 멈췄을 때였다. 그 순간, 외할아버지께서 저 앞쪽 별장 울타리에 뒷짐을 지고 서 있는 모습이 안개 너머로 뿌유스름하게 보였다.

"설아, 누구를 그렇게 찾는 거니?"라고 하는 외할아버지의 걱정하는 듯한 목소리가 들려왔다.

"……."

"오늘, 무슨 일이 있었니?"

소녀는 가슴이 콩닥거렸다.

"아무 일도 없어요."

"수영은 재미있었고? 이마에 식은땀은 왜 이렇게 흘렸니?"라고 하며, 소녀의 손을 꼭 잡아 주었다. 그제야 소녀는 이마에 솟은 땀을 옷소매로 닦으며, 안도의 한숨을 내쉬었다.

"아무것도 아니에요. 무슨 소리가 들리는 것 같아서…."라고 말끝을 흐리며, 별장 안으로 급히 들어갔다.

소녀는 별장에서 마지막 밤을 보내며 곰곰이 생각했다. 자신이 전설의 섬이 보이는 곳에서 혼자 수영할 때부터, 누군가가 그곳에서 자신을 몰래 지켜봤다는 생각을 지울 수가 없었다. 며칠 전에 사진 속에 담긴 이상한 형체는 무엇이며, 왜 찍혔는지 등 숱한 의문들이 꼬리에 꼬리를 물고 생겨났다. 별장으로 돌아오는 길에, 희미하게 들렸던 "도와주세요! 도와주세요!"라는 목소리는 과연 누가 그랬는지, 그 소리의 정체도 궁금하기만 했다. 저녁이 되자, 서쪽 하늘에 먹구름이 일더니 별장 쪽으로 갑자기 몰려왔다. 어둠이 내리고 밤이 되니, 먹구름은 소나기를 뿌리고 지나갔다. 밤이 깊어질수록 점점 비바람은 세차게 불어닥쳐, 창호지로 된 창문이 심하게 흔들리기도 했다.

소녀는 별장에 휴가를 와서 바다 수영도 배우고, 해녀들과 함께 바다 적응 체험도 마무리하였다. 이제 하룻밤만 별장에서 묵으면 모래톱 마을로 돌아가게 되었다. 모래톱 마을에 남아 있을 아이들이 불현듯 떠올랐다. 침실에 들어와 소나기가 유리창을 치는 소리와 철썩이는 파도 소리를 들으며 누워 있었다. 잠시 후, 혼자서 눈을 감고 있던 적막한 밤에, 갑자기 방에 있는 창문들이 흔들리기 시작하는 것이 아닌가. 소나기와 함께 지나가는 바람인 줄 알고, 숨소리도 죽인 채 다시 눈을 감고 있었다. 그때, 난데없이 선반 위에 둔 부채가 '휙' 바람 소리와 함께 떨어져 내렸다. 놀라서 눈을 뜨니 맞은편에 있는 옷장 문이 스르르 열리더니 갑자기 멈췄다. 열린 문은 '덜컹' 소리를 내며 닫혔다가 이내 다시 열리기도 했다. 소녀는 조금 전 자맥질할 때가 떠올라 긴장감이 되살아나면서 머리칼이 쭈뼛쭈뼛 서는 것 같았다. 오던 잠도 갑자기 달아나버려 벌떡 일어나 앉았다. 누군가가 자기 주변에서 맴돌고 있다고 생각하니, 왠지 두렵고 무서운 상상에 갇혀 벗어날 수가 없었다. 누가 과연 소녀에게 도움을 청하는 것인지, 또 그것이 사실인지, 그런 생각에 골몰하니 등골에서 식은땀이 흘러 잠을 청할 수가 없었다.

전설의 섬이 던지는 신비롭고 무서운 소문들이 자신을 짓누르며 조여 온다고 생각하니, 숨이 턱턱 막힐 지경이었다. 고통에는 질량이 없고, 고통을 느끼는 감정의 강도만이 오직 존재할 뿐이라는 말이 생각났다. 지금 처한 고통을 벗어나기 위해서는 감정을 다스려야만 했다. 소녀는 자신의 감정을 조절하기 위해, 마음을 안정시키고 떠오르는 의심들을 애써 무시하며 긍정적으로 바꾸려고 애썼다. 자맥질할 때 들은 소리는 잘못 들은 것이고, 조금 전에 부채가 떨어진 것이나 옷장 문이 열리고 닫혔던 것은 바람 때문이라 여기려고 이를 악물었다. 하지만 어찌 머릿속의 생각만으로 그러한 두려움을 쉽게 떨쳐버릴 수 있겠는가. 그러한 일들이 왜 일어나며, 누군가가 도움이 필요하다면 기꺼이 도움을 주어야 한다는 생각도 들었다.

소녀는 비겁하지 않았다. 전설의 섬과 관련해 자기 주변에서 생기고 있는 우연한 일들이 두렵기는 하나, 결코 피해 가고 싶은 생각은 추호(秋毫)도 없었다. 소녀는 어릴 때부터 상상의 나래를 펴는 공상과학을 좋아했다. 불가사의한 두려움이 짓누르는 공간 속에서도, 세상의 이치는 과학적으로 증명할 수 있다는 막연한 생각을 하며, 다시 잠을 청하였다.

16화 탐험대, 그 섬에 가다

휴가에서 돌아온 소녀는
모래톱 마을에서의 생활을 다시 시작했다.
모험심으로 똘똘 뭉친 아이들은
탐험대를 꾸려 전설의 섬을 탐사하기로 했다.
아이들은 어른들이 생각하는 것보다 훨씬 더 영특했고
나름대로 치밀한 탐사 계획도 수립하였다.

소녀가 돌아오기 하루 전에 단이도 은모래 빛 해변에서의 가족 캠핑 휴가를 마치고 돌아와 있었다. 저만치 아이들이 옹기종기 모여 있는 것이 보였다. 석이, 윤택이, 창의도 창궐하는 역병을 피해 육지 쪽이 아닌 바닷가 쪽으로 가서 휴가를 보내고 마을에 와 있었다. 한여름 땡볕에 시커멓게 타서 석이와 윤택이는 얼굴이 거무튀튀해진 것 같았다. 몇몇은 백사장에서 일광욕으로 몸을 햇빛에 많이 태워, 어깨와 등의 피부가 조금 벗겨진 아이들도 있었다. 장기자랑에서 섬집아기라는 노래의 풍금 연주를 맡았던 리솔이는 그림도 잘 그렸다. 리솔이는 휴가지의 풍경을 그린 화첩을 방학 숙제로 만들었다고 했다. 화첩의 그림 가운데 몇 점을 골라 그림엽서를 친구들에게 선물로 주었다. 가족끼리 휴가를 다녀온 뒤 아이들은, 여유를 부리며 쉴 틈도 없이 방학 과제나 채집활동도 쫓기듯 마무리해야 했다. 개학일이 되려면 아직 많이 남았는데도 불구하고, 금세 방학이 지나갈 것만 같아 온통 걱정뿐이었다.

전설의 섬에 얽힌 소문은, 마을 어른들이 오래전에 겪은 일의 자초지종을 설명해주지 않고 시시하여 눈덩이처럼 커지고 있었다. 어른들은 그 섬으로 가는 바다의 길목에서 절기마다 제사만 지낼 뿐이었다. 그 일에 대해서는 묻지도 말고, 입 밖에 내지도 말라는 엄포만 늘어놓아 덮어두고 지내왔다. 아이들은 다들 태어나면서부터, 섬에 관한 이상한 소문만 듣고 자랐기 때문에 너도나도 마음속에 큰 의문을 품고 있었다. 소녀가 마을에 내려오면서 단이도 도깨비불을 보러 가기도 하고, 마을 아이들도 섬에 관한 이상한 소문을 서로 얘기하는 날이 많아졌다. 모래톱 마을 아이들은 전설의 섬을 향한 호기심이 점점 발동하게 되는 것 같았다. 마을 어른들이 걱정하고 있었던 전해 내려오는 소문들이 진실인지,

그냥 떠도는 무서운 미신에 지나지 않는 것인지도 몹시 궁금하였다. 의문을 품은 채 자라는 아이들은, 알고 싶은 것이 많았다.

지난번에 나룻배를 타고 바다로 나갔다가 적조가 발생하여 중간쯤에서 되돌아온 일이 있었다. 하지만 이번에는 아침 일찍이 그 섬에 가보는 것이 어떨지 다들 모여서 궁리도 했다. 방학 과제 중에는 체험보고서를 제출해야 하는 것도 있었다. 전설의 섬에 대한 탐사보고서를 작성할 수만 있다면, 어려운 과제 하나를 해결할 수가 있었다. 또, 마을의 숙원이기도 한 고민거리가 풀릴 수도 있으니, 일거양득(一擧兩得)이라는 의견을 우스갯소리처럼 내기도 했다.

소녀는 며칠 전, 휴가 중 별장에서 있었던 등골이 오싹했던 무서운 경험을 잊어버릴 수가 없었다. 하루빨리 자신을 짓누르고 있는 두려움에서 벗어나고 싶었다. 틈만 나면 소녀는 전설의 섬을 탐사하여 의문을 풀어보자고 단이를 설득하기도 했다. 단의 말을 잘 따랐던 마을 아이들은 소녀와 단이 제안한 섬 탐사 활동에 대해 생각보다 크게 관심을 보이는 눈치였다. 오래전부터 의문을 품고 있었던 터라 다들 전설의 섬 탐사대를 꾸려보자고 했다. 소녀가 생각했던 것보다 아이들의 호응은 좋았다. 섬 탐사 활동에 나서는 아이들은, 그 사실을 어른들이 알면 큰일이 날 수도 있으니 비밀에 부치기로 서로 조막손을 포개어 맹세했다. 아이들은 비밀을 말하고 싶어 입이 근질근질했으나 꾹 참았다. 소녀를 비롯해 평소 잘 어울렸던 단, 석이, 윤택, 리솔, 창의 등 여섯 명이 참가하기로 하였다. 탐사보고서를 쓰게 되면 방학 과제를 공동으로 제출하기로 약속도 했다. 어려운 방학 과제 하나가 금세 해결되기라도 한 것처럼 아이들은 기뻐했다. 어쩌면 떡 줄 사람은 생각지도 않는데 김칫국부터 마시는 꼴이 될지도 모르는데도 아이들은 마냥 기분이 좋았다.

소녀는 아이들에게 평소에 즐겨 읽었던 책 중에서 탐험대와 관련해 아는 것들이 있는지 물어봤다. 쥘 베른이 쓴 "15 소년 표류기"와 같은 무인도 탐험대에 관한 책은 대다수가 읽었다고 했다. 소녀는 무인도에 사는 "숲속의 인간 오랑우탄"도 읽었고, 동식물 도감이나 공상과학 도서를 많이 읽었다고 했다. 그러면서 왜 적도 부근의 어떤 섬에서만 숲속의 인간 오랑우탄이 사는지 의문을 품기도 했었다고 했다. 단이는 대니얼 디포의 "로빈슨 크루소"를 감명 깊게 읽고, 자신이 만약 무인도에 갇히게 된다면 어떤 생활을 하게 될지 상상해 본 적이 있다고 했다.

다음 날, 아이들은 강 하류 연못가 쉼터에서 다시 만났다. 탐험대를 꾸리려면 우선 대장을 먼저 선출해야 한다며, 누가 전설의 섬 탐험대의 대장으로 적합한지 의논하였다. 아이들이 서로 의견을 냈으나 결론이 나지 않고, 소녀와 단이 대장으로 적합하다고 제안하였다. 둘 가운데 한 명을 대장으로 정하면 좋겠다고 웅성거릴 때, 소녀가 자신의 의견을 말했다.

"탐험대 대장은 이곳의 지리를 잘 알고 있는 사람이 맡으면 좋겠어. 표류기 같은 모험에 관한 책을 읽어 보면 탐사하는 곳의 환경이나 지리를 중요시했던 것 같아."라고 조리 있게 얘기했다.

"이곳의 지리는 우리 마을에 오래 산 아이들이 잘 알고 있을 텐데…. 그럼, 누구지?"라며 창의와 리솔이가 동시에 말했다.

"아무래도 마을에 대해 잘 알고, 신중하고 믿음직스러운 단이를 대장으로 추천하면 어떨까?"라고 하며, 소녀가 단을 대장으로 지목했다. 아이들은 소녀와 단이 중에서 대장을 고르려고 했는데 소녀가 단을 추천하니, 다들 만장일치(滿場一致)로 단을 탐험대 대장으로 정하였다.

전설의 섬 탐험대를 이끌 대장까지 정해졌다. 이제부터는 탐험대에 참가하는 아이들은 대장의 결정에 따라야 했다. 대장은 탐험대의 목표와 계획을 세워야 하고, 탐험대 활동의 성공을 이끌어야 하니 책임도 막중했다. 단은 대장 역할을 수락하면서 탐험대의 모든 결정은 대원들 모두의 의견에 따라 다수결로 정하겠다고 했다. 탐험대가 갑자기 위험에 처하거나 위기를 벗어나기 위해 신속한 결정을 해야 할 경우엔, 대장인 자신이 결정하는 것이 어떻겠는지 물었다. 아이들은 모두 손뼉을 치고 환호도 보내며 대찬성이라고 했다.

대장으로 뽑힌 단은 과학 도서를 많이 읽고 전설의 섬에 관심이 많은 소녀와 함께 의논해서 탐험대 계획을 짜면 좋겠다고 하면서, 부대장으로 소녀를 추천하였다. 아이들은 평소 많이 의지하고 잘 따랐던 단의 설명이 명쾌할 뿐만 아니라 논리적이어서 큰 박수로 찬성을 표하였다. 대장은 아이들 각자의 역할도 의논해서 정하였다. 두 손뼉이 맞아야 소리가 난다더니 아이들 여럿이 힘을 합치니 일은 일사천리(一瀉千里)로 진척되어 나갔다. 석이와 윤택이는 바다를 잘 알고 있으니 나룻배의 이동 경로와 상륙할 곳을 알아보는 역할을 맡았다. 리솔이는 그림을 잘 그리니 전설의 섬에 가까이 가면 섬의 모습을 그림지도로 그려 탐험대가 어느 경로로 이동할지 자세히 안내하는 역할을 맡았다. 창의는 배가 섬에 도착하면 나룻배를 관리하여 탐험대가 돌아올 때까지 배의 안전을 책임지는 임무를 맡았다. 각자의 역할이 정해지고 모험소설에 등장하는 표류기나 무인도 살아남기 등을 참고하여, 나룻배의 출항일을 정해 전설의 섬으로 대망의 탐험대가 첫발을 떼기로 하였다.

아이들이 모두 헤어지고 난 뒤, 단은 소녀와 따로 만나 출항일에 대한 가닥을 잡자고 했다. 소녀는 자신의 과학 지식을 총동원하여, 대장인 단에게 정보를 주어 탐험대 활동을 성공시키고 싶었다. 우선 섬을 탐사해야 하니 밀물과 썰물에 따른 조수간만의 차를 잘 이용해야 한다고 했다. 조석 현상은 달과 태양의 인력에 의해서 일어나며, 태양보다 달이 더 가까이 있으므로 바닷물에 미치는 영향은 달이 훨씬 크다고 했다. 출항일을 정하기 위해서는, 마을에 달이 언제 뜨고 지는지를 아는 것이 중요하다고도 했다. 소녀가 강나루를 거닐곤 할 때, 상현달인 반달이 뜰 때는 모래톱 마을의 강나루 수위가 거의 일정했는데, 보름달이 뜰 때는 바닷물 수위의 편차가 컸다고 했다. 아마도 조금과 사리 때 바닷물의 수위 변화가 서로 다르다는 걸 알려주는 것 같았다. 바닷물 가장자리의 물의 높이를 관찰하면, 저녁에 뜨게 될 달의 모양도 짐작할 수 있다고 하였다. 대자연과 소통하면 세상을 보는 눈도 달라질 수 있단 말인가. 내륙에서만 살았던 아이가 갯가의 물때까지 이해하다니, 그런 소녀가 참 신기할 뿐이었다.

탐험대 활동에 대한 설명을 듣고 난 단은, 소녀의 해박한 과학지식에 탄복했다. 평소 소녀가 영특하여 아는 것이 많다고는 생각했으나 자연 현상에 대한 과학적 지식을 생생하게 알고 있다는 사실이 믿어지지 않았다. 시골 마을에 살면서 평소 밀물과 썰물이 생기는 것을 보기도 하고, 마을의 동쪽 언덕 위에서 달이 뜨는 것을 자주 보긴 했었다. 바다와 강이 만나는 하구에서는 썰물 때에 강물의 유속이 빨라지는가 하면, 밀물 때에는 바닷물이 강으로 역류해 들어와 주변 지역에 염해(鹽害)를 입히기도 하는 것을 본 적도 있었다. 하지만 밀물과 썰물이 달과 어떻게 연관되어 있는지 정확히는 인식하지 못했다. 단은 마을에 사는 자신보다 되레, 모래톱의 바닷가를 더 자세히 알고 있는 소녀를 보며 놀라움을 금치 못했다. 소녀가 과학적인 지식을 바탕으로 태양계의 움직임과 영향을 이해하여, 실제 탐험대 활동에 적용하고자 하는 태도에 충격을 받기도 했다. 단은 학교에서 배우는 지식이나 독서가, 현실 생활 속에서 어떻게 접목되어 활용될 수 있는지를, 자기 또래의 친구인 소녀를 통해 배우게 된 것 같았다.

탐험대 대장인 단은, 소녀가 준 정보를 바탕으로 아이들을 모아서 출항 계획을 알려주었다. 마을에서 전설의 섬에 도착하여 쉽게 상륙하기 위해, 밀물과 썰물의 조수간만의 차가 적은 조금 때를 이용해 섬으로 갈 것이라고 했다. 출항일은 상현달이 뜨는 음력 초이렛날로 정하고, 그날 날씨가 좋지 않으면 초여드렛날에 출항한다는 계획이었다. 아이들은 이틀 뒤인 음력 초이렛날에, 각자의 역할과 준비물을 챙겨 강 하류 선착장에서 만나기로 하였다. 또, 여섯 명이 탈 수 있는 큰 나룻배 한 척을 준비하여, 마을 사람들의 눈에 띄지 않는 시간에 아침 일찍 출항하기로 했다.

바다에 자신감을 보여줬던 석이와 윤택이가 나룻배를 책임지기로 했다. 창의와 리솔이는 전설의 섬에 대한 두려움으로 처음에는 참가하지 않으려고 했었다. 두 아이는 탐사보고서로 방학 과제를 해결할 수도 있다고 하니 귀가 솔깃해 나중에 함께 가기로 했다. 탐험 대원들은 겉보기에는 같이 행동했으나 동상이몽(同床異夢)으로 각자 섬에 가는 목적도 서로 조금씩 다른 것 같았다. 각자의 준비물로 정해진 카메라와 돋보기(소녀), 스케치 도구와 손전등(리솔), 낫과 가래 등 농기구(윤택), 망원경과 나침반(석이), 밧줄(창의), 지도와 계획서(단) 등을 챙겨 오기로 했다. 점심때 먹거리나 물은 각자 집에 있는 것을 되는대로 준비하고, 방학 과제를 해야 하니 늦은 오후를 지나 해거름이나 되어 집에 돌아올 것이라고 부모님께 말씀드리기로 하였다.

드디어 전설의 섬 탐사라는 기치(旗幟)를 내걸고 탐험대가 출항하는 날이 다가왔다. 아이들이 새벽같이 강나루 선착장에 모였는데 어디서 봤는지 탐험대 복장을 갖추고 당당하게 서 있었다. 표류기나 로빈슨 크루소와 같은 모험 이야기에서 본 것인지, 창이 넓은 중절모나 스카우트 활동 복장 등을 착용하여, 정식 탐험대처럼 씩씩하고 용맹스러운 모습이었다. 마치 대단한 일을 하러 가는 사람들처럼 있는 폼, 없는 폼을 잡고 서 있는 모습이 우습기도 하고 대견하기도 했다. 지난날의 시골 아이들이 아니고, 뭔가 큰일을 해낼 아이들처럼 보였다. 소녀는 아이들이 어떤 목표를 가지고 일을 실행하게 되면, '이렇게 달라질 수도 있구나.'라고 생각했다. 덩달아 소녀 자신도 탐험대의 일원이 된 것에 대해 우쭐한 기분이 들었다. 소녀는 전설의 섬 탐험대가 출항하는 날, 자신이 품고 있는 마을의 전설에 대한 의문이 풀리기를 간절히 바라며, 탐험대의 성공을 맘속으로 기원했다. 조급하게 서둘지 말자고 다짐하는 순간, 천 리 길도 한 걸음부터라는 속담이 복잡한 머릿속을 맑게 하는 것 같았다.

소녀는 자신이 식물도감에서 얻은 정보를 바탕으로, 몇 날 며칠 할머니 댁이 있는 마을 근처에 서식하는 식물을 찾아 나섰던 적이 있었다. 결국, 그 식물을 찾아냈던 경험과 그 당시의 기쁨을 다시 떠올려봤다. 눈을 지그시 감은 채 전설의 섬에 가는 탐험대의 활약상과 성공도 상상해 보았다. 산에 가야 범을 잡는다고 소녀는 전설의 섬의 의문을 풀기 위해서는 두려움을 무릅쓰고 반드시 섬에 가야 한다는 생각이었다. 소녀는 미국 역사상 가장 존경받는 인물이기도 하며, 노예해방선언을 했던 미국 제16대 대통령 링컨의 말이 떠올랐다. "늘 명심하라. 성공하겠다는 너 자신의 결심이 다른 어떤 것보다 중요하다는 것을."

그런 상상의 나래를 펴고 있는 사이, 아이들을 태운 나룻배가 신비스러운 전설의 섬에 도착하여 배를 접안시키려 했다. 아이들이 처음에 전설의 섬 탐사대를 꾸릴 때, 탐사보고서를 방학 과제로 제출하려는 것을 김칫국부터 마시는 꼴이라며 전혀 기대하지 않는 눈치였다. 그런데 말이 씨가 된다고 실제로 탐험대가 섬에 상륙해 탐사보고서를 작성할 수 있게 되었으니, 아이들은 다들 꿈만 같은 순간을 맞고 있었다. 어른들이 그렇게 두려워하는 전설의 섬에 오다니, 정말 꿈을 꾸고 있는 것만 같았다. 소녀는 두 손을 모아 기도하듯이 꿈이 아니길 바랐다. 나룻배가 섬에 가까이 다가갈수록 안갯속에서 서서히 신비스러운 정체를 드러내고 있는 섬을, 아이들은 의미심장한 눈빛으로 바라보았다.

17화 전설의 섬에 상륙하다

아이들은 마을에 드리워진
어두운 그림자를 걷어내고자 전설의 섬으로 갔다.
타성에 젖은 어른들이 과거에 급급하며 고민하고 있을 때,
아이들은 미래를 내다보고 싶었던 것일까.
신비스러운 섬에는 갑자기 무슨 일이 일어날지도 모르는
위험들이 여기저기 도사리고 있었다.

모래톱 마을 아이들은 반세기 이상 찌들어온 전설의 섬에 대한 두려움과 마을에 드리워진 어두운 그림자를 걷어낸다는 심정으로 한 맘이 되어 뭉쳤다. 아이디어를 짜내고 치밀한 계획을 세워 섬에 가는 일을 준비하였다. 탐험 대장인 단은 소녀가 준 해양 정보와 아이들의 의견을 참고하여, 허술한 데가 없이 야무지고 실속 있는 탐사계획을 짰다. 대원들의 역할과 준비할 물건들을 세세하게 안내하여 챙기게 했고, 상현달이 뜨는 조금을 택해 출항일도 잡았다. 마을 사람들이 아무도 모르게 새벽 일찍 출발하여, 해가 중천에 떠오르기도 전에 전설의 섬에 나룻배를 접안시켰다. 대장인 단은 노를 젓는 아이들에게 나룻배가 눈에 잘 띄지 않도록 숨겨놓을 수 있는 지점에 배를 정박시키도록 했다.

아이들은 신비의 섬을 탐험하는 대원들답게 자신감에 차 있었다. 모두 다 어린아이들답지 않게 신중하고 차분했다. 아이들은 달라져 있었다. 무서운 전설을 지닌 섬이어서 갑자기 무슨 일이 일어날지도 모르고, 어떤 위험이 도사리고 있는지도 몰랐다. 배가 뭍에 닿았을 때, 한 사람씩 살금살금 질서를 지켜 섬에 상륙하였다. 드디어 아이들이 수십 년간 밟지 못하고 단절되어 있어야만 했던 금단(禁斷)의 땅을 밟게 되었다.

그해 여름은 다른 해와 달리 오지게도 무더운 날들이 많았다. 한낮은 물론이고 한밤중에도 사람들은 더위를 피해 바닷바람을 쐬러 마실로 나다녀야 했다. 탐험대가 상륙한 섬에도 무더위가 계속되고 있었다. 섬은 늘 그랬듯이 짙은 안개에 싸여 있었다. 숲은 밀림처럼 우거져 수십 년간 사람들의 발길이 닿지 않아 무성한 열대우림을 연상하게 했다. 반세기 이상 아무도 접근하지 못했던 흔적들이 여기저기 보였다. 아름드리나무들은 빽빽하게 자라고 있었고, 약 6,500만 년 전에 생성된 날카로운 화강암으로 된 바위들은 경쟁이라도 하듯 무리 지어 치솟아 있었다. 화성암은 화산과 마그마의 활동으로 만들어진 암석을 말한다. 대표적인 화성암으로는 화강암과 현무암을 들 수 있다. 전설의 섬의 꼭대기에 있는 기암괴석은 화강암으로, 땅속 깊은 곳에서 마그마가 서서히 굳어져 생긴 암석이었다. 설악산이나 북한산과 같은 국립공원의 산봉우리들처럼 날카로운 화강암들이 치솟아 있어, 전설의 섬의 신비로움을 더해주었다.

탐험대가 상륙한 곳은 모래톱 마을 건너편 자갈밭 쪽이었다. 아이들은 한 번도 와보지 못한 생소한 곳이었지만 맑은 날 섬에서 보았던 자갈밭은 흐릿하게 기억하고 있었다. 섬의 위쪽으로는 숲이 우거져 있었다. 숲을 뚫고 뾰족뾰족하게 솟아나 있는 기암괴석(奇巖怪石)들은 한 폭의 병풍처럼 펼쳐져 있었다. 상상 속의 그림처럼 느껴졌던 신비스러운 전설의 섬에, 아이들이 발을 내딛다니 꿈만 같았다. 처음 배에서 내릴 때는, 무서워서 벌벌 떨며 살금살금 기어 다니다시피 하더니 곧 아이들은 탐사 활동을 하려고 온 것도 잊은 채 자갈밭을 쏘다녔다.

"얘들아, 여기 예쁜 조개껍데기들이 많아. 이쪽으로 와, 어서!"라고 하며, 리솔이가 아이들을 불렀다.

"우와! 채집할 것이 무척 많구나. 여기 나각(螺角)을 만들 수 있는 큰 소라껍데기도 있어. 이것 좀 봐."

"이쪽 산 밑에는 조개 무덤 같은 것도 보여. 조개껍데기가 한데 모여 있어."

"수십 년간 사람들의 발길이 끊겼으니 꼭 자연사박물관을 보는 것 같은데……."

아이들은 다들 한 마디씩 내뱉었다. 어느새 전설의 섬에 대한 두려움은 온데간데없고 호기심으로 가득 찼다. 천진난만한 아이들로 돌아가 채집이며 해양 체험을 하러 온 것처럼 한동안 신나게 놀았다. 각자 채집한 것들을 모아 나룻배에 실어놓기도 하고 배낭에 챙겨 넣기도 하였다. 하얗고 작은 조개껍데기를 실에 꿰어 장식품을 만들기도 하고, 방학 과제물로 제출할 만한 것을 수집하는 아이들도 보였다.

얕은 해안가 바위틈에는 해삼이나 전복이 널려있었고, 톳이나 파래, 미역 등이 바위틈에 붙어서 길게 자라고 있었다. 살짝 건드리기만 해도 보라색 물을 뿜어내는 이상한 해산물도 보였다. 톳이나 해초를 먹고 자라는 군소라는 해산물인데, 아이들이 물속을 지나다니는데 발길에 걸릴 만큼 지천으로 널려있었다.

"이 섬에는 먹거리가 많아 혼자서도 몇 년은 굶지 않고 살 수 있겠어." 라고 하며, 단은 모처럼 여유를 부리며 너스레를 떨기도 했다.

아이들은 모두 표류기에 나오는 모험을 즐기는 대원들이나 로빈슨 크루소가 된 듯한 착각 속에 빠져, 생각하고 말하고 행동했다. 전설의 섬이라는 새로운 환경에 적응하며, 대원들은 점점 더 자신감이 충만해지는 것 같았다.

대장인 단이 말했다.

"다들 아침에 새벽같이 출발해오느라 배가 출출할 테니, 정오가 되려면 아직 멀었으나 점심을 먹자."라고 하며, 점심시간을 제안했다.

"좋아, 좋아, 배고픈 줄도 모르고 놀았네."라고 하며, 아이들은 금강산도 식후경이라며 다들 큰 소리로 맞장구를 쳤다.

"아하, 이렇게 야외에서 도시락 먹는 게 얼마 만이냐?"라며, 목을 축이려고 물을 마시며 석이와 윤택이가 말하자

"오늘 섬에 안 왔으면 어쩔 뻔했냐?"라고 하며, 창의와 리솔이는 탐사활동에서 손을 떼지 않아 다행이라는 듯이 말했다. 사실 창의와 리솔이는 겁이 많은 편이라 탐험대에서 빠질 뻔도 했었던 생각을 떠올린 것 같았다.

"너희들, 이게 다 설이 아이디어라는 건 알고 있겠지?"라고 하며, 소녀를 대장인 단은 추켜세웠다.

"응, 응, 알고 있어. 설이가 우리 마을에 안 왔으면 이런 일은 꿈도 못 꿨을 거야."라고 하며, 아이들은 노는 것에 정신이 팔려있다가 먹는 얘기를 듣고는 가져온 먹거리를 꺼내놓았다. 펼쳐놓은 음식을 보더니 남의 떡이 커 보인다고 아이들은 다들 제 도시락은 두고, 남의 반찬통에만 젓가락을 들이대기도 했다.

각자 점심때 먹을 옥수수나 감자는 물론, 주먹밥을 챙겨 온 아이들도 여러 명이나 보였다. 섬에 상륙하자마자 하는 짓을 보면, 꼭 어디 유명한 곳에 체험학습을 하러 나온 아이들 같았다. 아이들은 두려움이 없었다. 너무나 자연스러웠다. 자신들의 마음속에 있는 목소리를 그대로 뱉어내었다. 순수하고 천진난만한 아이들의 웃음소리에, 무섭게 뿔을 달고 질주하던 도깨비들도 그냥 못 본 체할 것만 같았다. 도깨비들도 양심이 있으면 그럴 것 같다. 상륙한 섬에서는 아무런 문제도 생기지 않았다. 신비는 사라지고, 탐험대가 점령한 고요하고 평화로운 섬처럼 느껴졌다.

점심을 먹고 잠시 쉬는 아이들도 있었고, 바닷가 물속에서 바위를 움직여 해양생물을 조사하는 아이들도 보였다. 얼마나 시간이 지났을까, 섬 주변은 갑자기 안개가 짙어지고 먹구름이 몰려왔다. 후드득후드득 빗방울 소리를 내더니 갑자기 한바탕 소나기가 나뭇잎들을 내리쳤다. 대장인 단은 아이들을 움푹 파인 바위틈 사이로 불러들였다. 우비 같은 것은 챙겨 오지 않아서 우선 지나가는 소나기를 피하려고 했다. 한낮인데도 태양이 구름에 가려져 주변은 온통 캄캄해졌다. 건너편 모래톱 마을도 구름에 싸여 보이지 않고, 바다만 희미하게 보였다. 단과 소녀는 소나기가 그치면 바로 전설의 섬을 샅샅이 탐사하려고 미리 입을 맞추었다. 조금 시간이 지나니 먹구름은 물러가고 하늘이 보이기 시작했다. 지나가던 소나기도 그치고 뜨거운 태양이 다시 작렬했다. 여름철 풀벌레들과 매미들은 앞다투어 노래를 시작했다. "찌르르, 찌르러." "맴맴맴, 매앰맴, 매에 에엠." 사방에서 들려오는 온갖 풀벌레 소리에 귀가 따가웠다.

햇볕이 나오자 탐험대 대장인 단은 대원들에게 탐사 활동 시작을 알렸다. 단은 탐사의 시작에 앞서 탐험대가 소기의 목적을 달성하기 위해 임전무퇴(臨戰無退)의 정신으로 물러서지 말고 싸우자고 독려했다. 석이와 윤택이가 앞장서서 낫으로 수풀을 헤집고 한 발짝씩 나아가며 걸었다. 두 아이는 씩씩하여 궂은 일도 잘하고 죽이 척척 맞으며 손이 빨랐다. 창의는 배를 지키기로 했었는데 탐험대가 언제 되돌아올지 몰라, 그냥 밧줄로 배를 단단히 묶어두고 같이 가기로 했다. 우선 지형을 알아야 하니 낮은 언덕 쪽 해안선이 보이는 곳을 따라 섬의 높은 지점까지 이동하기로 했다.

얼마간 걸어서 올라가니, 섬의 모습을 볼 수 있고 해안선도 보이는 산 등성이에 도착했다. 안갯속에 가려진 섬의 형체가 어느 정도 드러났다. 섬의 모양은 말굽자석처럼 생긴 것 같았다. 움푹 파인 곡선 부분이 소녀가 별장에서 희미하게 섬을 보았던 부분이고, 모래톱 마을에서는 말굽의 등 부분이 보이는 것 같았다. 소녀는 섬 모양을 카메라에 담고, 리솔이는 빠른 동작으로 섬의 형체를 스케치하며 그림지도를 그렸다. 배가 정박해 있는 곳과 말굽 모양의 섬을 스케치한 후 탐험대가 이동해 온 길도 표시하였다. 대원들이 수풀을 헤치고 높은 산으로 올라오던 길을 가로질러, 말굽의 곡선에 해당하는 지점에 희미한 길 같은 흔적이 남아 있었다. 아마도 길은, 말굽의 움푹 파인 곳에서 모래톱 마을이 보이는 쪽인 말굽의 등 부분으로 이어지는 것처럼 보였다.

탐험대의 대원들은 섬의 높은 마루 근처에서 단을 중심으로 탐사 활동에 관한 토의를 했다. 아이들은 너무나 아름다운 섬이 왜 도깨비가 사는 섬이 되어, 사람들의 발길이 끊기게 되었는지 의문을 가졌다. 만약 이 섬에 동물이나 사람이 산다면, 어느 지점에 살고 있을지 섬의 모습을 내려다보며 각자의 생각을 말했다. 또, 도깨비불을 보기 위해 한밤중까지 섬에 머물 것인지에 대해서도 의견을 모아야 했다. 처음에는 의견이 분분했으나 섬에 생명체가 있다면, 말굽 모양의 안쪽에 살고 있을 것이라는 데 의견이 일치하였다.

말굽 모양의 굽은 부분을 가로지르는 길은 왜 생겼으며, 그 길은 언제, 누가 이용했을지에 대해서는 서로 의견이 갈렸다. 아이들은 도깨비불을 보기 위해 밤까지 섬에 남는 것에는 반대가 많다. 마을에서도 가족들이 기다리는데 늦거나 하면 전설의 섬에 오게 된 것이 들통나서 위험하다는 소리였다. 탐험대는 모래톱 마을이 보이는 쪽은 특별히 수상한 점이 보이지 않았다면서 말굽 곡선 부분의 움푹 파인 곳으로 산을 넘어 이동하기로 했다. 아이들은 모래톱 마을에 무서운 소문으로 퍼져 있었던 이야기들에 관심이 많았다. 동굴에서 괴상한 소리가 난다든지, 바다에서 조업하다가 섬에서 괴물체를 봤다든지 하는 소문은 섬을 탐사하여 반드시 확인해야 했다. 전해져 내려오는 소문들을 확인하는 것이, 모래톱 마을을 공포의 어두운 그림자에서 구하는 길이라고 아이들은 생각했다.

모래톱 마을 아이들은 아무것도 바라지 않았다. 그들에게는 두려운 것이 없었다. 아이들은 자유로운 영혼 그 자체였다. 무엇이든 받아들일 준비가 되어 있었기에 세상에 없는 것도 창조해낼 수가 있고, 새로운 세상을 만들어가며 자신들의 능력을 언제든지 증명해 보일 수도 있었다. 온갖 사회 규범과 따분한 일상에 갇혀, 틀에 박힌 삶을 꾸역꾸역 살아가는 나약한 어른들의 모습과는 전혀 다른 삶을 추구하였다. 반세기도 넘게 고정관념의 틀에 얽매여 제물을 바치며 두려움과 공포 속에서 한 발짝도 나아가지 못하고, 그 순간만 모면하려 했던 어른들의 모습이 떠올랐다. 아이들의 눈에는 그런 어른들이 이상할 수밖에 없었다. 비정상적인 상태를 정상적으로 되돌려놓는 일은, 영혼이 자유로운 자들만의 영역인 것 같았다.

한편, 세상은 역병이 창궐하여 온천지가 혼돈 속으로 빠져들어 가고 있었다. 모든 것이 얼어붙었고 세상의 시간은 멈춘 듯하였다. 극한 상황에서도 영혼이 자유로운 아이들은, 그들의 때 묻지 않고 순수한 생각만으로도 임계점을 넘어, 또 다른 세상도 상상할 수가 있었다. 모래톱 아이들이 역병의 두려움을 떨쳐내고 전설의 섬에서 일상의 삶을 되돌리며, 자유로운 시간을 만끽하는 일 자체가 진정으로 역병을 극복하는 길처럼 여겨졌다.

아이들은 갖은 변명으로 조용히 움츠리고 있을 수도 있었다. 역병 때문에 방학 과제를 하지 못했다고 하면 그만이고, 두려움 때문에 전설의 섬을 외면하면 그만이었다. 착한 아이 코스프레를 얼마든지 할 수가 있었다. 하지만 모래톱 아이들은 달랐다. 단언컨대, 그것은 영혼이 자유로운 아이들의 본래 모습인지도 몰랐다. 누군가가 세상은 아이들이 창조해가는 것이며, 순수하고 자유로운 아이들의 눈과 영혼의 소리에 귀를 기울여야 한다고 했던 말이 떠올랐다. 탐험대는 전설의 섬의 정체를 눈으로 확인하고 싶었다. 천진난만한 아이들은 대자연과 직접 소통하며 교감하는 것을 본능적으로 즐겼다.

동굴 탐사는 물론, 괴생명체가 섬에 정말 존재하는지 탐사할 것을 소녀는 재차 제안했다. 남자아이들은 몸을 사리며 낫과 가래로 가시덤불과 수풀을 헤치고 길을 만들어 나아갔다. 여자아이들은 섬의 생태환경을 카메라에 담기도 하고, 스케치북에 쓱싹쓱싹 그려내기도 했다. 아이들은 달랐다. 힘들고 어려운 일이 닥치더라도 결코 낙담하거나 시들지 않았다. 고민하고 궁리하여 풋풋한 삶을 영위하는 것도 불가능한 일은 아닌 것 같았다. 세상은 어둠 속에 갇혀있었으나 모래톱 아이들은 남다른 발상으로 전설의 섬에서 한 번도 경험하지 못한 생소한 체험을 통해, 어쩌면 가장 알찬 여름을 보내고 있는지도 몰랐다.

소녀는 과학 박사 소리를 듣는 아이답게 반세기 이상 사람들의 발길이 멈춘 전설의 섬의 생태에 관심을 드러냈다. 열대우림과 같은 섬의 식물들에 카메라를 들이대기도 하고, 작은 풀벌레마저도 그냥 지나치는 일이 없었다. 아이들은 다양한 섬들로 이루어진 남도의 자연 생태에 관한 소중한 자료들을 얻고 있는 것 같았다. 특히, 섬에 서식하고 있는 새들의 생태에 관심이 많았다. 섬에서 여름 철새인 긴꼬리딱새를 발견하고 탄성을 지르기도 했다. 푸른빛이 도는 눈 테가 인상적인 새였는데 둥지에 날아와 긴 꼬리를 한껏 자랑하기도 했다.

소녀는 긴꼬리딱새의 움직임을 자세히 관찰하더니 "아하! 이래서 긴꼬리란 이름이 붙었구나!"라고 하며, 아이들에게 이름이 붙여진 까닭을 설명해주었다. 그러면서 새 이름의 유래를 알게 되어 의문이 풀린 것 같다고 했다. 또, 따뜻한 남도의 섬에서 둥지를 틀고 있는 팔색조도 발견하여, 둥지에서 새끼들에게 먹이를 주는 보기 드문 희귀한 장면도 카메라에 담았다. 먹성 좋은 어린 팔색조는 다 자라 갑갑한 둥지를 벗어나는가 싶더니, 누가 가르쳐 주지 않았는데도 땅을 박차고 힘찬 날갯짓을 시작하였다. 사실 팔색조는 여덟 가지 색이라기보다 일곱 가지 색깔에 가까웠는데, 그 모습 자체만으로도 비교할 수 없을 정도로 화려한 천연기념물이었다. 마을의 두려움을 걷어내기 위해 탐험대를 꾸린 아이들은, 누구도 흉내 낼 수 없는 그들만의 색다른 체험을 하고 있었다.

같은 세상을 다르게 볼 수 있고, 비슷한 역경과 가시밭도 유연하게 헤쳐갈 수 있는 건 생각이 자유로운 순수한 아이들이기에 가능한 일이었을까. 어른들이 아이들을 타이름이나 시킴의 대상으로만 여길 것이 아니라, 자유롭고 창의적인 아이들에게서 배울 점을 찾아보고, 그들의 생각도 존중해야 하는 것은 아닐까. 탐험대는 처음에 생각했던 그들의 목적을 달성할 수 있을까. 전설의 섬에 상륙한 아이들은 모두 무사히 모래톱 마을로 돌아갈 수 있을까. 수십 년간 엄격히 금해 왔던 금단의 땅을 밟은 아이들은, 어른들에게 들키지 않고 무사히 넘어갈 수 있을까.

탐험대는 마을로 돌아오는 일 따위는 관심이 없었다. 그들은 생명력으로 가득 찬 대자연과 진지하게 교감하며, 오로지 전설의 섬의 신비스러운 현장을 탐사하는 일에 더 빠져 있었다. 순수한 아이들의 재기발랄한 모습에서 밝은 미래도 상상할 수 있었다. 아이들의 모습을 바라보니 "어린이는 우리의 내일이며 소망이다."라는 어린이 헌장의 한 구절이 떠올랐다.

18화 사람의 흔적

신비스러운 전설의 섬에
상륙한 지 불과 몇 시간도 지나지 않아
아이들은 시시각각 빠르게 변하고 있었다.
아이들의 천진난만한 타고 난 천성은
두려움 속에서도 빛을 발했다.

어른들에게는 도저히 상상할 수 없는 일들이었다. 세상사에 물들지 않고 때 묻지 않은 영혼만이 누릴 수 있는 특권이었다. 무인도에서 장장 28년이라는 세월을 홀로 보낸 한 인간의 파란만장(波瀾萬丈)한 이야기를 다룬 로빈슨 크루소가 생각났다. 그의 후예나 된 것처럼 탐험대의 모자에는 꿩의 꽁지깃을 꽂아서 장식하고, 옆구리에는 막대기를 무기처럼 차고 있기도 했다. 나뭇가지에 줄을 묶고 입갑을 끼워 낚싯대처럼 물에 담가 꽃게를 잡기도 했다. 또, 양식장에서 떠밀려 온 그물을 이용해 통발을 만들어, 그 속에 미끼가 될 만한 것을 넣어 물고기나 문어를 유인하기도 했다. 탐험대 아이들의 무인도 적응력은 일취월장(日就月將)하여 발전해 갔다. 소녀는 지난번 휴가로 가족과 같이 갔었던 별장이 있는 섬 앞의 무인도가 생각났다. 그곳에서 외할아버지와 함께 갯가를 체험하며 해산물을 채취했던 기억이 떠올랐다.

탐험대 아이들은 그들이 스스로 정한 것을 처음에 짠 목표와 계획에 따라 차근차근 수행했다. 바닷가에서 산마루 쪽으로 올라온 아이들은, 아까 놀면서 본 것들을 중심으로 서로가 궁금했던 점에 대해 이런저런 얘기를 나누었다. 그런 가운데 몇몇 아이들은 바닷가에서 놀면서 은연중에 사람의 흔적 같은 게 느껴졌다고 했다. 대원들은 그 주장에 무게를 더하며, 아까 말할 기회를 놓쳐 꾹 참고 있었다며, 미처 생각지도 못한 의문점들을 끄집어내기 시작했다.

무인도에 사람의 흔적이 있다니 놀라운 일이었다. 아이들이 모르는 누군가가 전설의 섬에 함께 있다고 생각하니, 즐겁게 놀았던 기억은 사라지고 갑자기 온몸이 벌벌 떨리면서 식은땀이 흘러내리는 느낌이 들었다. 섬에 막 상륙하여 조개껍데기를 줍느라 정신없이 놀이에 빠져 있었을 때는 몰랐던 일들이 새록새록 기억에 되살아났다. 아무도 발길이 닿지 않는 곳이라면 조개껍데기는 자연스럽게 흩어져 있어야 했다. 조개껍데기가 무덤처럼 쌓여 있다는 것은, 누군가가 조개나 굴을 까먹고 자주 그곳에 버렸기 때문은 아닐까. 과연 금단의 섬에서 누가 조개나 굴을 채취하여 까먹었단 말인가.

평소 역사 이야기책도 많이 읽고 공상과학 소설에도 관심이 많았던 소녀가 말했다.

"조개 패총은 원시인들이 남긴 흔적이잖아. 만일 아까 우리가 본 조개 무더기가 신석기인들의 흔적이라면, 이곳은 대단한 유적지가 될 수도 있는 거잖아."

"그럼, 우리 탐험대가 선사시대(先史時代) 유적지를 발견한 것이 된다는 말이야?"라고 하며, 창의가 조심스럽게 말했다. 그러자 석이는

"아하, 우리 신문에 나는 것 아냐?"라고 우스갯소리를 하며 들뜬 표정을 지었다. 그때 단이가 끼어들었다.

"그럼, 아까 그것이 신석기시대 조개 패총인지 아닌지 다시 확인하는 게 좋지 않겠어?"

"그래, 제대로 탐사해보자!"라고 하며, 다들 그곳으로 다시 내려가 보자고 했다.

아이들은 나룻배를 정박시킨 상륙 지점으로 다시 내려오고 있었다. 그때였다. 앞서 내려가던 몇몇 아이들이 움찔했다.

"우리 머리 위에 움직이는 물체가 있어."라고 하며, 스케치하던 리솔이가 기겁하며 소리쳤다.

"으악, 뱀이다!"

"잘 봐! 저쪽 높은 나뭇가지 쪽이야. 큰 구렁이가 혀를 날름거리며 여기저기를 자꾸 휘둘러 살피고 있어."

아이들은 일제히 그쪽으로 고개를 돌렸다.

"야! 빨리 피해. 이쪽으로 내려오고 있어."라고 하며, 모두 황급히 바닷가 쪽으로 내달렸다.

나뭇가지에서는 큰 구렁이 한 마리가 아래쪽으로 이동 중이었다. 아이들은 깊은 한숨을 내쉬며 놀란 가슴을 쓸어내렸다. 탐험대가 다시 상륙 지점에 내려왔을 때 나룻배는 정박해 있던 곳에 잘 묶여 있었다. 아이들은 서둘러 의문을 품었던 조개 무더기 쪽으로 가보았다. 탐사 활동에 관심이 많았던 소녀에게 조개 무덤을 감정해보라는 듯이 아이들은 쳐다봤다. 아이들도 각자의 기준으로 자신들의 생각을 말했다.

"조개 무더기가 좀 이상해."

"패총(貝塚)은 아닌 것 같아. 우리가 책에서 배운 것과는 너무 다른 것 같은데……."

아이들은 모두 과학에 조예(造詣)가 있다고 느낀 소녀의 입만 쳐다봤다. 소녀는 마치 탐사 전문가라도 된 것처럼 돋보기를 꺼내 들고, 조개 무더기를 요리조리 관찰하다가 입을 뗐다. 잠시 침묵이 흘렀다.

"조개껍데기 표면에 있는 줄무늬가 너무 선명해. 그리고 오래된 껍데기도 있고, 최근에 버린 듯한 껍데기도 섞여 있는 것 같아."라고 말하자, 아이들은 모두 아우성을 쳤다.

"그래서, 어떻다는 거야. 신석기시대 유적이 맞아? 안 맞아?"라고 하며, 소녀의 얼굴을 빤히 쳐다봤다. 소녀는 의미심장한 미소를 띠며 말을 이어 갔다.

"우리 탐험대가 한 가지는 얻은 것 같아."

"한 가지를 얻어?"라고 하며, 아이들이 말을 받았다.

"조개 무더기가 유적지는 아니나 이 섬에 누군가 사람이 있다는 흔적은 발견한 것 같아."라고 소녀는 말했다.

소녀의 설명은 이랬다. 조개 무더기에는 시간상으로 오래된 것도 있고 최근에 버린 것도 섞여 있는 것으로 볼 때, 지금 이 섬에 사람이나 짐승이 살고 있을 것 같다고 추정했다. 근처에는 분명히 사람이나 짐승이 있다는 또 다른 흔적도 있을 테니 함께 찾아보자고도 했다.

아이들은 표류기의 모험 소년들처럼 이곳저곳을 돌아다니며 주변을 샅샅이 탐사하였다. 잠시 후, 모래톱 마을이 보이는 쪽에서 어떤 흔적을 발견했는지 웅성거리는 소리가 들렸다. 아이들은 모두 그쪽으로 달려갔다.

"불을 피운 흔적 같은 것이 있어."라고 하며, 매사에 세심했던 창의가 손가락으로 그을음이 묻은 바위를 가리키며 말했다. 아이들은 모두 머리를 들이대며, 바위를 손으로 문질러보기도 하고 자세히 들여다보기도 했다.

"누군가가 불을 피운 것이 사실인 것 같아."라고 하며, 이구동성(異口同聲)으로 맞장구를 치며 소녀를 쳐다봤다. 아이들은 과학 박사로 불리는 소녀의 말을 듣고 싶었다.

"원시인들처럼 불을 이용해 조개나 해산물을 익혀 먹은 것 같아."

"저녁에 이곳에 불을 지피면 마을에서도 불빛이 보일 것 같아. 아마도 도깨비불은 이곳에 있는 사람이나 짐승이 불을 지폈기 때문은 아닐까?"라고 하며, 소녀가 자신의 의견을 말했다.

"아하, 그런 것 같아. 설이 추리력 대단한데."라고 하며, 아이들 모두 소녀가 추리한 도깨비불의 정체를 인정하는 눈치였다. 그때, 석이가 궁금한 것이 있다며 말했다.

"왜 하필 이곳에서 조개나 꽃게, 굴 등 갑각류 같은 것을 요리했을까?"라고 하자

"자기가 사는 곳이 아니고, 왜 이곳이야?"라고 하며, 다른 아이들도 덩달아 궁금하다는 듯이 말했다. 또 소녀 쪽을 일제히 바라보며 추리를 해보라는 듯이 쳐다보았다. 소녀는 아이들의 아우성에 다시 설명을 이어 갔다.

"아마도 이곳에 해산물은 많이 나지만, 섬 모양을 보면 말굽의 튀어나온 곡선의 외곽 부분이다 보니, 바람이 많이 불어 삶의 터전으로 삼기에는 적당하지 않은 곳일지도 몰라. 그리고 동굴 생활을 해야 하니, 동굴이 있는 쪽에 터전을 잡았을 것 같아."라고 추리했다.

"아까, 내려오면서 본 오솔길로 섬의 움푹 파인 곳 쪽에서 넘어와 껍데기가 붙은 무거운 해산물을 지고 산마루로 넘기는 힘든 일이잖아?"라고 하며, 이곳에서 채취한 해산물을 익혀서 먹고 갔을 것 같다는 설명을 덧붙이기도 했다.

아이들은 모두 수긍이 간다는 표정을 지으며 고개를 끄덕였다. 소녀는 사람의 흔적을 더 찾아 퍼즐을 완성한다면, 우리가 여기 온 목적을 달성할 수도 있을 거라며 대원들에게 힘이 되는 얘기를 해주었다.

조개껍데기와 불을 피운 흔적, 산마루를 넘어서 오고 간 오솔길까지 퍼즐을 맞춘 아이들은 또 다른 퍼즐을 찾아보기로 했다. 아이들은 퍼

즐 맞추기 게임을 하는 것처럼 신이 나서, 힘든 것도 잊고 탐사 활동에 몰입하는 것 같았다. 어느 책에서도 적혀 있었던 것처럼 즐기면 이긴다는 말이 생각났다. 대장인 단은 소녀의 설명을 듣자마자 말굽자석의 등에 해당하는 이곳에서 아까 산마루에서 본 움푹 파인 만(灣)처럼 생긴 곳으로 오솔길을 따라 넘어가 보자고 했다. 아이들은 머리 위쪽 나뭇가지에서 이동하던 5미터 이상의 큰 구렁이가 놀라지 않도록 내려왔던 길을 살금살금 다시 올라갔다. 오솔길을 따라 마루에 다다른 아이들은, 산을 넘어 만(灣)처럼 생겼으며, 바다가 육지 쪽으로 쑥 들어간 곳으로 내려가 볼 작정이었다.

석이와 윤택이가 앞장을 섰다. 수풀을 헤집고 내려가야 할 정도로 험한 길은 아니었다. 겨우 사람 하나 다닐 정도의 좁고 희미한 길이었다. 모두 대장의 신호에 따라 한 발, 또 한 발 조심조심 모래톱 마을의 반대편 쪽으로 오솔길을 따라 내려가고 있었다. 그때, 앞장서서 가던 석이와 윤택이가 움찔하며 멈춰 섰다. 앞서가다가 뭔가를 발견한 것 같았다. 그들은 내려가던 길의 저 아래쪽 수풀 속에 흰색 통이 보인다고 했다. 그것도 한두 개가 아니고 여러 개가 쌓여 있다고 하며, 헐레벌떡 가던 길을 되돌아와 알려주었다. 아이들은 무서운 생각이 떠올라 살금살금 이동하며 천천히 뒤따라 내려갔다. 탐험대는 흰 통이 보이는 쪽으로 가까이 가보기로 했다. 열대우림(熱帶雨林)과 같은 숲속에 인간의 손길이 닿은 하얀 통이 있다니 놀라운 일이 아닐 수 없었다.

아이들이 보았던 통은 막걸리통이었다. 옛날 막걸리통은 왜 이곳에 있으며, 또 쌓여 있는 것일까? 이유야 어쨌든 사람의 흔적인 것은 분명

했다. 누군가 이 섬에 사람이 살고 있다는 증거라고 대원들은 확신했다. 자신들 말고 이 섬에 누군가 다른 사람이 있다고 생각하니 아이들은 갑자기 무서운 생각이 들었다. 한여름 대낮에 한기가 들 정도로 등골이 오싹해지다니 피서가 따로 없었다. 아이들은 산마루에서 고개를 넘어 내려가는 길에 생각지도 못한 수상한 막걸리통을 발견하고는 온갖 의문에 휩싸이게 되었다. 탐험대는 신비의 섬에서 또 하나의 새로운 사람의 흔적을 찾은 것이었다. 고개를 넘어 다니는 오솔길이 있었고, 조개 무더기 옆에는 불을 피운 흔적을 발견하기도 했다. 어디에서 났는지는 모르겠지만 막걸리통이 쌓여 있기도 하다니 이 얼마나 놀라운 일인가. 모래톱 마을의 어른들은 꿈에도 상상할 수 없었던 일이었다.

이제 탐험대는 무인도 표류기나 원시인들의 생활에 비추어 볼 때, 움집이나 동굴과 같은 피신처를 찾아야 했다. 그렇게 되면 사람의 흔적에 대한 퍼즐은 거의 완성될 듯했다. 아이들은 살금살금 막걸리통이 있는 쪽으로 내려가고 있었다. 막걸리통의 정체는 곧 인간이 전설의 섬에 살고 있다는 증거가 될 수 있다는 생각으로 한 발짝, 한 발짝 내디디며 아래로 내려갔다. 옛날 막걸리통은 왜 숲속에 있었던 것일까?

19화 수상한 동굴

탐험대 아이들은
두려움의 공간인 전설의 섬에서
인내심을 발휘하며 억지로 참고 견디는 것이 아니었다.
그들은 어느새 모험을 즐기며 참가하고 있었다.
"어떤 일이든 즐기면서 할 때 그 일의 성공 가능성도 높다."
라는 말이 떠올랐다.

아이들은 그들 앞에 닥친 숱한 도전들에 대해 용기를 가지고 극복하려고 애썼다. 그들은 평소와 달리 모험을 즐기고 있었다. 아이들은 왜 인간이 원하는 것을 하며 살아야 하는지를 몸소 느끼고 있는지도 몰랐다. 어른들은 전설의 섬에 드리운 어두운 그림자를, 지금껏 그냥 참고 견뎌왔을 뿐이었다. 인내심을 미덕으로 여기며 살아왔을 뿐만 아니라, 인내심이란 부정적인 것들의 공격을 견디는 것쯤으로 여겼다. 아이들은 달랐다. 모험을 통해 포기나 변명의 유혹을 견디는 법을 학습하기도 하고, 비록 두려움 속에 떨고 있었으나 어른들과는 다른 삶을 추구하고 있었다. 역사 이야기에서 배웠던 원시시대의 모습을 상상하며, 대원들은 전설의 섬에서 모험을 통해 살아있는 공부를 하고 있는지도 몰랐다.

탐험대의 대원들은 선사시대를 떠올리며, 평소 입에서 입으로 전해지던 노래를 누가 먼저랄 것도 없이 함께 어울려 부르기 시작했다. "옹달샘" 노래에 가사를 바꾸어 돌림노래로 역사 이야기를 주고받으며 부르기도 했다. "깊은 산속 옹달샘 누가 와서 먹나요. 맑고 맑은 옹달샘 누가 와서 먹나요. 새벽에 토끼가 눈 비비고 일어나 세수하러 왔다가 물만 먹고 가지요. 깊은 산속 옹달샘 누가 와서 먹나요. 맑고 맑은 옹달샘 누가 와서 먹나요. 달밤에 노루가 숨바꼭질하다가 목마르면 달려와 얼른 먹고 가지요."

멀고 먼 옛날 구석기! 뗀석기를 썼다네
뗀석기로 채집과 사냥하며 살았네
동굴, 막집에서 동물 가죽 걸치고
사냥 채집 안 되면 이동하며 살았대

구석기 다음 신석기! 간석기를 썼다네

사냥, 채집과 농사에 가축도 길렀다네

움집서 토기랑 화덕을 이용했대

가락바퀴로 옷 짓고 장신구도 달았대

　전설의 섬 탐험대는 대장의 신호에 따라 하얀 막걸리통이 있는 곳으로 거의 다 내려왔다. 단은 지난 절기 때, 나룻배를 타고 가다가 전설의 섬 앞에서 마을 어른들이 제사를 지내는 모습을 본 적이 있었다. 아이들이 말했다.

　"갑자기 웬 막걸리통이야?"

　"옛날 막걸리통이 산속에 있다는 것이 말이 돼?"

　"이건 도저히 이해가 안 되는걸. 퍼즐을 어떻게 맞출 수 있지?"

　아이들은 퍼즐을 맞춰가다가 갑자기 막걸리통에서 다들 혼란에 빠진 것 같았다. 단은 용왕님께 올리는 마을의 해신제에서 직접 본 적이 있었던 장면을 아이들에게 자세히 설명해주었다.

　단이가 얘기해 준 내용은 대충 이러했다.

　"마을 해신제를 지난번 절기 때 봤는데, 그때 본 것은 얼마 전 역병을 막기 위해 장승제를 올리던 것과 비슷하였다. 검정 갓과 흰 두루마기를 입은 어른들이 배 위에서 제사를 지냈다. 장승제와 다른 점은 배 위에서 제사를 지내는 것이었고, 제사를 지낸 뒤 제물을 바다 위에 떠나보내는 의식을 했던 일이었다. 전설의 섬에 접근할 수 없었던 마을 어른들은 바다 한가운데서 부유물에 제물들을 실어, 신비의 섬 쪽으로 흘러가게 내버려 두는 것 같았다. 그런데 그때 옛날 막걸리통도 함께 던져주면

서'신령하신 용왕님께서 모래톱 마을을 굽어살펴주소서.'라며 여러 차
례 반복해서 읊조렸다. 제를 지내는 어른들은 합창하듯이 큰 소리로 소
원을 빌며 절을 하기도 하고, 기원을 올리기도 하였다. 그때 좋은 기운
은 불러들이고 나쁜 기운을 내친다는 사물놀이 연주도 들렸다."

그 당시에는 풍물놀이가 유행했으며, 대보름날이 되면 마을을 돌면
서 가가호호(家家戶戶)에 풍물패가 방문하여 집 안마당에서 한 해의 악
귀를 쫓고 복을 기원하는 굿을 해주었다. 풍물놀이에서 네 가지 악기를
사용하는 것을 사물놀이라고 했다. 사물놀이의 네 가지 악기는 흔히 자
연현상에 비유되기도 했다. 북의 울림은 구름을, 장구의 몰아가는 소리
는 비를, 징의 울림은 바람을, 꽹과리의 소리는 천둥과 벼락을 상징하였
다. 이처럼 사물놀이 악기 소리는 자연의 현상인 운우풍뢰(雲雨風雷)로
비유되기도 했다.

대장인 단의 마을 해신제에 관한 얘기를 듣고 난 아이들은, 일제히 눈
치를 채고 말했다.
"그럼, 해신제 때 떠내려 보낸 옛날 막걸리통이 여기 있는 저 막걸리
통이라는 말이야?"
"아마, 모래톱 마을과 전설의 섬 사이 바다 길목에서 해신제를 지냈으
니 그럴 가능성도 있겠어."
"그쪽에서 부유물에 제물을 실어 보내거나 막걸리통을 떠내려 보내
면, 이곳 전설의 섬에 도달하지 않았겠니?"
아이들은 모두 이런저런 생각을 쏟아냈다.
"막걸리통이나 제물들이 떠내려오면……."

"만약, 여기에 사람이나 짐승이 살고 있다면, 그 재물들을 주웠을 것이라는 거야?"

"그렇지, 저렇게 큰 막걸리통을 한 번에 다 마실 수가 없으니 산을 넘어 어깨에 지고 왔을 거야."

아이들의 막걸리통에 대한 퍼즐은 무척 논리적이었다. 그렇게 옛날 막걸리통에 대해 추리해가고 있는 사이, 대장인 단이 전설의 섬에서 확인한 사람의 흔적에 대해 정리해서 말해주었다.

"우리 탐험대가 발견한 것은 조개 무더기, 오솔길, 도깨비불의 정체 그리고 옛날 막걸리통까지 정리할 수 있겠군."

그러자 아이들은 한목소리로 단의 말을 되받았다.

"아까 역사 이야기 노래에서 '동굴과 막집에서 동물 가죽 걸치고'라는 말이 나오잖아."

"그래, 맞아, 이제는 동굴이나 막집만 찾으면 사람이 이 섬에 산다고 봐도 되지 않을까?"라고 하며, 소녀가 흥분한 듯이 말했다.

점심을 먹은 후, 몇 시간 탐사 활동을 한 아이들은, 벌써 시간이 오후 네 시를 넘기고 있다는 것을 알아채고 서두르기로 했다. 이제는 섬에 살고 있는 짐승이나 인간을 만날 수도 있는 중요한 증거가 되는 동굴이나 움막을 찾으러 가야 했다. 더욱 신중하고 조심해 행동하지 않으면 큰 위험이 따를지도 몰랐다. 아이들은 대장의 수신호에 따라 움직였다. 산마루에서 봤을 때, 말굽 모양의 섬의 구조상 동굴이 있을 만한 곳을 몇 군데 지목해 그곳으로 이동하기로 했다. 아래로 내려가던 아이들은 멈춰 서서 소녀에게 동굴이 있을 만한 곳을 추리해보라는 듯이 얼굴을 빤히 쳐다봤다.

"육지 쪽으로 바다가 쑥 들어간 곳의 가운데 부근에 동굴이 있지 않을까?"라고 소녀는 말했다.

"오솔길과 거주지는 관련이 있을 것 같아. 원시인들도 이동 생활을 했듯이, 만약 사람이 산다면 길을 따라 움막이나 동굴 등 거주지로 이동하지 않았겠어?"라고 하며, 자신이 읽은 역사 이야기를 바탕으로 추리를 하는 것 같았다.

"가보면 알 수 있으니, 우리 탐험대가 눈으로 직접 확인해보자."라고 하며, 대장인 단이가 조심스럽게 조곤조곤 얘기했다.

그러자 아이들은 모두

"이 길을 따라 내려가면 거주지가 나올지도 몰라."라고 얘기하며 다같이 내려가야 할지, 전초병을 보내어 확인해야 할지 의논하자고 했다.

아이들은 먼저 몇 명이 앞장서서 가고, 나머지는 뒤따라가야 들키지 않을 것 같다고 했다. 지피지기(知彼知己)면 백전백승(百戰百勝)이라는 말도 있듯이 먼저 상대를 알아야 제압할 수 있을 것 같았다. 단이와 소녀가 먼저 출발해가고, 약 오십 걸음 정도 뒤에서 나머지 아이들이 뒤따라가기로 정했다. 막걸리통을 모아둔 곳을 지나 조금 더 내려가니 파도 소리가 거칠게 들려왔다. 둘은 육지 쪽으로 바다가 쑥 들어간 곳으로 이동하였다. 내려갈수록 큰 나무들보다 숲이나 초원처럼 잔풀이 많아 들처럼 보였다. 거센 바닷바람을 맞으며 군데군데 키 작은 식물들과 수풀이 무성하게 자라고 있었다. 난생처음 보는 식물들도 많았다.

바다에 인접한 섬의 바위들은 까만색이 대부분이었다. 화산활동으로 생겨난 섬처럼 보였다. 책에서 배우기도 하고 과학 도서에서 읽은 것 중에, 화산활동이 일어난 곳에서는 동굴도 많이 생긴다는 내용이 떠올랐다. 또 화산활동으로 생겼다는 제주도에 갔을 때, 만장굴이나 협재 동굴 등 유명한 동굴들이 많았다는 기억도 났다. 전설의 섬의 동굴이 있는 해안가에도 화산과 마그마의 활동으로 만들어진 현무암이 널려있었다. 바위의 표면에는 크고 작은 구멍들이 숭숭 뚫려 있는 모습이 보였다. 현무암은 지표 가까이에서 용암이 빠르게 굳어져 생긴 암석인데, 그 구멍은 화산이 분출할 때 가스 성분이 빠져나간 자리라고 배웠다. 섬의 산 정상에는 화강암이 치솟아 있고, 해안가 동굴 근처에는 현무암이 널려있다니 전설의 섬은 신비스러움 그 자체였다.

단이와 소녀는 대원들을 선도하며 먼저 바닷가 쪽으로 살금살금 내려갔다. 얼마간 내려갔을 때, 파도가 철썩이는 소리와 함께 또 다른 이상한 소리도 뒤섞여 괴이한 울림이 세차게 들려왔다. 막걸리통을 쌓은 곳에서 옆으로 이동하자 파도가 밀려와 바위 사이로 쑥 들어가는 곳이 보였다. 단은 수신호를 보며 뒤따라오는 아이들에게 잠시 멈추라고 손짓했다. 소녀와 단은 파도가 쑥 밀려 들어가는 바위 위쪽으로 조심스럽게 접근하였다. 사람의 흔적은 느낄 수 없었다. 이상한 소리는 파도가 바위 틈 속으로 밀려 들어갔다가 나올 때 들리는 소리였다. 동굴 쪽에서는 꽝음과 같은 소리가 주기적으로 반복해서 들려왔다. 큰 파도가 밀려왔다 나갈 때는 더 큰 소리가 천둥소리처럼 들렸다. 파도의 크기에 따라 울려 퍼지는 소리의 크기나 강약이 달랐다.

소녀가 동굴 쪽을 가리키며
"만약, 사람이나 짐승이 산다면 저 동굴을 거주지로 삼지 않았을까?"

라고 하며 단을 쳐다봤다.

"그, 그럴 것 같아. 저곳이 오솔길에서 가장 가깝고 바다에서 육지 쪽으로 쑥 들어간 곳이니까."라며, 단도 소녀와 같은 생각이라고 했다. 그렇게 서로의 생각을 주고받고 있을 때였다.

"쿵콰강꽝꽈르르 야 아잉이이호오오잉이……."
"쿵콰강꽝꽈르르 야 아잉이이호오오잉이……."

천둥 벼락이 치는 소리와 같은 무시무시한 소리가 울려 퍼졌다. 소녀와 단은 깜짝 놀랐다. 야호라고 외치는 소리가 동굴의 울림과 어우러져 이상한 괴성으로 변질된 듯한 느낌도 받았다. 소녀는 그 소리가 울릴 때마다 움찔움찔 놀라기도 하고, 소름이 돋고 입이 바짝바짝 타는 듯했다. 서너 번쯤 괴성이 동굴 쪽에서 들리더니 갑자기 소리가 멈췄다. 잠시 뒤 또다시 괴성과 같은 울림이 더 크게 들려왔다.

소녀와 단은 헐레벌떡 달려, 아이들이 대기하고 있는 곳으로 급히 올라갔다. 숨을 몰아쉬는 두 아이를 보고, 대원들은 놀란 표정으로 쳐다봤다.

"도, 동굴 같은 것이 보였는데……."

"그, 그 속에서 괴상한 소리가 들렸어. 너, 너무 무서워."

숨도 안 쉬고 힘겹게 더듬거리며 전하는 소녀와 단의 얼굴엔 땀범벅이 되어 있었다. 두 아이는 놀란 가슴을 쓸어내리며, 참고 있던 숨을 가쁘고 거칠게 내쉬었다. 탐험대는 위기가 닥친 상황 속에서 대장을 중심으로 다시 서로의 생각이나 의문점들을 얘기하기로 했다.

탐험 대원들은 서둘러 옛날 막걸리통이 있던 곳을 지나 오솔길을 따라 산마루 쪽으로 되돌아 올라왔다. 오솔길과 조금 떨어져 앉을 만한 후미진 곳을 찾았다. 혹시 지나다니는 사람이 있더라도 눈에 잘 띄지 않는 조금 한적한 바위 밑으로 숨었다. 대원들은 모두 바위 밑 널찍한 너럭바위를 골라 둘러앉았다. 그곳에서 아이들은 점심때 먹고 남은 먹거리를 나누어 먹으며, 전설의 섬의 말굽 끝부분을 지나 남쪽으로 바라보았다. 소녀는 이번 휴가 중에 갔었던 곳이 남쪽 바다 너머 희미하게 보이는 섬이라며, 손가락으로 별장이 있는 섬을 가리켰다. 별장이 있는 큰 섬 앞에 자그마한 무인도도 하나 딸려 있었다고 얘기해주었다. 다른 아이들도 보석을 뿌린 듯이 점점이 흩어져 있는 섬을 가리키며, 자신들이 간 휴가지를 말하기도 했다. 단이가 가족끼리 텐트 체험을 했던 은모래 빛 해변은, 소녀의 별장이 있는 섬의 우측으로 치우쳐 있었다. 소녀는 단이가 자랑했던 은모래 빛 해변에도 꼭 가보고 싶다고 했다.

해는 서쪽 산 위에 걸려 있었다. 하늘은 맑았다가 흐렸다가를 반복했다. 저 멀리서 먹장구름이 몰려오는 것 같았다. 한낮의 더위는 누그러지고 시원한 바람이 어디선가 불어오더니, 바다 위의 거친 포말은 점점 더 하얗게 변해갔다. 꼭 폭풍이라도 불어올 것처럼 석양이 넘어갈수록 파도는 심하게 일렁거렸다. 탐험대 대장인 단은 나룻배가 정박한 곳에 무사히 묶여 있는지 궁금하다고 하며, 지금부터 해야 할 일들에 대한 작전 타임을 가진다고 했다.

우선 단은 전초병으로 소녀와 같이 내려가서 봤던 것들을 설명해주었다. 동굴이 있는 것 같았고, 그 속에서 괴상한 소리가 들려서 몹시 놀랐다고 했다. 아이들은 단의 이야기를 듣더니 조금 전에 이상한 소리가 들렸는데, 그 소리가 밑에서는 더 크게 들린 것 같다고 말했다.

단의 설명이 끝나자 소녀가 이어서 얘기했다.

"만일, 동굴에 짐승이나 사람이 있다면 우리가 동굴 쪽으로 가는 것은 매우 위험할 것 같아."

"직접 가서 동굴 속에 무엇이 있는지 보는 것이 좋지 않아?"라고 하며 윤택이가 말했다.

"뭔 소리야, 난 무서워서 못 가겠어. 너무 떨려, 만일 짐승이 우리를 공격하기라도 한다면?"하고, 창의가 잔뜩 겁먹은 표정으로 말했다.

"나, 나도 못 갈 것 같아. 괴성을 지르는 동굴 속의 짐승이 우리를 덮치거나 잡아먹으면…… 아앙."이라고 하며, 리솔이는 눈물이 금방이라도 떨어질 것처럼 작은 소리로 의견을 내기도 했다.

그러자 단이는

"그러면, 어떻게 하면 좋을지 의견을 모아보자."라고 했다.

"동굴 입구가 보이는 곳에서 관찰하면 어떨까?"

"산마루에서 길을 가로막고 지키면 확인할 수 있을 것 같아."

아이들은 제각각 여러 가지 의견을 쏟아내었다. 사공이 많으면 배가 산으로 간다더니, 서로 의견을 굽히지 않아 시간만 흘러갔다. 그때, 지켜보던 소녀가 자신의 의견을 말했다.

"여기, 너럭바위에서 오솔길 쪽으로 가면, 아까 본 동굴 쪽도 보이고 연결되는 오솔길도 보이잖아? 저쪽으로 조금 이동해서 풀숲에 숨어서 지켜보는 것은 어떨까?"

"만약, 밤새도록 아무도 나타나지 않으면 어떡하지?"

"그러면, 밤을 새워야 하나?"라고 하며, 석이와 윤택이가 걱정스러운 표정으로 말했다.

"밤을 지새울 수는 없지. 마을로 돌아가야 하는데……."라며, 창의와 리솔이도 조심스럽게 의견을 내었다.

"아마, 해거름이 되면 오솔길을 따라 모래톱 마을이 보이는 곳으로 해산물을 캐러 갈지도 몰라."라고, 소녀가 짐승의 이동 경로를 예상했다. 아이들의 의견을 듣고 있던 단이는 탐험대 대장으로서 결정을 빨리 내려야 했다.

"그럼, 무작정 지켜볼 수도 없으니, 해가 바다 밑으로 들어갈 때까지 보초를 서자."

"보초를 서는 곳은, 아까 설이가 말했던 곳이 좋겠어."라고 했다. 붉은 태양이 서쪽 바다 밑으로 들어가도 여름이어서 날은 훤하니, 그때까지 기다려도 아무 일이 없으면 탐험대를 철수하자는 얘기였다.

아이들은 너럭바위 끝부분에서, 풀숲에 숨어 동굴 쪽에서 연결되는 오솔길을 정해진 순서에 따라 돌아가면서 지켜보고 있었다. 아무리 기다려도 어떤 움직임도 없었다. 파도 소리만 철썩철썩 들려오고 바다 위에 일고 있는 하얀 물결은 더욱 거칠게 흩어졌다. 바람이 거칠어져 폭풍이라도 오는 날에는 큰일이었다. 점점 시간은 흘러 해는 서산 위에 걸려 있었다. 아직 바다 밑으로 내려가려면 조금 더 남았으나 태양이 바다 위에서는 빠르게 물속으로 내려간다는 것을 아이들은 모두 알고 있었다. 더는 지켜볼 시간적인 여유가 없었다. 창의가 망을 볼 차례여서 망을 보고 있었다. 창의는 망을 보다가 놀란 표정으로 아이들이 있는 너럭바위 쪽으로 급하게 달려왔다.

"오, 오솔길에 움직임이 있어! 어떤 짐승 같은 게 움직였어!"라고 하며, 가쁜 숨을 몰아쉬면서 떠듬떠듬 말했다. 아이들은 모두 놀란 가슴이 되어 창의가 망을 보던 곳으로 살금살금 다가갔다.

"헐, 뭐야? 아무것도 안 보이는데······."라며, 아이들은 이상하다는 듯이 수군거렸다. 창의가 잘못 본 것이라며, 다시 너럭바위 쪽으로 돌아가려고 하던 찰나였다. 정말 짐승 같은 큰 물체가 조금씩 오솔길을 따라 막걸리통 쪽으로 이동하고 있었다. 아이들은 모두 기겁하여 누가 먼저랄 것도 없이 서로 손을 붙잡았다. 큰 짐승 같은 물체는 점점 위쪽으로 방향을 틀어서 뚜벅뚜벅 올라오는 것 같았다.

탐험대에 참가해 전설의 섬에 상륙하여 큰소리도 치며 즐겁게 뛰놀며 자신감에 차 있던 아이들은, 어느새 모두 겁에 질려 꽁꽁 얼어붙어 버렸다. 넋이 빠져 움직일 수가 없었다. 한 발짝도 뗄 수가 없었다. 해는 서쪽 바다로 넘어가고 있었고, 어둠은 점점 전설의 섬 위쪽으로 내려앉고 있었다. 아이들은 두려움에 떨며 어떻게 해야 할지 몰라, 우두커니 그 자리에서 바위처럼 굳어져 움직일 수가 없었다. 심장 박동이 빨라지고 맥박은 급하게 뛰기 시작했다. 잠시 흐릿한 눈으로 다시 망을 보려고 하는데 이상한 소리가 또 들렸다.

"쿵콰강꽝꽈르르 야 아잉이이호오오잉이······."
"쿵콰강꽝꽈르르 야 아잉이이호오오잉이······."

동굴 쪽에서 들리는 무시무시한 소리가 아이들의 귓가를 천둥소리처럼 때렸다. 하늘이 무너지고 땅이 꺼지는 듯한 굉음과 괴성이었다. 아이들은 모두 손을 잡은 채 뒤로 나자빠졌다. 너럭바위 아래로 나뒹구는 아이들도 있었다. 이곳저곳에서 겁에 질린 아이들의 우는 소리도 들려왔다. 울다가 웃다가, 또 웃다가 울다가, 아이들은 역시 아이들이었다. 위기를 예상하지 못한 것은 아니었지만, 갑자기 자신들 앞에 무섭게 닥칠 줄은 꿈에도 생각하지 못한 것 같았다.

20화 짐승과 맞닥뜨리다

같은 시간, 같은 공간 속에서도
서로 다른 환경에 길들어지고 익숙해지면
완전히 다른 삶을 살 수도 있단 말인가.
전설의 섬에서 무서운 짐승과 맞닥뜨린 아이들은
숲속에서 자란 늑대 소년이나
정글북과 같은 이야기를 떠올릴 수밖에 없었다.

탐험대는 수상한 동굴을 탐사하다가 사납고 무시무시한 짐승과 맞닥뜨렸다. 숲속의 인간 오랑우탄은 인간인가 짐승인가. 오랑우탄이 우리 땅에도 산단 말인가. 멸종 위기 동물이 정녕 우리 땅에 살고 있었단 말인가. 적도 부근의 인도네시아 보르네오섬에 살고 있다는 오랑우탄이 신비스러운 전설의 섬, 도깨비불이 솟아오르는 우리 땅에도 살고 있었다면 놀라운 일이 아닐 수 없었다. 어린아이들이 읽었던 책에서는 오랑우탄은 인도네시아의 보르네오섬과 수마트라섬에 분포한다고 되어 있었다. 그곳은 적도 부근 열대 지역이었다. 그런데 위도가 크게 다른 모래톱 마을의 섬에도 오랑우탄이 나타났다면 대단한 뉴스거리가 아닐 수 없었다. 천진난만한 아이들의 눈에는 그랬다.

소녀는 과학 도서에서 오랑우탄은 대략 13~15가지의 소리를 낸다고 읽은 적이 있었다. 특이한 것은, 약 1킬로미터 밖에 있는 사람들도 들을 수 있는 신음 같은 긴 소리를 내어 자신의 영역임을 다른 개체에 알리기도 한다니 놀라운 일이었다. 숲속의 인간으로 일컬어지는 오랑우탄과 마찬가지로 아이들이 동굴 근처에서 맞닥뜨린 사납고 무시무시한 짐승은 자신의 영역에 들어온 불청객을 용납할 수 없었던 것일까. 지렁이도 밟으면 꿈틀한다고 하지 않던가. 어린 조무래기들의 침입을 당해 크게 당황한 짐승은, 필사적인 기세로 아이들 쪽으로 거리를 좁히며 쫓아오고 있었다.

탐험대 대장인 단은 위기 상황 속에서 또 다른 지시 하나를 더 내렸다. 탐사 활동의 목적을 달성하기 위해 탐험 대원들은 오솔길을 따라 올라오는 짐승을 정확히 봐야 했고, 또 한편으로는 도망도 쳐야 했다. 단은 창의를 재빨리 나룻배가 정박해 있는 곳으로 먼저 내려가게 했다.

"창의야, 너는 먼저 나룻배가 정박한 곳으로 내려가."

"응, 알았어. 먼저 내려가서 뭘 하면 되지?"

"저, 저쪽, 동굴 쪽에서 올라오는 것이 무엇인지 확인하고, 우리가 뒤따라 내려가면 바로 출발할 수 있도록 배를 준비시켜줘."

"그래, 알겠어. 먼저 가서 기다리고 있을게."라고 하며, 간이 작은 창의는 겁도 나고 해서 곧장 나룻배 쪽으로 급히 내려갔다.

이제 남은 아이들은 다섯 명이었다. 놀랐던 아이들은 제정신을 되찾고 각자 맡은 일을 시작했다. 석이는 망원경으로 물체를 자세히 확인했고, 리솔이는 물체의 움직임과 모습에 따라 특징을 잡아 빠르게 스케치하였다. 윤택이는 낫과 가래를 양손에 들고 공격 태세를 취하고 있었다. 소녀는 카메라 셔터를 연달아 누르며 물체의 일거수일투족을 빠짐없이 포착하려고 애썼다. 단은 창의를 나룻배 쪽으로 먼저 내려가게 한 후, 짐승의 움직임을 관찰해 어디쯤 올라왔을 때 도망치면 잡히지 않고 무사히 배를 탈 수 있을지 좋은 머리로 계산을 때리고 있었다. 조금 전까지 혼돈 속에 헤매었던 탐험대는 다시 제자리를 잡고, 괴상한 물체의 출현을 유심히 관찰하며 배수진(背水陣)을 치고 탐사 활동을 재개하였다.

탐험대의 대원들은 일사불란한 움직임 속에서도 각자의 역할을 다하였다. 망원경으로 확인하던 석이가 눈이 휘둥그레져 말했다.

"물체는 큰 짐승 같기도 해. 얼굴이 머리털로 뒤덮여 있어."

"털로 뒤덮여 있다면, 책에서 본 숲속의 인간 오랑우탄은 아닐까?"라고 윤택이가 말했다.

"오랑우탄은 분포지가 정해져 있다고 했어. 적도 부근으로….”라며, 소녀는 아닐 거라는 투로 말했다.

"어쨌든 오랑우탄이 따뜻한 섬에 산다고 했으니 여기 전설의 섬과 환경이 비슷한 것 아냐?"라고 하며, 리솔이는 오랑우탄일 수도 있다는 쪽이었다.

"짐승이 두 발로 걸어서 올라오는 느낌이니, 멧돼지 같은 것은 아니고 두발짐승이 아닐까?"라며 단이도 한마디 했다.

아이들이 서로의 생각을 긴박하게 나누고 있는 사이, 큰 짐승은 뚜벅뚜벅 오솔길을 따라 올라오고 있었다. 망을 보는 곳에서 거의 오십 미터 전방까지 도달하였다. 이제는 아이들의 맨눈으로도 물체의 식별이 가능한 거리까지 가까워졌다. 사람과 닮은 것은 맞았다. 하지만 자세히 보니 사람의 몰골은 아니었다. 얼굴은 털로 뒤덮여 있었고, 드러난 가슴팍에도 가슴 털이 뒤덮여 있는 것 같았다. 머리 부분은 사자의 갈기처럼 어지럽게 머리칼이 얼굴 주변으로 길게 헝클어져 있었다. 가까이 다가올수록, 사람이라기보다는 짐승에 더 가깝다는 생각이 들었다. 오솔길의 풀숲에 가려져 상체만 보이던 짐승은 서서히 아이들 쪽으로 다가와, 이제 거의 몇 미터 밑 비탈길에서 위로 올라오고 있었다. 대원들은 눈앞에서 괴물 같은 짐승을 확인하고는 재빨리 도망칠 꾀도 미리 떠올렸다. 수군거리는 소리를 들었는지 짐승은 고개를 쳐들어 위쪽으로 눈길을 돌렸다. 아이들을 발견한 짐승은 갑자기 동작을 조금 더 빨리하며 올라오기 시작했다. 상황은 눈 깜짝할 사이 손에 땀을 쥐게 하는 공포 스릴러로 변하고 있었다.

단은 대원들에게 일제히 나룻배 쪽으로 내달리라고 수신호를 주며 목청을 높였다.

"전원 철수!"

"전원 철수!"

"대원들은, 모두 퇴각하라!"라고 하며, 단은 어디서 주워들은 군대 용어를 사용하며, 긴장된 목소리로 크게 고함을 쳤다.

탐험대는 표류기에 나오는 모험 이야기의 주인공이라도 된 것처럼 발 빠르게 움직였다. 아이들은 재빨리 짐을 챙겨 너럭바위에서 오솔길로 접어들었다. 뒤쫓아오는 무서운 짐승은 누런 이빨을 드러내며, 오솔길 산마루 근처까지 눈 깜짝할 사이에 거의 다다랐다. 아이들은 재빠른 동작으로 비탈길로 내달렸다. 짐승도 이상한 소리를 내며 뒤쫓아오는 것 같았다. 쫓기는 아이들은 오싹한 느낌이 들어 몸이 굳어지는 것 같았고, 이마에는 땀이 비 오듯이 흘렀다.

"잡히면 죽는다! 빨리 뛰어!"라고 하며, 단은 재차 고함을 질렀다. 소녀는 도깨비불을 보러 갔다가 언덕을 뛰어 내려오던 기억이 되살아났다.

"오솔길을 따라가지 말고, 언덕을 점프해서 지름길로 뛰어내려!"라고 외쳤다.

아이들은 스펀지 매트에서 점프하듯이 비탈길을 질주해 뛰어 내려갔다. 수십 년간 오솔길을 오르내렸을 짐승은 숲속의 인간답게 무섭게 수풀을 헤집고 뒤쫓아오고 있었다. 아이들은 뛰어 내려가며 무서움을 떨쳐내기 위해 "얍! 얍!" 기합 소리를 내기도 하고, 자신도 모르게 환호를 지르며 뛰었다. 여자아이들이 더 빠르고 날렵하였다. 뒤에서는 씩씩거리는 소리와 함께 괴성을 지르는 소리가 숲속에 울려 퍼지기도 하고, 메아리가 되어 되돌아오기도 했다. 짐승은 처음으로 사람의 눈에 띄어 불안했던지 필사적으로 아이들을 잡아 삼킬 듯이 쫓아왔다. 그때, 짐승은 급하게 경사진 비탈길에서 한눈을 팔다가 발을 헛디뎌 엎어질 뻔했다. 일촉즉발(一觸卽發)의 위기처럼 매우 위험해 보였다. 짐승은 큰 몸뚱이를 휘청거리며 급경사 쪽으로 넘어지다가 간신히 나뭇가지 끝을 움켜잡더니 멈춰 서는 게 아닌가. 원숭이도 나무에서 떨어진다더니 촌각을 다투는 위험천만한 상황이었다.

비탈길로 어느 정도 내려오니, 산 아래쪽으로 멀리 바닷가가 보였다. 아이들은 모두 소리쳤다.

"창의야! 떠날 채비는 끝났어?"라고 하며, 정박지에 대기한 창의를 크게 불렀다. 파도 소리만 들릴 뿐 아무런 대답이 없었다.

"창의야! 창의야!"하고 다시 불렀다.

"……."

"함흥차사(咸興差使)도 아니고 창의는 도대체 어디로 간 거야!"라며 대답이 없자, 대원들의 짜증 섞인 목소리가 여기저기서 터져 나왔다.

창의는 아무런 대답도 없고 메아리만 되돌아왔다. 다급해진 아이들은 극도로 불안해졌다. 시간도 없는데 엎친 데 덮친 격으로 앞서 달리던 소녀가, 그만 카메라 끈이 나뭇가지에 걸려 카메라를 떨어뜨렸다. 뒤따라 내려오던 단이는 카메라를 찾으러 다시 위로 조금 되돌아 올라갔다. 그때, 공교롭게도 단은 짐승과 눈이 마주쳤다. 짐승은 이빨을 드러내며 괴성을 지르고, 두 주먹으로 북을 치듯이 자신의 가슴팍을 두드리기 시작했다. 자신만의 영역을 침범한 불청객에 대한 분노의 표출인지도 몰랐다. 단은 짐승이 울부짖으며 포효하는 사이, 재빨리 카메라를 주워 소녀의 손을 잡고 맨 끝에서 달리기 시작했다. 먼저 바닷가에 내려간 아이들은 창의를 찾고 있었다. 짐승은 소녀와 단을 간발의 차로 접근하며 뚜벅뚜벅 뒤쫓아오고 있었다. 노쇠하여 힘에 부치는지 큰 숨을 몰아쉬며 괴성을 또 질렀다. 괴성이 메아리로 되돌아올 때, 짐승은 두 주먹으로 자신의 가슴팍을 두드리기도 했다. 분노가 극에 달했던 것일까.

"콱콸콸우우우워워헐"
"콱콸콸우우우워워헐"

오로지 배가 있는 쪽으로 가서, 나룻배를 타고 전설의 섬을 빠져나가는 것이 아이들에겐 최대의 목표가 되었다. 그것이 지상 과제였다. 죽기로 맘먹으면 산다는 사즉생(死卽生)의 각오로 젖 먹던 힘까지 내어 달렸다. 오랑우탄을 닮은 괴생명체의 무시무시한 모습은 생각만 해도 섬뜩했다. 재빨리 배에 오르지 않으면 단이와 소녀는 짐승의 손아귀에 들어갈지도 몰랐다. 막다른 극한 상황에 내몰린 아이들은, 또다시 다급하게 창의를 애타게 불렀다.

그때였다.
"이쪽이야, 이쪽, 이쪽."하고 잔뜩 겁에 질린 목소리가 들려왔다. 다행히 창의는 약속대로 아이들이 타기 쉬운 곳으로 나룻배를 이동시켜 놓고 있었다.

이미 해는 저물고 전설의 섬에는 어둠이 짙게 내리고 있었다. 창의는 배를 잡고 있고, 석이, 윤택, 리솔이는 배에 타고 있었다. 이제 단이와 소녀만 탄 뒤, 창의가 배를 밀면서 나룻배가 섬을 떠나면 그만이었다. 괴성을 지르며 쫓아오는 짐승을 겁에 질려 쳐다보며, 배에 타고 있는 아이들은 단이와 소녀가 재빨리 배에 타도록 자리를 내어 주었다. 드디어 소녀가 먼저 점프해 나룻배에 탔다. 뒤이어 창의를 배에 태우고, 가까스로 단이가 배를 밀면서 겨우 마지막으로 나룻배에 올라탔다. 아이들이 모두 타자 말자 석이와 윤택이는 쫓아오는 짐승은 아랑곳하지 않고 재빨리 노를 저었다. 떠나는 나룻배를 향해 사나운 짐승은 물살을 휘저으며 물속으로 다가왔다. 손아귀에 아이들을 집어넣기라도 할 양 허리춤에 물이 찰 때까지 배를 매섭게 노려보며 쫓아왔다. 그 순간, 갑자기 거센 바람이 일더니, 배가 크게 흔들리며 방향을 잃고, 급회전을 하는 게 아닌가. 석이와 윤택이가 노를 저었으나 소용이 없었다. 노의 통제를 벗어나는 순간, 나룻배는 모래톱 마을의 반대쪽으로 파도에 떠밀려 순식간에 멀리 떠내려가고 있었다.

나룻배가 갑자기 뭍에서 멀어지자 짐승은 아이들을 포기하는 것 같았다. 사나운 짐승은 어깨를 축 늘어뜨린 채 뒤돌아서서 한동안 꿈쩍도 하지 않았다. 짐승은 닭 쫓던 개 지붕 쳐다보는 심정이라도 된 듯한 표정으로 맥을 놓고 멍하니 서 있었다. 시간이 멈춘 것처럼 정적이 흘렀다. 잠시 뒤, 짐승은 바다에서 뭍으로 뚜벅뚜벅 걸어 나가고 있는 게 아닌가. 자신의 영역을 침범한 어린 조무래기들을 잡지 못한 억울한 몸짓이 역력했다. 짐승은 매우 분하고 억울하여 이를 가는 절치부심(切齒腐心)의 각오로 복수를 꿈꿨을까. 아이들은 놀라기도 했지만 무서운 짐승의 덫에서 탈출했다는 해방감에 야릇한 쾌감 같은 걸 느꼈다. 어떤 아이는 손을 흔들어 짐승을 놀리는 듯한 동작을 하기도 했다.

탐험대는 구사일생으로 죽음의 문턱에서 간신히 벗어나 전설의 섬을 떠나고 있었다. 아이들은 극도의 공포와 긴장감 속에 두려웠고 무서움에 떨었다. 나룻배가 섬을 벗어나자 순식간에 탐험 대원들의 복잡한 머릿속은 맑아지고, 기분은 상쾌해지는 것 같았다.

아이들의
그런 여유와 즐거움도 잠시뿐이었다.
전설의 섬에 상륙한 탐험대는 임무를 완수한 것 같았다.

...

하지만 그들의 모험과 도전은
끝이 보이지 않았다.

2부에서 이어집니다.

2부

21화 마을에서 사라진 아이들

한편, 모래톱 마을에서는 난리가 나고
온 마을은 혼돈의 소용돌이 속으로 빠져들고 있었다.
석양이 넘어가면서 마을에서 아이들이 사라진 것을 알아챘다.
늦은 밤이 되었는데도 아이들이 돌아오지 않자
마을 사람들은 불길한 예감을 떨쳐버릴 수 없었다.
몹시 불안하고 초조하여 애간장이 탔다.

새벽같이 집을 나간 아이들은 저녁이 되어도 돌아오지 않았다. 여름방학 과제를 친구들과 모여서 한다며, 집을 나간 아이들이 해가 넘어가고 어둠이 짙게 깔리는데도 마을에 나타나지 않으니 이상하였다. 하마면 올까 하마면 올까 행여나 대문 앞에 아이들이 들어설까 봐 어른들은 눈이 빠지도록 기다리고 또 기다렸다. 음력 초이렛날 반달은 중천에 떠서 서쪽으로 기울고 있었다. 마을 사람들은 기와집 군수 할아버지 댁으로 황급히 모였다. 소녀의 외할아버지는 사위와 딸이 서울에서 멀리까지 내려와, 당분간 손녀를 맡아달라고 부탁하고 갔는데 그 아이가 사라졌으니 큰일이었다. 다른 부모들도 걱정하기는 마찬가지였다. 역병으로 마을 어귀에서 통금을 맡았던 청년들이나 마을 어른들도 모두 모여들었다. 청년들은 밤새 당번을 정해 통금을 섰는데, 아이들이 마을 어귀를 벗어나지는 않았다고 했다. 육지 쪽으로 나가지 않았다면, 강나루를 이용해 마을을 빠져나갔을 것이라고 다들 그렇게 짐작했다.

소녀의 외할아버지는 불현듯, 옛날 섬 주변에서 일어났던 무서운 악몽들이 새록새록 되살아났다. 가지 많은 나무에 바람 잘 날 없다는 말이 있듯이, 하루가 멀다고 모래톱 마을에 엄습했던 불길한 예감을 억누를 수가 없었다. 기억에서 희미해져 가던, 젊은 시절에 겪었던 온갖 재앙들이 하나둘 스쳐 지나갔다. 소녀가 그렇게 궁금해하고 듣고 싶어 했던, 기억 속에서 꺼내기 싫었던, 그 악몽들을 차마 불러내지 않을 수 없었다.

소녀의 외할아버지는 젊은 시절에 친하게 지내던 동무를 전설의 섬 깊은 바닷속 해구에서 잃었다. 여름철에 멸치잡이 배에서 일손이 부족하다 하여, 단짝 친구와 함께 조업에 나간 적이 있었다. 그 당시, 학교를 마치고 취직이 안 되어 친척들에게 손을 벌려 겨우 생활을 연명하던 때라 입에 풀칠하기도 어려웠다. 목구멍이 포도청이라고 밥벌이라도 하려면 집에서만 쉬고 있을 수가 없었다. 학교에 다닌다고 멸치잡이 뱃일을 해본 경험이 없었으나 손에 잡히는 대로 뭐든지 해야만 했다. 동네 어른들이 도와달라고 하고, 또 마을 앞 큰 바다에서 조업한다고 하여, 외할아버지는 단짝 친구와 함께 조업에 나섰던 것이었다.

쌍끌이 멸치잡이 배는 두 척이 긴 그물을 단단히 묶어, 드넓은 바다에서 양쪽으로 그물을 끌고 가며 멸치들을 그물 속으로 몰아넣었다. 높은 산에서 망을 보는 사람이 깃발로 멸치 떼의 출현을 알리면, 신호에 따라 선장이 급히 배를 몰고, 선원들은 그물을 재빠르게 물속으로 던져 넣어야 했다. 그물이 빠르게 물속으로 빨려 들어가면서 조업 중이던 소녀의 외할아버지는 물론, 선장과 어부들이 물속으로 빨려 들어가 버렸다. 그 사고로, 물에 빠진 사람들은 모두 실종되고 소녀의 외할아버지와 선장만 헤엄쳐 빠져나오게 되었다.

살아 돌아온 소녀의 외할아버지는 그물과 함께 쓸려 들어간 어부들이 돌아오기를 손꼽아 기다리며, 몇 날 며칠을 마을 사람들과 함께 밤새도록 횃불을 들고 찾으러 나다녔다. 어부들이 실종되고 난 뒤 여드레째 되는 날, 강나루 하류 바닷가 쪽에서 사람들이 모여들어 웅성거리며 떠들썩했다. 실종된 어부들이 물속에서 시신으로 떠올랐기 때문이었다. 실종자들은 주검으로 발견되었으며, 그중에 한 명은 시신을 찾지도 못하였다. 마을 사람들은 섬의 저주로 이런 변고가 생겼다고 여겼다. 먼바다에서 일어난 재앙으로 온 마을은 전설의 섬에 대한 원성으로 들끓었다. 시신이 발견되지 않고 살아 돌아오지도 못한 사람은, 함께 멸치잡이 조업에 나섰던 기와집 외할아버지의 단짝 친구였던 마을 젊은이였다. 외할아버지 친구의 실종은 약 반세기가 지난 지금까지도 미스터리로 남아 있었다. 그 당시 남편을 잃은 젊은 아내는 어린 아기를 안고 땅을 치며 대성통곡하였다. 기와집 외할아버지는 친구의 아내를 다독였고, 실종된 친구를 그리워하며 바닷가를 헤매고 다녀 만신창이(滿身瘡痍)가 되어 돌아왔다. 경찰서에 찾아가 수차례나 수색을 부탁하며 동분서주(東奔西走)했으나 아무런 소용이 없었다. 실종된 친구는 끝내 시신으로 떠오르지도 않았고, 어떤 단서도 찾지 못한 채 지금까지 생사가 불분명한 상태로 남아 있었다.

그런 일이 있고 난 뒤, 섬 주변에서는 끊이지 않고 수시로 재앙이 일어났다. 깊은 해구의 영향으로 급하게 휘감아 도는 물살에 조업하던 어선들이 침몰하기도 하고, 해녀들도 다수 흔적도 없이 사라지는 일이 비일비재(非一非再)했다. 그때부터 섬 근처는 절대 가서는 안 되는 금단의 영역이 되어 굳어지게 되었다. 전해 내려오는 말로는 옛날에 전쟁이 일어나면, 섬 주변 물살의 소용돌이를 이용해 적을 섬멸했다는 일화가 있었을 정도였다. 마을에서는 용왕님의 원성을 사서, 섬에서 불가사의한 재앙들이 빈번히 생긴다고 여기게 되었다. 마을 사람들은 그 당시 섬 주변에서 어부들이 바닷속으로 빨려 들어가, 뭍으로 나오지 못한 사고를 잊을 수가 없었다. 불길한 예감 때문에 아예 가까이할 엄두를 내지 못했고, 절기마다 해신제를 지내며 섬을 멀리하게 되었다. 사람들이 섬에 상륙한다는 것은 있을 수도, 있었어도 안 되는 일로 오래전부터 각인되었다. 마을에서는 섬이 바라다보이는 산등성이에 애틋한 마음을 담아, 섬 앞바다에서 돌아오지 못한 영령들을 위해 망부석을 세워 추모해오고 있었다.

소녀의 외할아버지는 그 당시의 안타까운 주검들을 떠올리며, 아이들이 사라진 일도 그와 관련이 있을지도 모른다고 여겼다. 그런 무서운 생각을 하니 오금이 저리고, 숨이 턱턱 막혀오는 것 같았다. 밤이 깊었으나 마을 사람들은 횃불을 들고 수색을 서둘러야 했다. 어른들은 애지중지하며 키운 아이들을 잃을까 봐 노심초사(勞心焦思)하였다. 집에 돌아오지 않은 아이들을 찾는 일은 밤을 새워서라도 해야 했다. 사랑하는 자식들을 잃을지도 모른다는 생각에, 외할아버지는 온몸에 피가 마르는 듯 저리고 가슴은 아팠다. 마을회관에 모인 사람들에게 횃불을 들고 강나루 바닷가 쪽을 샅샅이 찾도록 독려하였다. 마을 청년들은 한밤중에 낙지잡이나 해산물 채취용으로 사용했던 횃대와 기름통을 들고나와, 횃불을 붙여 강나루 해변으로 아이들을 찾으러 나섰다.

마을에서는 아이들이 돌아오지 않자 섬의 저주가 시작되었다고 여겼다. 평온하던 마을은 갑자기 전쟁이나 난 것처럼 분위기가 험악하게 변해가고 있었다. 바닷가는 숱한 자연재해로 몸살을 앓아왔으나 아이들이 사라지는 재앙은 아직 한 번도 없었다. 젊은 청년들은 나룻배를 타고 양식장 부근은 물론, 며칠 전 아이들이 적조를 봤다고 했던 바다까지 횃불을 들고 샅샅이 수색하기도 했다. 모두 허사였다. 아무런 흔적도 단서도 찾을 수가 없었다. 단지, 나룻배 한 척이 없어졌다는 사실만 드러났다. 강나루에 묶여 있던 나룻배 한 척이 사라지고 없었다. 마을 사람들은 상현달이 자정을 넘기며, 서쪽으로 기울고 있을 때까지 수색을 멈추지 않고 계속했다.

바닷가에는 초저녁부터 파도가 거세지더니 설상가상(雪上加霜)으로 풍랑 주의보가 내렸다. 사람들은 아이들이 나룻배를 타고 나갔다면, 이런 폭풍우 속에서 밤새 살아남지 못할 것이라며 애간장을 끓였다. 부모들은 극심한 고통을 참지 못하고 눈을 까뒤집으며 자지러지기도 했다. 나루터가 있는 갯가에는 통곡 소리와 가슴을 치며 한탄하는 소리가 뒤섞여 울음바다가 되었다. 체념하는 소리도 간간이 들리는 것 같았다. 모래톱 마을은 역병에서는 안전했으나 아이들이 실종되면서 고통의 시간이 흘러가고 있었다. 아이들의 일탈이 마을을 쑥대밭으로 만들고, 어른들의 마음을 지옥으로 바꾸고 있었다.

십여 리 어간의 근동에서 소문을 듣고 달려온 사람들도 섬의 재앙을 의심했다. 가재는 게 편이라고 몰려온 이웃 동네 사람들은 섬이 아이들을 집어삼켰다며, 한탄하는 목소리를 쏟아내기도 했다. 어떤 젊은이는 지금 당장이라도 섬에 쳐들어가 아이들을 구해야 한다고도 했지만 고양이 목에 방울 달기인지라 선뜻 나서는 자는 없었다. 전설의 섬은 금단의 땅으로 이제껏 터부시해 왔으며, 누구도 감히 접근하지는 못했다. 원망의 대상이지 정복의 대상은 여전히 아니었다. 자라나는 아이들의 끝없는 도전과 모험은 과연 어떤 결과를 초래하게 될까. 신비의 섬도, 모래톱 마을도 운명의 순간을 맞이하고 있는 것 같았다.

초저녁부터 아이들 수색으로 지친 마을 사람들은 뜬눈으로 밤을 지새우며, 바닷가에서 귀한 아이들을 눈물로 기다리고 있었다. 마을 사람들은 같은 불행을 당하여 서로 가엾게 여기며, 동병상련(同病相憐)의 아픔을 느끼고 있었다.

22화 폭풍에 길을 잃다

전설의 섬을 탐사한 아이들은
신비스러운 섬에서 탐험대의 목표와 계획에 따라
탐사 활동을 무사히 마치고 섬을 떠났다.
아이들은 사나운 짐승의 추격을 뿌리치려고
어금니를 악물고 힘껏 내달려 배를 탔으나
그 기쁨도 잠시뿐이었다.

마을에서 사람들이 밤을 지새우며 자신들을 애타게 찾고 있는 줄도 모르고, 모래톱 아이들의 모험과 도전은 선택에서 필수로 전환되는 듯하였다. 바다 한가운데서 도움을 받을 데도 없이 고립무원(孤立無援)이 된 나룻배는, 폭풍우 속으로 떠내려가며 사면초가(四面楚歌)로 위기에 처하고 있었다. 아이들은 자신들에게 닥친 극한 상황에서 그만두고 싶고 빠져나오려 해도, 맘대로 발을 뺄 수도 없는 딱한 처지가 되었다. 우리는 인생의 길고 복잡한 여정에서 수많은 선택과 결정을 내려야 한다. 누구에게나 선택의 자유가 주어지지만 동시에 그러한 선택에 따른 책임도 따랐다. 선택과 책임은 분리할 수 없기에 선택은 신중하게 하고, 그 결과는 당당하게 받아들여야 한다. 탐험대 아이들은 전설의 섬에 상륙하여, 자신들이 스스로 정한 계획에 따라 탐사 활동의 자유를 맘껏 누렸다. 하지만, 그것에는 막중한 책임이 동반된다는 사실을, 폭풍우 속에서 드뎌 인식하기 시작한 것 같았다.

늦은 오후부터 파도가 맹수의 이빨처럼 거품을 하얗게 내뿜었다. 어둠이 내려앉으면서 수평선 위로 검은 먹구름은 세찬 비바람을 몰고 왔다. 나룻배가 전설의 섬을 떠나 바로 모래톱 마을로 돌아가더라도 이미 한참 늦은 시간이었다. 상현달이 서쪽으로 기울고 있는 한밤중이라 가족들의 걱정을 끼칠 것은 뻔한 일이었다. 재앙은 번번이 겹쳐서 오게 된다더니, 배는 모래톱 마을과는 정반대 쪽인 남쪽으로 멀리 떠내려가고 있었다. 북쪽에서 비바람이 몰아쳐 내려오더니 급기야 나룻배 위로 소나기를 쏟아부었다. 배는 전설의 섬을 뒤로하고 파도에 휩쓸리며, 남으로 남으로 떠내려가고 있었다. 노를 저어 배를 통제하는 것은 불가능했다. 아이들이 탄 나룻배의 선체는 거센 파도의 움직임에 오롯이 맡길 수밖에 없었다. 탐험대의 운명은 이제 폭풍우 속에 내맡겨진 꼴이 되었다.

　아이들은 집에서 걱정할 부모님을 생각하니 가슴이 아려왔다. 뒤늦은 후회를 한들 무슨 소용이 있으랴. 소 잃고 외양간 고치는 격이었다. 아이들이 처한 상황은 이미 엎질러진 물과 같아 되돌릴 수가 없었다. 폭풍을 헤치고 마을로 돌아갈 일이 꿈만 같았다. 배가 파도에 심하게 흔들려 무사하리란 보장도 없었다. 더욱이 출입을 엄격히 금하고 있었던 전설의 섬에 발을 들여놓은 일도 어른들이 알면 경을 칠 일이었다. 그 사실이 발각되는 날에는 가차 없이 마을에서 쫓겨날 수밖에 없었다. 아이들은 이제 삶과 죽음의 문턱에서 깊은 고민 속에 빠지게 되었다. 탐험대의 도전과 모험은 신나고 즐거운 일만 있는 것은 아니었다. 하루에도 열두 번, 갈등 속에 번민의 시간도 동반되었다. 모래톱 마을 아이들은 모험을 통해 큐빅과도 같은 세상의 다양한 모습과 삶의 다채로운 색깔을 조금씩 알아가고 있었다.

　사물놀이의 악기를 운우풍뢰(雲雨風雷)에 비유했던가. 폭풍은 거세져 구름과 비바람, 천둥 벼락을 자유자재로 관장하며 나룻배를 요동치게 하였다. 바람은 파도를 해일처럼 배 위로 쳐올리기도 하고, 빗물은 하늘에서 내리퍼부어 선체를 해수면과 나란히 입맞춤하듯이 하여, 나룻배를 가라앉히고 있는 것이 아닌가. 가랑비에 옷 젖는 줄 모른다더니 내린 비로 배의 이물과 고물도 거친 파도 속에 서서히 잠기고 있었다. 대장인 단은 위기 속의 탐험대를 다시 독려하며 지휘하기 시작했다.

　"나룻배의 물을 퍼내어라."

"나룻배가 물속으로 가라앉고 있다."

"물을 퍼내라."라고 외치며, 반쯤 우는 목소리로 절규했다.

아이들은 고무신이며 나룻배 구석에 나뒹구는 바가지를 들고, 배 안으로 들어온 물을 퍼내기 시작했다. 그러는 사이 저 멀리서 집채만큼 큰 파도가 나룻배를 삼킬 듯이 밀려왔다. 마치 거인이 높은 곳에서 내려다보듯이 머리 위로 덮칠듯한 파도는 하얀 이빨을 드러내었다. 거센 폭풍우는 이글거리는 맹수의 눈빛이 되어 포효하는 듯했다.

"모두, 선체를 꼭 붙들어라!"

"배 위에서 나가떨어지지 않도록 선체에 몸을 낮춰라."

단의 목소리만 비바람에 섞여 희미하게 귓가에 들려왔다. 나룻배는 풍전등화(風前燈火), 말 그대로 바람 앞에 등불처럼 매우 위태로워 오래 견디지 못할 것 같았다. 아이들은 바이킹을 타듯이 파도 끝에 밀려 올라간 나룻배를 붙잡고 괴성을 질렀다. 배는 하늘 높은 곳에서 바다 밑 심해로 떨어지는 듯하였다. 몸속의 장기들이 아래로 훅 빠져나가는 듯한 무서운 느낌이 들기도 했다. 백척간두(百尺竿頭)에 선 무서움과 극도의 위태로움이 이런 기분일까.

"우우 우와 아아, 아앙아앙흐흐흐…."

아이들은 우는지 웃는지 모를 이상한 소리를 본능적으로 내질렀다. 큰 파도가 밀려올 때마다 수 미터씩 남으로 남으로 나룻배는 떠내려갔다. 파도 하나가 지나갈 때마다

"후유, 이제 살았다. 한고비 넘겼다!"라고 애써 두려움을 감추며, 석이와 윤택이는 여유를 부리는 것 같기도 했다.

바닷가에서 잔뼈가 굵은 아이들은 배가 파도에 순응하도록 조정할 줄 알았다. 파도를 거스르며 마을로 돌아가려고 했다면 아마도 배는 난파선이 되었을지도 몰랐다. 아이들은 나룻배를 순풍에 돛을 단 듯이 파도가 가는 대로 내버려 두었다. 갈 곳은 달랐고 가야 하는 방향도 달랐지만, 때로는 그렇게 나룻배를 내버려 두어야 한다는 것을 알고 있었다. 갯가의 삶 속에서 어깨너머로 터득해 몸에 배어 있었다. 바다에 대한 오랜 경험으로 폭풍을 꺾으려 하지 않고, 너울의 흐름을 타며 노를 저어 보조를 맞추려고 했다. 분노도, 절망도, 포기도 없었다. 스스로 꺾이지 않고, 파도와 같은 방향으로 휘어지고 휘청거리며, 폭풍우의 바다를 건너고 있었다. 탐험대는 단지 현실을 받아들이며, 그냥 몸을 맡기고 있었을 뿐이었다. 어쩔 수가 없었다. 위기 속에서 아이들은 그것이 최선이라고 믿었다. 가장 어두운 순간은 해뜨기 직전이라는 말도 있으니 절망의 순간에도 포기하지 않아야 했다. 자만심을 경계하고 용기를 조금만 더 낸다면, 해가 뜨는 것을 볼 수 있을지도 몰랐기 때문이다.

한동안 폭풍우가 휘몰아치더니 서서히 바다는 평온을 되찾는 듯했다. 태산을 넘으면 평지를 본다더니, 고생 끝에 낙이 오는 것 같았다. 인간은 희로애락(喜怒哀樂)을 느끼는 감정의 동물이 아니던가. 아이들은 살아가면서 느끼게 되는 네 가지 감정, 곧 기쁨과 노여움은 물론이고, 슬픔과 즐거움도 지난 이틀 사이에 모두 다 느껴본 것 같은 심정이었다. 이미 많이 남쪽으로 떠내려온 배는, 소녀가 휴가를 보낸 별장이 있는 섬을 지나 맞은편 작은 무인도의 모래밭에 닿았다. 아이들은 굶어서 배가 등에 붙었지만 그런 와중에도 허기진 몸으로 밤하늘을 쳐다보았다. 상현달이 서쪽으로 더 기울어져 있었다. 반달이었다. 달 모양을 바라보며, 조수간만의 차가 가장 작은 조금이라는 것도 알 수 있었다. 바닷가의 물때도 짐작이 되었다. 무인도에 정박한 배를 관리할 때도 조금에 대한 사전 지식이 필요하였다. 아이들은 조금이어서 바닷물의 높이에는 큰 변화가 없다는 점을 미리 알고 배를 정박시켰다. 밤하늘에 뜬 반달을 쳐다보며 언제 폭풍이 있었냐는 듯, 아이들은 너나 할 것 없이 "반달"이라는 노래를 흥얼거렸다. 소박한 노랫말은 무인도에 동심을 전하는 듯했다. 아이들은 역시 아이들이었다.

  푸른 하늘 은하수 하얀 쪽배엔
  계수나무 한 나무 토끼 한 마리
  돛대도 아니 달고 삿대도 없이
  가기도 잘도 간다 서쪽 나라로

  폭풍을 만나지 않고 섬에서 늦은 밤에 마을로 돌아갔더라도, 어른들이 가지 말라고 한 곳에 갔다며 경을 치고 마을에서 쫓겨날 것이 뻔했다. 아이들은 전설의 섬에서 탐사 활동으로 알아낸 것도 많았지만 그 사실을 마을에 알릴 수는 없었다. 섬은 금단의 땅이어서 가서는 안 되는 곳이기 때문이었다. 탐험대 대장인 단은 배가 천신만고(千辛萬苦) 끝에 정박한 무인도에서 탐험대 활동이 계속되도록 재정비했다.

  잠깐이지만 탐험대는 무인도에서의 생활을 시작했다. 표류기나 모험 이야기 속에 나오는 인물들을 떠올리며, 기억에 남아 있는 활동을 따라 하였다. 물이 있는 곳을 찾기도 하고, 눈을 붙이고 잠깐 잠을 청할 만한 동굴이나 바위틈도 찾아 나섰다. 장비를 챙기고 복장을 갖추는 등 탐험대가 떠나던 첫날처럼 구색을 갖추어 정비하였다. 소녀는 준비한 손전등을 비추며, 별장에 휴가 왔을 때 무인도에서 체험한 기억을 되살려 아이들을 안내하였다. 로빈슨 크루소를 읽고 무인도 생활을 꿈꿔봤다던 단이는 실제로 먹거리가 될 만한 것을 찾기도 하고, 배를 수리할 물건들을 찾아다니기도 했다. 거친 바다를 건너며 대원들은 기진맥진하여 몸은 천근 같고 눈꺼풀은 만근 같았다. 하지만 다시 정신을 바짝 차리니 잠은 어디론가 달아나고 똘망똘망한 눈이 되었다. 탐험대는 큰 바위 밑 이슬을 피할 수 있는 곳을 찾아 자리를 잡았다. 바위 밑은 깊지는 않았으나 동굴과 같은 느낌을 주었다.

자리를 잡고 앉은 대원들은, 어떻게 마을로 돌아갈 것인지를 의논하자고 했다. 석이가 먼저 말을 꺼냈다.

"전설의 섬에 발을 내디뎠다는 것을 발설해야 할까?"

"그건, 아닌 것 같아. 금단의 땅에 들어갔다고 하면 어른들이 노할 거야."라고 하며, 윤택이가 걱정스럽게 말했다.

"그러면, 무인도에는 어떻게 정박하게 되었는지 물으시면?"

"그냥, 낚시하러 나갔다가 폭풍을 만났다고 할까?"

"아니야, 일전에 우리가 바다에 나간 적이 있었잖아. 그때 바다를 보고 놀랐던 적조 현상을 방학 과제로 탐구하다가 폭풍에 휘말려 무인도에 떠내려왔다고 하는 건 어떨까?"

"바늘 도둑이 소도둑 된다는 말도 있는데 작은 거짓말이라고 함부로 해도 될까?"

아이들은 죄책감을 느끼면서도 저마다 마을 어른들의 걱정을 끼치지 않고 무사히 마을로 돌아가는 방법을 궁리하고 있었다.

탐험대의 의견은 전설의 섬에 발을 들여놓았다는 얘기는 하지 않는 것이 좋겠다는 쪽이었다. 바다가 붉게 변하는 것이 걱정되어 적조 현상을 탐사하다가 폭풍을 만나, 어쩔 수 없이 여기 무인도까지 떠내려왔다고 하는 것이 좋겠다는 의견도 있었다. 아이들은 학교에서 토의나 토론 시간에 경험한 것도 생각났다. 일반적으로 토의는 어떤 문제에 대하여 함께 더 좋은 방안을 검토하고 협의하는 것을 말했다. 그런데 토론은 찬성편과 반대편으로 갈라, 여럿이 각자의 의견을 내세워 그것의 정당함을 주장하는 것이다. 예를 들면 "선의의 거짓말은 필요한가?"라는 주제는 토론에 어울리는 주제이며, 이에 대해 찬반이 갈리기도 했던 사례를 참고하였다. 탐험대의 대원들은 마을로 돌아가게 되면 마을 어른들의 걱정을 끼치지 않도록 선의의 거짓말이 필요하다는 데 대체로 동의하였다. 아이들은 이제 마을로 돌아가는 일만 남았다. 그전에 무인도 건너편 큰 섬으로 이동하여, 무사하다는 사실을 마을에 알리는 일이 급선무였다. 아이들은 아침 해가 동쪽 산 위에 떠오르기 전에 모두 한 마음이 되어 급히 서둘렀다.

23화 별장지기와 해녀들의 회상을 듣다

탐험대는
갑자기 불어닥친 폭풍 속에서도
운 좋게 무인도에 정박하여 위기를 기회로 만들어가고 있었다.
거친 풍랑을 헤치고 구사일생으로 살아남은 탐험대 아이들은
"하늘이 무너져도 솟아날 구멍이 있다."라는
속담을 떠올렸다.

아이들의 타고난 본성은 엄청난 잠재력을 지니고 있었다. 탐험대 아이들은 도전과 모험을 통해 생각지도 못한 위험을 무릅쓰게 되면서, 평소 힘들고 귀찮게 여겼던 일조차 두려워하지 않는 존재로 성장해 가고 있었다. 아침 동녘에서 태양이 밝아오자, 무인도에서 별장이 있는 건너편 섬으로 아이들은 나룻배를 타고 이동하였다. 탐험대는 낯선 환경에서 챙길 일들이 많았는데, 아침나절에 한 가지 더 의논해야 할 것도 있었다. 어른들이 귀가 따갑도록 주의를 주었던 일을 저질렀기 때문에, 아이들은 무엇보다 마을로 돌아가는 일이 두려웠다.

　어제오늘 있었던 일련의 일들은, 어른들이 금하고 있는 일탈 행위라는 것을 스스로 잘 알고 있었다. 별장에 있는 사람들을 만나기 전에 어떻게 탐험대가 마을로 돌아가야 할지 머리를 짜내어야 했다. 밤새 떠내려온 나룻배를 저어서, 무인도에서 모래톱 마을로 돌아가기에는 너무 먼 거리였다. 가는 길에 다시 폭풍우를 만날 수도 있으니 다른 좋은 방법을 찾아야 했다. 그때 소녀가 입을 뗐다.
　"무인도에서 별장으로 건너가 별장 관리인을 만나보면 어떨까?"
　"별장 관리인을 만나서 뭘 하려고?"라며, 단이가 되물었다.
　"별장 관리인이나 해녀들을 만나서 묻고 싶은 것도 있고……."
　소녀는 말끝을 흐렸다.
　"마을에서 우리를 걱정하며 찾고 있을 거야. 별장에 있는 전화기로 우선 마을에 우리가 무인도에 정박했다는 사실을 알리는 게 좋을 것 같아."라고 제안했다. 소녀의 말을 듣고 있던 아이들은, 한시라도 빨리 우리가 무사하다는 것을 마을에 알려야 한다고 맞장구를 쳤다. 그렇게 하는 것이 마을 사람들이나 가족들의 걱정을 조금이라도 덜어드리는 일이라고 여겼다.

탐험대는 아침나절에 마을로 돌아가는 일에 대한 의논을 마치고, 나룻배를 저어 별장이 있는 큰 섬으로 떠났다. 별장에 도착하니 관리인과 해녀들은 아직 물질하러 나가기 전이었다. 해녀들은 물질을 나가려고 물때를 기다리며 물안경의 손을 보고 있었다. 또 어떤 분은 눈언저리까지 빨랫줄이 내려오게 바지랑대를 비스듬히 하여 해녀복을 챙기기도 했다. 물에 빠진 사람 지푸라기라도 잡는 심정이 된 소녀는, 공손히 인사를 드리고 자초지종을 말씀드렸다. 소녀의 궁색한 변명을 들은 별장 관리인은 의심하는 눈빛으로 고개를 끄덕이더니, 우선 모래톱 마을의 기와집에 급히 전화를 드려야겠다고 했다. 기와집에서는 안도하며 조속히 동력선을 이용해 아이들을 마을로 데리고 오라고 했다. 너무 멀어 노를 저어 오는 것은 매우 위험한 일이니, 동력선인 목선에 나룻배를 묶어서 바지선처럼 끌고 오도록 했다.

갑자기 배를 준비하느라 모래톱 마을로 바로 돌아가지 못하고, 무인도에 정박한 아이들은, 짬을 내어 별장 관리인과 해녀들로부터 전설의 섬에 관한 이야기를 듣게 되었다. 옛날에 전설의 섬 부근에서 많은 사람이 주검으로 발견되기도 했는데, 실종자 한 명은 아직도 찾지 못하고 있다는 말도 해주었다. 해녀들은 전설의 섬에 얽힌 뜬소문들도 살짝 귀띔해주었다. 바다 밑 깊은 곳에는 심해 해구가 있다는 소문이었다. 세계에서도 내로라하는 깊은 해구이며, 그 주변에서 당시 조업하다가 실종된 사람이 한둘이 아니라는 소문이었다. 주변에는 섬들이 많이 있었지만, 옛날에 전란이 일어났을 때, 유달리 그 섬을 이용하여 왜선들을 섬멸했었던 해역이라고도 했다. 특히, 고려시대나 조선시대에 보물선이 태풍을 만나 침몰한 적도 있어, 깊은 심해 해구에는 갯벌 속에 귀한 보물들도 많이 묻혀있다는 얘기가 떠돌았다고도 했다. 별장지기나 해녀들은 외딴섬에 살고 있었으나 발이 넓은 것 같았다. 특히, 별장지기는 가끔 도회지로도 나다니다 보니 소위 말하는 마당발로 통하기도 했다. 아이들은 별장지기와 해녀들이 들려준 소문이 처음 듣는 얘기라 신기하여 귀를 쫑긋 세우고 들었다.

섬사람들이 들려주는 이야기에 푹 빠져 있던 아이들은, 너도나도 이것저것 궁금한 것들을 묻기도 하였다.

"보물선이 침몰했다면, 배에 실은 물건들도 바닷속으로 가라앉게 되었겠군요?"

"그럼, 값비싼 도자기들도 갯벌 속에 묻혀있었을까요?"

"고려나 조선시대는 청자나 백자가 유명했으니 그런 보물들이 그곳에 많이 묻혀있었겠네요?"라고 하며, 아이들은 보물선과 보물에 큰 관심을 드러내었다.

"우리도 보물을 찾으러 가면 안 될까?"라고 하며, 석이가 우스갯소리처럼 말했다. 그러자 해녀들은

"섬 주변에서 이상한 일들이 많이 생길 당시에, 보물을 찾는 배들이 외국에서 왔었다는 소문도 있었다네."

"우와! 외국에서요?"

"그때, 보물을 캐려는 도굴꾼들의 각축장이 되었을 수도 있었겠군요."라고 하며, 어떤 아이는 눈을 반짝이기도 했다. 아이들은 흥미 있는 소문들이 생소하여, 관심의 끈을 놓지 않은 채 심각한 표정으로 들었다.

그러자 별장 관리인은

"모르긴 해도, 그 당시 묻힌 보물을 독차지하려고 서로 모함이나 이간질도 하고, 조업하는 사람들을 일부러 물밑에서 귀신처럼 끌고 물속으로 들어갔다는 소문도 나돌았다고 하던데…. 그게 사실인지는 모르지만…."이라고 하며 말끝을 흐렸다.

"해녀들도 물귀신들이 잡아갔어요?"

"아마, 보물에 눈독을 들인 머구리들이 그랬다는 소문도 무성했다지."

"머, 머구리가 뭐예요?"

"왜놈들이 산소 호스를 연결한 잠수부를 그렇게 불렀지."

그 당시 머구리는 일본말로 모구리 즉, 잠수나 자맥질하는 사람들을 일컬었다. 별장지기와 해녀들의 말속에는 왜인들의 노략질에 대한 원망과 저주가 스며있는 것 같기도 했다. 별장 관리인은 말을 이었다.

"과거에 조선통신사가 다니다 침몰하기도 했다던데, 그 배를 찾으려고 그랬는지, 바다 밑으로 샅샅이 뒤지고 다녔다는 소문도 있었고……."

"머구리들이 물속에 살 수도 있어요?"

"머구리는 물속에서 오랜 시간 산다는 사람들도 있었고, 물속 귀신이라는 소문도 무성했었지."

"조업하는 사람들을, 누가, 왜, 물밑에서 끌고 들어갔을까요?"라고 하며, 아이들은 무서워하면서도 궁금해 죽겠다는 시늉을 하였다.

"아마, 보물선 도굴꾼들이 그 해역에 불안을 조성해, 사람들이 무서워서 접근하지 못하게 하려고 그랬는지……."라고 하며, 관리인은 하던 말을 잇지 못했다.

"어쨌든, 도굴꾼들이 아전인수(我田引水) 격으로 자신들의 이익을 위해 수작을 부려서 그랬는지 크고 작은 재앙들이 자주 생겨, 사람들은 그 섬 옆으로는 조업을 나갈 엄두도 내지 못하고…. 쯧쯧쯧….”라고 하며 별장 관리인은 그 당시를 회상하며, 안타까운 듯이 혀를 차기도 했다. 외딴섬 사람들은 연신 이상하다는 표정으로 고개를 갸우뚱대며, 이런저런 소문들을 들려주었다.

별장 관리인과 해녀들의 이야기처럼 신비의 섬 주변 해역의 심해에 깊은 해구가 있다는 것은 널리 알려져 있었다. 우연히 별장에서 아이들은 또 다른 새로운 사실도 알게 되었다. 전란이 발발했을 때 왜구를 섬멸했을 정도로 섬 주변의 물살이 매우 심하게 소용돌이쳤다는 것이나 보물선이 침몰하기도 했다는 사실이었다. 모래톱 마을이나 근동의 어부들이 조업하다가 다수가 실종되었을 당시에, 바다 밑 갯벌에 묻혀있었던 보물을 도굴하려는 무리가 출몰했는지도 모를 일이었다. 일부러 물귀신처럼 어부들을 실종되게 일을 꾸미기도 했다는 소문도 전해지고 있다니, 정말 놀랄만한 일이었다.

바다를 감시하는 순시선이 있었으나 해녀들이나 어부들의 안전에 별로 도움이 되지 못해, 있으나 마나 한 계륵(鷄肋)과 같은 존재였던 것 같았다. 모래톱 마을 어른들은 전설의 섬이 노하여 마을에 재앙과 같은 일들이 생기고, 그런 일을 사전에 막기 위해 해신제도 지내고 있었다. 그런데 해녀들이 들려준 소문은 아주 딴 이야기였으니 뜻밖이었다. 미신이나 신앙심과는 전혀 관계없이, 단지 보물선이나 보물을 도굴하려는 사람들의 술수나 노략질일 수도 있다는 얘기였으니 말이다. 이상한 소문을 듣고 있던 아이들은 얼떨떨하여 꼭 뒤통수를 한 대 세게 얻은 맞은 기분이었다.

아이들은 실종된 사람에 대해서도, 별장지기나 해녀들에게 이것저것 궁금한 점과 그 사람들에 관한 소문의 자초지종을 캐묻기도 하였다. 끈질기게 물었으나 해녀들로부터 더 이상의 자세한 이야기는 듣지 못하였다. 말 한마디에 천 냥 빚도 갚는다거나 말 한마디로 사람이 죽고 산다는 속담도 있지 않던가. 아마도 소문을 잘못 전하여, 모래톱 마을 사람들의 원성을 사거나 좋은 관계에 금이 갈 수도 있으니 말조심을 하는 것 같기도 했다. 소녀와 아이들의 머릿속에는 불현듯 그 실종자와 어젯밤 섬에서 탐험 대원들을 쫓아왔던 짐승이 연관되어 스쳐 지나가는 듯하였다. 아이들은 별장지기와 해녀들의 이야기를 들으며, 궁금한 점을 어느 정도 해소한 것 같았다.

폭풍이 지난 바닷가는 한여름의 태양이 내리쬐고 있었다. 얕은 해안에는 잔파도가 여전히 끊임없이 밀려오고 밀려갔다. 한바탕 휩쓸고 간 폭풍의 잔해 속에, 언제 그랬냐는 듯 잔잔한 바다는 아이들을 부르고 있었다. 천진난만한 아이들은 지난 일들을 모두 잊고, 바닷가로 달려 내려가 물장구를 치며 이리저리 모래밭을 달리며 뛰놀기도 하였다. 여름방학이 되었으나 가족 휴가나 탐험대 활동으로 아이들끼리 함께 모여서 많이 놀지는 못했다. 외딴곳에서 모처럼 모이게 되니, 아이들은 물 만난 고기처럼 신나는 한때를 보내었다. 긴장되고 두려웠던 모든 것들을 한순간에 잊어버리고, 맘껏 뛰놀 수 있는 시간이 다시 찾아왔다. 아이들은 삶에 쉽게 찌들지 않고, 마음에 못이 박히지도 않으며, 순간순간 자유로운 영혼이 되기도 하였다. 그것이 세파에 찌든 어른들이 아이들의 세상, 동심으로 돌아가고 싶어 하는 까닭인지도 모른다.

물놀이를 마치고 돌아온 소녀는, 모래톱 마을로 돌아가기 전에 바다 건너 수평선을 물끄러미 바라보고 있었다. 단이도 챙길 것을 챙겨놓고 소녀 옆에 다가와서 나란히 섰다. 바늘 가는 데 실 간다는 말처럼 소녀가 있는 곳에는 늘 단이도 함께 있었다.

두 아이는 바다 너머 같은 곳을 바라보고 있었다. 소녀와 단은 지난 이틀 사이에 벌어졌던 숱한 일들을, 타임머신을 타고 되돌려 보고 있는 것 같았다. 별장지기와 해녀들이 들려준 소문들에 의문을 가졌던 소녀는 '아니 땐 굴뚝에 연기 나랴!'라는 속담을 떠올렸다. 그러고는 소문의 진실을 파헤치기 위해 읍내에 있는 도서관에서 신문이나 간행물을 열람할 생각을 하였다. 그 당시의 신문을 들춰보면 전설의 섬 부근에서 발생했던 사고와 관련된 기사들을 확인할 수 있을 것 같았다. 옛날 신비의 섬 인근에서 일어났던 사건들을 파헤쳐보고, 전설의 섬에 살고 있었던 짐승에 대해서도 밝혀보고자 마음먹었다.

마을로 돌아가면 아이들은 일체 다른 이야기는 입 밖에 내지 않기로 약속했다. 발 없는 말이 천 리 간다는 말도 있으니 사전에 입막음을 철저히 했다. 전설의 섬에 상륙은 했으나 그 비밀을 모두 밝혀내지 못한 탐험대는 실패를 딛고 일어서기 위해 와신상담(臥薪嘗膽)의 결의를 다졌다. 전설의 섬과 관련된 조사 활동은, 당분간 소녀와 단이가 주도하여 재개하기로 했다. 방학이 끝나기 전에 수시로 강나루 연못가 쉼터에서 만나, 새롭게 알아낸 것이 있거나 조사한 내용은 서로 전해주기로 했다. 탐험대의 조사를 주도하기로 한 두 아이는 어깨가 무거웠다.

　마을로 돌아갈 시간이 되어, 탐험 대원들은 모두 동력선인 목선에 올라탔다. 험난한 탐험대 활동을 뒤로 하고, 드디어 따뜻하고 다정다감한 부모님들이 계시는 집으로 돌아가게 되었다. 이틀 사이에 여러 가지 우여곡절을 겪고, 마을로 돌아가는 아이들의 표정에는 기쁨과 걱정이 순간순간 교차하였다. 탐험대가 전설의 섬에 상륙하였으나 아직 그 정체를 다 밝힌 것은 아니었다. 하지만 마을이 안고 있는 어둠의 그림자를 걷어낼 수 있다는 희망도 조금은 엿보이는 것 같았다. 나룻배는 목선 뒷부분에 묶여 바지선이 인양되듯이 서서히 끌려가고 있었다. 어젯밤 폭풍우를 만났던 바다와 저 멀리 희미하게 보이는 전설의 섬을 지그시 바라보며, 아이들은 제각각 알 수 없는 생각에 잠기기도 했다.

24화 위기를 모면하다

전설의 섬을 탐사하다가 폭풍우를 만나
무인도에서 하룻밤을 지낸 아이들은 마을로 돌아왔다.
죽을 고비를 넘긴 아이들을 보니 "인생은 한순간만 보면
비극이지만 멀리서 또 길게 바라보면 희극이다."라는
채플린(*C. Chaplin*)의 유명한 말이 떠올랐다.

모래톱 마을과 관련된 별장지기와 해녀들의 이런저런 얘기들과 수상한 도굴꾼들의 출현에 관한 괴담은, 모험심이 강한 아이들에겐 외려 자극제가 되었다. 모래톱 아이들은 하나둘 신비로운 섬의 어두운 전설에 대해 점점 더 의문을 품어가는 것 같았다. 우연히 머물게 된 별장이 있는 섬에서 여러 가지 정보를 얻은 뒤에, 아이들은 모두 무사히 마을로 돌아와 가족의 품에 안겼다. 나룻배를 끌고 온 목선은 별장이 있는 섬으로 되돌아가고, 모래톱 마을은 다시 일상의 평온을 되찾아 가는 듯했다.

지난밤 폭풍우가 심하게 휘몰아칠 때 아이들을 찾으러 다니며 밤새 뜬눈으로 지새운 사람들은, 목선을 타고 마을에 돌아온 소중한 보물들을 따뜻하게 맞아 주었다. 행여나 귀한 자식들이 신비한 섬의 저주를 받아, 그 옛날 실종 사고와 같은 참사가 있었을까 봐 어른들은 마음속으로 애를 쓰며 속을 태웠다. 이번 일로 얼마나 노심초사(勞心焦思)했는지 부모님들은 입술이 다 부르트고 말았다. 아무런 사달 없이 모두 무사 귀환을 했으니 얼마나 천만다행(千萬多幸)한 일인가. 어른들은 이 모든 일이 신비의 섬 앞바다에서 절기마다 해신제를 올려, 용왕님이 굽어살핀 덕분이라 여기는 것 같았다.

무사히 돌아온 아이들은 모두 각자의 집으로 돌아갔다. 다음날 눈을 뜨고 아침나절이 되었을 때였다. 어제 모래톱 마을로 돌아온 그 아이들을 마을회관에 조용히 불러 모은다는 소문이 파다했다. 사람들이 이곳저곳에서 모여들어 담을 넘어다보니, 마을 어른들이 대청마루에서 심각한 표정으로 앉아 있었다. 그냥 앉아 있는 것이 아니었다. 마을에 중요한 행사가 있을 때마다 입었던 복장을 하고, 엄숙한 가운데 예를 갖춘 모습이었다. 가장 연세가 많으신 세 분은, 옛날 서당 훈장님이 쓰던 갓과 두루마기를 착용하고 있었다. 나머지 사람들은 세 사람의 양쪽으로 반원 모양으로 긴장한 표정으로 나란히 앉아 있었다. 꼭 옛날 서당에서 잘못을 저지른 학동들이, 훈장님의 훈계를 듣는 장면을 사실적으로 묘사한 조선 후기 화가인 단원 김홍도의 "서당"이라는 그림이 연상되었다.

조선시대 초등교육 기관이었던 서당에서 스승의 가르침은 지식뿐 아니라, 생활 태도나 정신 자세에 이르기까지 폭넓게 이루어졌다. 공부를 게을리하거나 잘못된 행동을 했을 때, 종아리를 맞는 일은 낯선 풍경이 아니었다. 전설의 섬에 상륙한 일이 무사히 넘어가는 줄 알고 맘을 놓고 있다가, 아이들은 엉겁결에 불려 나왔다. 꼬리를 밟힌 느낌이 들었다. 당장 아이들을 불러 모으라는 불호령이 떨어진 것 같았다. 지난 이틀간의 일도 겁이 나고, 어른들이 앉아 있는 모습을 보게 되니, 대청마루에 앉자마자 아이들은 오금이 저리고 진땀이 났다. 자신들이 저지른 일들이 들키지 않도록 사전에 단단히 입을 맞추었으나 불현듯 낮말은 새가 듣고 밤말은 쥐가 듣는다는 말이 떠올라 가슴이 뜨끔하였다. 혹시 자신들의 잘못이 들통나, 어떤 화가 미칠까 봐 두려운 표정이었다. 잔뜩 움츠리고 앉아 있는 아이들을 보니, 도둑이 제 발 저린다고 가슴이 조여 오는 듯한 긴장된 표정이 역력했다.

찬물을 끼얹은 듯 조용한 대청마루에서, 복장을 갖춰 입은 어른들 가운데 한 분이 아이들을 불러 모은 연유를 말씀하시며 으름장을 놓으셨다. 마을 사람들이 돌아오지 않는 아이들을 밤새 횃불을 들고 찾아다닌 일과 밤을 지새우며 울면서 기다린 일들을 낱낱이 열거하셨다. 아이들은 자신들이 폭풍우를 만나 무인도에 정박하고, 마을로 돌아오기 전에 신나게 물놀이도 한 일을 회상해보았다. 마을이 혼란의 소용돌이 속으로 빠져들고 가족들이나 마을 사람들은, 아이들을 걱정하며 애간장이 타서 숨이 넘어갈 지경이었다. 그런 극한 상황과 자신들이 그 시간에 한 일들이 대비되어 스쳐 지나갔다.

탐험대 아이들은 자신들이 저질러놓은 일이 이렇게 커질 줄은 몰랐던 것 같았다. 입이 열 개라도 할 말이 없었다. 생각 없이 무심코 한 행동들이, 마을을 송두리째 뒤흔드는 큰일로 번질 줄은 꿈에도 상상하지 못하였다. 오로지 자기 자신들의 앞만 바라보고 행동했을 때, 작은 일들이 어떻게 가족들이나 마을에 악영향을 끼치게 되는지 어렴풋이 짐작되었다. 대청마루에 불려 나온 아이들은, 자신들이 무엇을 잘못했는지 이제야 서서히 눈치를 채는 것 같았다. 발 없는 말이 천 리 간다더니 도대체 비밀이 어디서 샌 건지 알 수가 없다는 듯 다들 어리둥절하여 혼이 나간 표정이었다.

마을 어른들은 아이들이 스스로 자신들을 위험에 빠뜨리고, 더 나아가 가족들은 물론 마을 전체를 위기 속으로 몰고 간 일을 탓하는 눈빛 같았다. 이른 아침의 대청마루는 숙연해졌다. 사부작사부작 몰려든 구경꾼들은 울타리에 바짝 달라붙어 숨을 죽인 채 안을 쳐다보고 있었다. 아무도 말을 하지 않았다. 다들 마른침을 꿀꺽 삼켰다. 그 공간은 숨소리조차 들리지 않고, 쥐 죽은 듯 조용했다. 엄숙한 정적만 흘렀다. 아이들은 누가 먼저랄 것도 없이, 모두 울면서 무릎을 꿇고 앉아 있었다. 자신들의 행위가 넘지 말아야 할 어떤 선을 범했는지 크게 뉘우치고 있는 것 같았다. 그러는 사이, 가운데 앉은 갓을 쓴 연로한 노인께서 끝에 있는 청년에게 손짓하며 무얼 가져오라는 시늉을 하셨다.

청년은 대청마루 선반 위에 보관해 두었던 회초리 상자를 가져와서 노인들 앞에 조심스럽게 내려놓았다. 아이들도 예전에 언젠가 본 적이 있는 싸리나무로 만든 회초리를 보관하던 상자였다. 중고등학교에 다니는 언니들이 무슨 잘못을 저질렀는지, 대청마루에 불려 나와 회초리를 맞는 것을 울타리 너머로 엿본 적이 있었다. 겁 없이 까불다가 된서리를 맞고 훌쩍이는 언니들의 모습이 떠올랐다. 그때, 바짓가랑이를 걷어 올린 종아리에 싸리나무 회초리로 매질할 때, 휙휙 바람 소리가 났던 무서운 기억도 떠올랐다. 어떤 형은 미리 겁을 먹고는 매질을 당하지 않았는데도 불구하고, 코를 훌쩍거리기도 하고 어른들 앞에서 진땀을 빼기도 했었다.

그 상자 속에 소중히 보관되어 있던 회초리가 지금 아이들 앞에 나온 것이었다. 아이들은 지난 기억을 떠올리니, 너무 겁이 나고 숨이 막힐 것만 같아, 한시라도 빨리 이 순간을 벗어나고만 싶었다. 지난 행실로 볼 때, 피하고 싶다고 피할 수 있는 상황이 아니라는 걸 잘 알았다. 아이들은 이제 손을 쓸 수도 없는 딱한 처지가 되었음을 직감했다.

갓을 쓴 어른들 가운데 한 노인께서 말씀하셨다.
"자신의 행위에 잘못이 없는 사람은 뒤쪽으로 물러나거라."
무거우면서 준엄한 목소리가, 정적만 흐르던 대청마루에 울려 퍼졌다. 아이들은 누구도 일어서서 나가지 못하였다. 가운데 앉은 마을에서 가장 연세가 많아 보이는 노인께서 말씀을 이었다.

"자기 자신을 위험에 빠뜨리고, 우리 마을과 가족들을 지옥의 구렁텅이 속으로 몰아넣은 행위에 대해 누군가는 반드시 책임을 져야 한다."

따끔한 매질이 곧 있을 것임을 암시했다. 아이들 귀에는 그 소리가 청천벽력(靑天霹靂)과도 같았다. 마른하늘에 날벼락이 따로 없었다. 어떤 아이는 지레짐작으로 겁을 먹고 훌쩍거리며 눈물을 훔치는 아이도 있었다. 그만큼 매질은 매를 맞는 사람도 겁이 났지만, 매 맞을 차례를 기다리며 옆에서 지켜보는 이도 겁이 나고 침이 바짝바짝 마르게 했다. 회초리라는 것은 이상한 물건이었다. 어떤 때는 회초리로 매질을 당하지 않았는데도, 매를 맞은 것보다 더 큰 효과를 발휘하는 것 같아 신기하기도 하였다.

아이들이 모두 겁에 질려 고개를 푹 숙인 채 벌벌 떨고 있을 때였다. 아이들 속에서 인기척이 느껴졌다. 단이가 불쑥 일어서며 갓을 쓰고 있는 노인들 앞으로 조심스럽게 나갔다.

"제가 이 일에 대한 책임이 큽니다. 종아리 매질을 제가 대신 맞으면 안 되겠습니까?"라고 말씀드리는 것이 아닌가.

"……."

대청마루에 모인 사람들은 일어선 아이를 뚫어져라 쳐다보았다. 그 공간은 시간이 멈춘 듯 한순간 무거운 침묵이 흘렀다. 대청마루의 가운데 앉은 세 노인이 서로 머리를 맞대고 숙의를 하는 것 같았다. 그러더니 한가운데 앉은 노인께서 말문을 여셨다.

"네가 매를 맞아야 하는 까닭을 말해보거라."

그곳에 운집한 사람들의 시선이 일제히 그쪽으로 쏠렸다. 단은 잠시 눈을 감고 머뭇거리더니 무슨 생각이라도 떠오른 눈치였다. 유학을 배운 마을 노인들로부터 방학 때가 되면 가끔 대청마루에서 한문을 익힌 적이 있었다. 그때, "학이시습지불역열호(學而時習之 不亦說乎)"나 "신체발부수지부모(身體髮膚受之父母)"와 같은 논어나 효경의 구절을 암송했던 기억이 불현듯 떠오르는 것이 아닌가. 서당 개 삼 년이면 풍월을 읊는다는 속담이 그냥 있는 말이 아닌 것 같았다. 한문을 익힌 어른들을 공경하며 늘 따랐던 시간이 이렇게 요긴하게 쓰일 줄이야. 단은 노인들을 향해 가볍게 목례(目禮)를 한 후, 생각이 정리되었는지 말을 하기 시작했다.

"저의 몸은 저 자신의 것이지만 그것은 부모님으로부터 물려받은 것이니, 옛사람들은 머리털 한 올도 함부로 하지 않고, 소중히 여기는 것을 효로 여겼다고 배웠습니다. 이번에 위험한 일로 마을에 폐를 끼친 것은 물론이요, 저 자신과 동무들의 몸도 위험에 처하게 하였으니 어찌 불효를 저지른 것이라 아니할 수 있겠습니까?"

단은 사람들 앞에서 할 말을 마치고는 꿇어앉은 채 머리를 조아리며, 죄를 뉘우치고 벌을 달게 받겠다는 시늉을 하였다. 잠시 뜸을 들이더니 효경(孝經)에 나오는 공자의 가르침에 대해 예전에 배워 알고 있었던 구절이 떠올랐는지, 단은 다시 소상히 말씀드렸다.

"공자님께서는 신체발부수지부모(身體髮膚受之父母) 불감훼상효지시야(不敢毁傷孝之始也)라고 했습니다."라고 하며 계속 말을 이었다.

"그것을 어겼으니 마땅히 그에 맞는 대가를 치러야 할 것입니다."라고 떨리는 목소리로 말하였다.

　가장 연로하신 노인께서는 머리를 끄덕이시며, 단의 말을 듣고 있다가 되물으셨다.

　"네가 말한 신체발부수지부모(身體髮膚受之父母) 불감훼상효지시야(不敢毀傷孝之始也)가 무슨 뜻이더냐?"

　단은 갓을 쓴 노인의 질문을 받고는 고개를 갸우뚱하며 잠시 생각에 잠기는 듯하더니, 다시 자세를 바르게 하여 대답하였다.

　"저희의 몸이나 머리털과 피부는 부모님으로부터 물려받은 것이니, 다치지 않는 것이 효의 시작이라는 공자님의 가르침이옵니다."라고 또박또박 말씀드렸다.

　단의 말이 끝나자마자 대청마루에 운집한 사람들은 일제히 들릴락 말락 하는 감탄사와 함께 고개를 끄덕이는 것 같았다. 마을 어른들은 다시 머리를 맞대더니, 뭔가 깊은 고민이 있는지 자리에서 일어나 잠시 대청마루 안쪽 방으로 들어가셨다. 대청마루는 찬물을 끼얹은 듯하여 숨소리조차 들리지 않았다. 얼마간 시간이 흐른 뒤에, 노인들은 대청마루로 다시 걸어 나오셨다. 세 노인은 무릎을 꿇고 다소곳이 앉아 있는 아이들을 물끄러미 쳐다보셨다.

　"너희들 중에 한 사람이 조금 전에 일어나서 지난 일을 뉘우치며 했던 말들을 골똘히 생각해 보았다. 하나를 보면 열을 안다는 말이 있듯이, 너희들도 모두 꼭 같은 심정이라고 여기게 되었다."라고 말씀하시는 것이 아닌가.

　갓을 쓴 어른 중의 한 노인께서 무릎을 꿇고 있는 아이들을 편히 앉으라고 손짓하셨다. 아이들은 울음을 멈추고 옷소매로 얼굴과 눈가를 훔치며, 여전히 고개를 떨군 채 바르게 무릎을 꿇고 앉아 있었다. 유학을 공부했던 노인들은 삼강오륜이 땅에 떨어졌다고 걱정하던 차였다. 그런데 대청마루에 앉아 머리를 조아리는 아이들을 보니 삼강오륜 중에 장유유서라는 말이 연상되었다. 오륜의 하나인 장유유서는 어른과 아이 또는 윗사람과 아랫사람 사이에 지켜야 할 차례와 질서가 있음을 뜻한다. 마을 노인들의 훈육을 받드는 아이들의 공손한 태도에서 장유유서의 미덕을 엿볼 수 있어 다행스럽게 여기는 것 같았다. 옛날 조선시대 서당의 모습이 오버랩된 대청마루는 삼강오륜의 인성 덕목을 떠올리기에 부족함이 없었다. 삼강오륜(三綱五倫)은 유교 도덕의 기본 덕목인 삼강과 오륜을 아울러 이르는 말이다. 삼강은 군위신강(君爲臣綱), 부위자강(父爲子綱), 부위부강(夫爲婦綱)이고, 오륜은 부자유친(父子有親), 군신유의(君臣有義), 장유유서(長幼有序), 부부유별(夫婦有別), 붕우유신(朋友有信)이다.

훈육(訓育)은 품성이나 도덕 따위를 가르쳐 기르는 것이고, 훈계(訓戒)는 타일러서 잘못이 없도록 주의 주는 것을 말한다. 아이들이 자신들의 행위에 대해 뉘우치는 모습이나 한 아이가 일어나 무엇이 잘못되었는지를 조목조목 설명하는 말을 들어 보더니, 어른들은 마음이 놓였던 것 같았다. 마을에서 지금껏 전통을 지키며 아이들의 품성을 키우고 도덕을 가르쳐 온 일이, 헛된 일은 아니라고 판단한 것일까. 오늘 아침나절에 일탈 행위를 한 아이들을 불러 모아, 회초리로 따끔한 훈계를 하려고 했던 일에 변화를 줄 것 같았다. 혹독한 질책만이 능사가 아님을 노인들께서는 잘 알고 있었다. 때에 따라 엄한 훈계나 훈육도 필요하나, 그것은 아이들을 간이 콩알만 해지게 하여, 얼어붙게 만들 수도 있음을 잊지 말아야 한다. 잘못을 저지른 행위를 다그치더라도 변명할 여지는 남겨두어야 했다. 호기심이나 흥미를 돋우며 지혜롭게 타이르게 되면, 아이들은 자신들의 능력이 어디로 향하고 있는지 스스로 찾아서 행할 수도 있는 존재이기 때문이다.

잠시 뒤, 가운데 앉은 가장 연로한 노인께서 입을 떼셨다.

"무릇 효란 덕의 근본이요, 가르침은 여기에서 비롯된다. 내 너희들에게 일러줄 테니 바르게 앉아라. 사람의 신체와 터럭과 살갗은 부모에게서 받은 것이니, 이것을 손상하지 않는 것이 효의 시작이다. 그리고 몸을 세워 도를 행하고, 후세에 이름을 날림으로써 부모를 드러내는 것이 효의 끝이다. 무릇 효는 부모를 섬기는 데서 시작하여, 자신의 몸을 세우는 데서 끝나는 것이다."라고 하셨다. 까마귀 새끼가 자라서 늙은 어미에게 먹이를 물어다 주는 효를 의미하는 반포지효(反哺之孝)를 강조하고 싶었던 것일까. 노인은 유학을 공부한 선비답게 공자의 가르침을 인용하며 말씀을 이으셨다.

"그러니, 너희가 자신의 잘못을 크게 뉘우치고, 무엇이 잘못된 것인지 알고 있다니 정말 다행스럽구나. 앞으로 다시는 그런 위험한 행동으로 불효를 저지르지 않도록 각별히 조심하거라."라고 준엄하게 타이르시는 것이 아닌가. 아울러 "남에게 드러내 보이기 위해서 행동하기보다 혼자 있을 때도 항상 스스로 다스리는 신독(愼獨)을 중히 여겨야 한다."라고 하셨다. 노인의 훈계는 구구절절(句句節節) 아이들의 마음에 와닿았다. 무릎을 꿇고 앉은 아이들은 물론이거니와 운집한 마을 사람들에게도 다 들리게 큰 소리로 훈계하셨다. 아마도 마을 사람들 모두에게 타산지석(他山之石)의 본을 보여 주려고 했던 것 같았다. 그런 후, 일어나서 갓을 바르게 갖추시고 두루마기를 고쳐서 입으셨다. 노인 세 사람은 대청마루를 지나, 운집한 마을 사람들 사이로 홀연히 빠져나갔다.

나란히 앉아 대청마루에 남아 있던 다른 어른들과 담장 밖에서 마음을 졸이며 지켜보던 부모들은 아이들에게 다가가서, 오늘 경을 치고 마을에서 쫓겨날 뻔했는데 정말 다행이라며 다독여 주었다. 팔은 안으로 굽는다고 진이 빠진 아이들을 위로하고 포용하며, 머리를 쓰다듬어 주기도 했다. 회초리를 심하게 맞아야 할 아이들은 깊은 수렁에서 빠져나온 심정이었다. 모두 안도하며 긴 한숨을 내쉬었다. 단의 믿음을 주는 용기 있는 태도와 어른들을 안심시키는 재치 있는 언변으로 아이들은 다행히 위기를 모면하게 되었다. 단이가 아이들을 대표해서 일어났을 때, 종아리를 맞을까 봐 소녀는 겁이 나고 눈물이 났다. 대청마루에 모인 사람들에게 들키지 않게 눈시울을 적시기도 했다. 지켜보던 아이들도 모두 마음속으로 울었다. 자기 자신이 매질을 당하는 것처럼 크게 소리 없이 울었다. 아이들의 심정을 잘 대변하는 단이의 답변을 들으며, 소녀는 안심하게 되었다. 믿음이 가는 의로운 친구를 곁에 두어 천하를 얻은 듯이 기뻤다.

아이들은 회초리를 맞지는 않았으나 자신들의 종아리를 아프게 맞은 것처럼 느꼈다. 매를 맞지는 않았으나 매를 맞은 것처럼 느껴졌으니, 아침나절 대청마루에서 있었던 일로 다들 깨달은 것이 많았다. 자기가 저지른 일에 상응하는 값을 치러야 한다는 것을, 스스로 깨치는 일은 앞으로 살아갈 날들이 긴 아이들에겐 어쩌면 뼈가 되고 살이 되는 일인지도 몰랐다. 모두 자기 자신이 지금껏 그렇게 소중한 존재인지도 모르고 살아온 것 같아 후회가 남았다. 자기 몸이 자기 혼자만의 것이 아니며, 함부로 하면 안 된다는 것도 이번 일로 깊이 깨닫게 된 것 같았다. 아이들은 신체를 안전하게 보호하면서 해야 할 일에 몰두하여, 세상에 이름을 떨치는 입신양명(立身揚名)이 부모님께 효도하는 것이라는 훈육의 말씀을 마음속 깊이 새겼다. 어쩌면 이번에 겪은 재앙과 같은 좋지 않은 일이 계기가 되어, 앞으로 외려 좋은 일이 더 생기고 복이 된다는 전화위복(轉禍爲福)이라는 말도 떠올려봤다.

한편, 소녀는 탐험대를 꾸리면서 아이들끼리 많은 의견을 나누기도 하고, 준비를 철저히 했었지만 부족한 점도 발견하였다. 예기치 못한 폭풍우를 만나 죽을 고비를 넘기게 되었을 때, 마른하늘에 날벼락이라는 말만 머릿속을 맴돌기도 했었다. 아이들은 아직 어렸기 때문에, 하나만 알고 둘은 모르는 경우가 종종 있었다. 어릴 때는 어른들의 충고나 타이름을 귀담아들으며, 스스로 지혜를 터득해 가는 것이 중요한 것 같았다. 내 몸은 오롯이 나 혼자만의 것이 아니며, 부모님으로부터 물려받은 몸이며, 나와 나를 아끼는 사람들이 보이지 않는 어떤 끈으로 연결되어 있다는 느낌도 받았다. 자신이 사랑하는 사람들과 보이지 않는 어떤 연결고리로 이어져 있다는 사실을 떠올리니, 가슴이 벅차고 마음이 훈훈해졌다. 또, 가족이 아니더라도 사람들은 서로 마음과 마음이 연결될 수 있다는 것도 느꼈다. 삶이란 신비스러운 사슬처럼 연결고리로 이어져 궤적을 그리듯 나아가는 것이란 말인가. 그런 생각들 가운데, 마음이 따뜻하고 행실이 반듯할 뿐만 아니라, 아까 어른들 앞에서 대담하게 나서서 위기를 모면하게 해준 단의 모습이 스쳐 지나가기도 했다.

성공의 경험도 소중하나 실패도 성장을 위한 자양분이 될 수가 있을까. 탐험대가 나락으로 떨어졌을 때, 소녀는 아이들과 함께 폭풍우를 헤쳐나오며 무서웠고, 절망했으며, 뼈에 사무치게 후회했다. 하지만, 아무리 이루기 힘든 일도 끊임없는 노력과 끈기 있는 인내로 성공하고야 말겠다는 마음이 중요하다는 생각도 하였다. 도끼를 갈아 바늘을 만든다는 뜻의 마부위침(磨斧爲針)이란 고사성어가 떠올랐다. 성공이란, 무엇을 잃어도 두려워하지 않는 용기와, 계속해서 무언가를 간절히 원하는 철저히 준비된 자에게만 찾아오기 때문이다.

유럽 북서부 스칸디나비아 격언에 "북풍이 바이킹을 만들었다."라는 말도 있지 않던가. 매섭게 몰아치는 차디찬 북풍과 같은 가혹한 환경과 시련이 없었더라면 용감한 전사는 없지 않았을까. 고난과 역경을 헤치고 나아갈 때, 이 격언은 우리에게 큰 위로가 되기도 한다. 전설의 섬 탐사 활동으로 자신의 삶을 주도하며, 스스로 주인이 되는 첫걸음을 내딛기도 한 소녀는, 이번 일의 경험과 실패를 심기일전(心機一轉)의 기회로 삼고자 했다.

25화 역병, 물러나다

아이들은 대청마루에서
어른들의 엄한 훈계를 듣고 원두막으로 걸어갔다.
아침나절 훈육과 훈계의 시작과 끝을 떠올리며
자신들의 행실에 대해 성찰하기도 하고
마음에 깊이 새기는 시간도 가졌다.

석이네 원두막 쪽으로 가는 길에는 넓은 연못이 있었다. 달포 전에는 보라색, 하얀색, 붉은색 등 가지각색의 수국들이 무리 지어 탐스럽게 피어 있어, 꽃을 보러 가끔 왔던 곳이었다. 한여름이 되니, 연못에는 물속 식물들이 몰라보게 번식해 있는 것이 눈에 들어왔다. 연꽃은 꽃대를 수면 위로 올려 꽃봉오리를 내밀고 있었다. 물 위를 둥둥 떠다니는 개구리밥과 물속에 잠겨 있는 검정말이며 나사말도 보였다. 연못가에 자라는 갈대와 부들 사이로, 잠자리와 나비들이 자유롭게 날아다녔다. 소금쟁이와 같은 작은 곤충들은 연못의 수면 위에 앉으려다 날기도 하고, 개구리밥이나 꽃잎에 살짝 앉기도 하였다.

연못에서 언덕 쪽으로 오르막길을 따라가면 원두막이 있었다. 과수원에는 넝쿨 속의 초록 줄무늬가 선명한 수박과 병아리처럼 연노랑의 참외가 탐스럽게 익어가고 있었다. 연못 주변의 동식물들은 아무도 가르쳐 주지 않았지만 제 위치에서 제각각 평화롭게 지내고 있었다. 언제나 조화를 이루어 살아가며 존재하는 자연의 모습이 부러웠다. 밭머리에 우뚝 선 원두막은, 과수원을 지키기도 하고 일하는 사람들이 잠시 쉬는 곳이기도 했다. 기다란 널빤지와 갈대로 엮은 지붕을 씌어 만들어 바람이 불면 시원하였다. 일꾼들에겐 비바람도 잠깐 피할 수 있는 휴식처가 되어 주기도 했다. 널빤지 마루 아래쪽은 헛간처럼 농기구를 쌓아두거나 물뿌리개, 비료, 퇴비 같은 것을 두기도 했다. 아이들은 일꾼들이 오르내리기 위해 만들어놓은 층층대를 따라, 원두막으로 올라가 동그랗게 둘러앉았다.

어린 시절의 원두막은 정겨운 추억들이 새록새록 묻어 나오는 장소이기도 했다. 떼를 지어 남의 과일이나 곡식, 가축 따위를 훔쳐 먹는 장난인 서리를 했었던 기억 때문인지도 모른다. 아이들은 원두막에 둘러앉아 대청마루에서 있었던 얘기를 다시 꺼냈다. 하마터면 큰일 날 뻔했다며, 둘러앉아 놀란 가슴을 쓸어내리기도 했다. 아이들의 몸과 마음은, 큰 짐 하나를 들어낸 것처럼 날듯이 가볍고 개운하였다. 단이에게 자신들을 위기에서 벗어나게 해주어 고맙다는 말도 잊지 않았다.

"아까, 우리는 많이 떨고 있었는데 단이는 무섭지 않았어?"하고, 석이랑 친구들이 아침나절에 있었던 일을 떠올리며 물었다.

"사실은, 많이 당황하고 무서웠어. 하지만 탐험대 대장으로 뽑아줬는데……."라고 하며 말끝을 얼버무렸다. 벼 이삭은 익을수록 고개를 숙인다는 말처럼, 단은 자신이 한 일에 대해 떠벌리지 않고 겸손했다.

"그럼, 대장이라는 책임감 때문에?"

"아니, 꼭 그런 건 아니고, 모두 종아리를 맞는다는 게 많이 걱정됐어."

"그렇다고, 모두 다 그런 용기를 낼 수는 없잖아?"

"시시비비(是是非非)를 가리고 이치를 따지려 들면 모난 돌이 정 맞는다는 말처럼 단이 혼자서 호되게 당할 수도 있었는데……."

"섬에서 사나운 짐승과 맞닥뜨린 일이나 폭풍우 속에서 죽을 고비를 넘기며, 나룻배의 물을 바가지로 퍼냈던 일이 생각나더라. 그때 너희들 얼굴도 떠오르고……."

"죽을 고비를 넘긴 일?"

"응, 그 일을 떠올리니 종아리 맞는 건 무섭지 않았어. 매듭을 맺은 사람이 풀어야 한다는 결자해지(結者解之)란 말도 떠오르고…."

"맞다, 맞다. 우리가 죽을 고비를 넘겼잖아."라고 하며, 아이들은 그저께 밤의 무서운 기억을 상기시키며 수군거렸다.

"그런 것도 있고, 또 너희들이 탐험대 대장으로 뽑아줬는데 탐험대 활동을 끝까지 책임지고 싶었어. 남아일언중천금(男兒一言重千金)이란 말도 있잖아."라고 하며, 단은 말을 끝맺었다. 소녀는 단의 말과 행동에서 달면 삼키고 쓰면 뱉으며 감탄고토(甘呑苦吐)하는 사람들과 달리, 한결같이 신의와 의리를 지키는 반듯한 친구라는 생각이 들었다.

아이들은 모두 자기들이 대장을 잘 뽑았다며 자화자찬(自畵自讚)하기도 하고, 위기를 모면해 속이 시원한지 큰 소리로 떠들며 놀았다. 아침나절 대청마루에서 어른들 앞에서 식은땀을 흘리며 긴장도 했고, 이틀간의 누적된 피로가 이제야 몰려오는지 구석에 앉아 하품하는 아이들도 보였다. 어떤 아이는 쪼그리고 앉아 잠깐 눈을 붙이기도 했다. 대청마루에서 속이 검게 타는 듯했던 아이들은, 언제 그런 일이 있었는지도 모르는 것처럼 천진난만해 보였다. 다들 원두막 널빤지 바닥에 드러눕기도 하며 잠시 쉬고 있을 때였다. 그때, 장마가 아직 끝나지 않아서 그런지 갑자기 먹구름이 몰려오더니, 가슴이 철렁하고 내려앉도록 천둥번개가 쳤다. 아이들은 모두 놀라서 겁을 잔뜩 집어먹은 것처럼 호들갑을 떨기도 했다. 다시 번개가 번쩍하고 지나가더니, 곧이어 천둥소리와 함께 장대비가 쏟아졌다. 모두 급히 원두막 처마 밑으로 들어가 비를 피했다. 서로 몸이 닿을 정도로 원두막 한가운데 쪽으로 다닥다닥 붙어서 둘러앉았다.

오던 비는 그치지 않고, 천둥소리와 벼락을 동반하며 계속해서 내렸다. 금방 그칠 비가 아닌 것 같았다. 한낮인데도 주변이 컴컴해지면서 비는 계속 내리고, 연못 위에는 거품이 둥둥 떠다녔다. 비가 올 때 수면이나 고인 물에 거품이 생기면, 그날은 비가 많이 온다는 어른들의 말이 떠올랐다. 오늘은 정말 많은 비가 내릴 것만 같았다. 천둥 벼락도 가끔 우르르 꽝꽝하고 쳐댔다. 번개가 칠 때 쇠붙이를 지니고 있으면 위험하다는 말을 어디서 들었는지, 아이들은 쇠붙이라는 쇠붙이는 모조리 구석으로 모아 멀찍이 쌓아놓았다. 윤택이는 윗옷에 쇠붙이 같은 것이 붙어 있어 뗄 수가 없다며, 겉옷을 벗어 구석에 멀리 던져놓기도 했다.

한편, 아이들이 원두막에서 비를 피하고 있을 때였다. 밭일을 마치고 지나가던 일꾼들이 좋은 소식이라도 있는 듯 손짓, 발짓은 물론이고, 웃음소리를 크게 내기도 하며 웅성거렸다. 마을 어른들이 그러는데 역병이 점점 사라지고 있다는 소리였다. 듣던 중 반가운 소식이었다. 발이 넓고 귀가 밝은 사람들은 이미 알고 있었으나 귀가 어두운 사람들은 세상이 어찌 돌아가는지도 모르고 지냈다. 아이들은 역병이 물러간다는 소문을 들으며 이제 자신들의 세상이 돌아온다는 것을 몸소 느끼게 되었다. 쥐구멍에도 볕 들 날이 있다고, 아무리 힘들고 어려운 처지더라도 좋은 날은 오게 마련이다. 인간만사 새옹지마(塞翁之馬)라는 고사성어도 떠올랐다. 역병이 물러나면 남은 여름방학도 더 알차게 보낼 수 있을 것 같았다. 여태껏 역병 때문에 마을 밖으로 자유롭게 나다니지 못했는데, 체험이나 채집활동도 맘껏 할 수 있다는 생각에 다들 들뜬 기분이 되었다.

지난해부터 발병하여 수도권을 중심으로 퍼져 내려오던 역병이, 잦아든다는 소문이 며칠 전부터 조금씩 돌고 있었다. 전국 각지를 차례로 혼란 속에 빠뜨렸던 지긋지긋한 역병이 정말 한풀 꺾이는 것 같았다. 인근 산 너머에 역병이 크게 창궐했던 지역에서도 산 위로 피어오르던 연기가 사라진 지 오래되었다. 역병이 할퀴고 간 대처는 사람들이 너도나도 죽어 나가고, 어느 지역은 폐허가 되기도 했다는 소문도 들렸다. 특히 인구가 밀집된 도회지의 피해는 상상을 초월할 정도였다. 사람들 간의 상거래는 멈췄고, 오가는 사람이 없으니 유령의 도시를 방불케 했다. 사람들은 근래에 그런 일이 없었는데 갑자기 발병한 역병을 두고, 악마의 소행이라고 여기는 사람들도 있었다.

역병에 대한 공포는 환자가 참혹하게 죽어 나가는 모습뿐만 아니라, 역병 자체에 대한 무지가 더욱 무서웠다. 감염병에 대한 마땅한 대응책을 찾지 못하고, 발병의 원인도 오리무중(五里霧中)이어서 사람들을 불안하게 만들었다. 최선의 처방은 역병이 발병하면 "빨리 떠나라. 최대한 멀리 가라. 그리고 될 수 있는 한 늦게 돌아와라."라고 권고하는 것이었다. 의학을 공부한 의원들조차, 너무나 비과학적인 상상에 맡겨 역병을 관리해야 할 정도였다. 실체가 없고 흔적이 없이 떠도는 병균에, 사람들이 다들 혼이 빠져서 놀아나는 꼴이었다. 역병을 막기 위해 할 수 있는 일이라고는 고작 통금을 실시하고, 발병한 집에 새끼줄을 쳐서 출입을 막고, 사람들이 서로 끼리끼리 만나지 못하게 하는 것이 전부였다. 사람이 적게 사는 시골로 피난 가라는 말도 떠돌아다녔다니 말이다. 감염병이 퍼지고 있었으나 원인을 모르는 끔찍한 결과 때문에, 엉뚱한 피해자도 여기저기 생겨났다. 사람들은 역병의 원인을 찾아내기 위해 고심했으나 그 실체를 파악하는 것은 거의 불가능했다. 역병이 잦아들고 있다고는 하지만 뚜렷한 치료 방법을 찾아내지 못하니, 불안은 여전히 가시지 않고 있었다. 사람들이 할 수 있는 일이라고는 고작 각 개인이 주변을 청결히 하고, 서로가 만나는 것을 줄이는 것이 최선이었다. 거리를 두어 생활하여 병균이 살지 못하게 하고, 옮기지 못하게 하는 것이 가장 좋은 예방법이라고 여겼다.

알다가도 모를 역병은 아무 기척도 없이 나타나 수수께끼처럼 온 나라를 혼란스럽게 하기도 했고, 사람들을 어리둥절하게 만들어놓기도 했다. 소리 소문도 없이 왔다가, 흔적도 실체도 없이 퍼져서 온 세상을 뒤집어놓았다. 그런 역병이 갑자기 또 온데간데없이 바람처럼 물러나고 있었다. 때때로 무모한 짓을 저지르기도 하는 인간들과 숨바꼭질하고 싶었던 것이었을까. 자연의 순리를 거스르고 함부로 환경을 오염시키는 사람들의 모습이 떠오르기도 했다. 이리 옮기고 저리 옮겨 다니더니, 결국 사람들이 서로 떨어져서 생활하여 병균이 옮겨 다닐 곳을 찾지 못하자, 점점 사라지는 것 같기도 했다. 사람이 이긴 것인지, 역병이 이긴 것인지 도무지 모를 지경이었다. 누가 이기고 진 것일까. 어쨌든 무서운 역병이 물러나고 있다니, 아이들은 두 손, 두 발 들고 환영할 일이었다.

세상은 달라지고 있었다. 감염병의 원인도 치료 방법도 불확실했으나 역병이 사라지게 되니, 사람들의 움직임은 활발해지고 삶의 열기도 뜨거워지는 느낌이 들었다. 마을 어귀 느티나무 아래에 통금을 위해 설치되었던 새끼줄도 치우고, 움막들도 모두 철거하였다. 오일장이 서는 날엔 읍내로 나들이 가는 사람들도 점점 늘어났다. 한동안 얼굴을 보지 못했던 친척들은 오랜만에 자연스러운 만남을 갖기도 했다. 모래톱 마을은 예전처럼 활기차게 움직였고, 사람들의 얼굴에도 화색이 돌았다. 아이들은 모처럼 찾아온 자유를 만끽할 준비를 하고 있었다.

역병이 물러간다는 좋은 소식을 들으며 아이들은 원두막에서 비를 피해 무엇을 할지 의논하였다. 지긋지긋한 역병이 사라진다니 아이들 얼굴은 까닭 없이 밝아지고, 행복한 미소가 번지는 것 같았다. 원두막에 둘러앉은 아이들은 수수께끼 놀이를 하자고 하였다. 한 사람이 수수께끼를 내면, 답을 맞힌 아이가 다시 수수께끼를 내는 놀이였다. 옛날부터 전해 내려오는 수수께끼들을 아이들은 많이 알고, 게임도 즐기며 놀았다. 가장 적게 답을 맞힌 사람이 벌칙으로 옥수수나 감자를 삶아서, 다음에 만날 때 나눠주기로 했다. 아이들은 여름방학을 맞아 원두막 같은 쉼터에서 수수께끼를 서로 주고받으며, 호호호 하하하 깔깔대며 즐거운 한때를 보내고 있었다. 전설의 섬에 탐험을 다녀온 아이들에게 수수께끼 같은 놀이는, 식은 죽 먹기보다 쉽고 즐거운 일이었다.

수수께끼 놀이가 끝나자, 소녀는 서울에 있을 때, 친구들과 가끔 했던 놀이라면서 날씨와 관련된 순우리말 퀴즈를 몇 개 더 내었다. 겨우 먼지가 날리지 않을 정도로 조금씩 내리는 비인 먼지잼이나 늦더위와 반대되는 말로 첫여름부터 일찍 오는 더위인 일더위, 햇볕이 나 있는 날 잠깐 오다가 그치는 비인 여우비 등 비나 더위에 관한 생소한 우리말도 있다고 알려주었다. 아이들은, 앞으로는 되도록 은어나 비속어 사용은 줄이고, 순우리말을 더 많이 사용하면 자연히 유익한 공부도 되겠다는 의견을 내기도 했다.

26화 무서운 이야기

역병이 물러가고 있다니
이보다 더 반가운 소식은 없었다.
하늘도 역병에 짓눌렸던 답답함을 견디다 못해
참았던 눈물을 쏟아내고 싶었던 것일까.
장대비는 그냥 지나가는 소나기가 아니었다.
하루 내내 억수로 퍼부었다.

원두막에 모인 아이들은, 우비가 없어 장대 같은 비를 맞으며 바로 집으로 갈 수도 없는 딱한 처지가 되었다. 수수께끼 놀이를 마치고, 비가 언제 그치느냐며 손으로 처마에 떨어지는 물을 받기도 하며 장난을 치는 아이들도 보였다. 웅덩이들에 물이 고이기 시작해서 그런지 맹꽁이 울음소리가 들려오기도 했다. 맹꽁이 울음소리에 짙은 먹구름까지 몰려오니, 아이들이 모여 있던 원두막은 왠지 <u>으스스한</u> 분위기가 되었다. 사소한 일들에 관심이 많았던 창의는 맹꽁이는 왜 비가 많이 내리는 날에 우는지 궁금해했다.

"맹꽁이는 장마철 웅덩이에서 산란하는데 그때 주로 '맹꽁맹꽁'하고 운단다."라고 소녀가 설명해주었다.

"맹꽁이들이 울면 '맹꽁맹꽁'하고 들리는데 그 울음소리가 특이해." 라고 하며, 아이들은 고개를 갸우뚱했다. 그러자 소녀는

"맹꽁이라는 이름은 특유한 울음소리 때문에 붙인 이름이래. 체험학습을 갔을 때 들은 얘긴데, 수컷들이 내는 소리라고 했어."

"어떻게 우는 거야?"

"응, 어떤 수컷이 '무엥 무엥'하고 울면, 다른 수컷이 옆에서 '꾸엥 꾸엥'하고 운대. 그러니까 한 마리가 우는 소리가 아니라 여러 마리가 서로 주고받으며 운다는 거야. 그 울음소리가 합쳐져서 '맹꽁맹꽁'으로 들린다는 거지."

"우아, 너무 신기해. 근데 왜 비가 내릴 때 주로 우는 거야?"

"맹꽁이는 흙을 파고 오랜 시간 동안 땅속에서 살아서 눈에 잘 띄지 않지. 장마철이 되면 비가 많이 내려 생기게 된 물웅덩이 안에 산란하게 되는데, 그 시기에 주로 맹꽁이 울음소리를 들을 수 있단다."

아이들은 모두 소녀의 얘기를 들으며 재밌다는 표정을 지었다.

"아하, 오늘 우연히 맹꽁이 공부도 했네. 우리는 시골에서 매년 맹꽁이 울음소리를 듣고 자랐는데 어찌 우는지는 잘 모르고 그냥 지냈구나."라며, 아이들은 모두 쑥스러운 듯이 소녀를 쳐다보았다.

사실 맹꽁이는 연중 땅속에 서식하며, 야간에 땅 위로 나와 포식 활동을 하고, 장마철이나 우기가 되면 물가에 모여 산란했다. 산란은 보통 밤에 하지만 비가 오거나 흐린 날씨에는 낮에도 수컷이 울음소리로 암컷을 유인했다. 이러한 습성으로 인해, 산란 시기 외에는 울음소리를 들을 수 없고, 눈에 잘 띄지도 않았다. 주로 서울, 경기, 경남 지역을 비롯해, 중국 북동부 지방에 분포했다. 한국에서는 멸종위기 야생생물 2급으로 지정되어 보호받고 있었다.

아이들이 맹꽁이에 관심을 기울이고 있을 때였다. 개구쟁이 석이가 맹꽁이 울음소리도 들리고 하니, 으스스한 분위기가 무서운 이야기를 하면 재미있을 것 같다고 했다. 그 말에 아이들이 모두 맞장구를 치자, 리솔이가 먼저 휴가지에서의 무서운 경험담을 들려주었다. 리솔이의 경험담이 끝나자, 기다렸다는 듯이 석이가 실화라며 무서운 얘기를 꺼냈다. 아이들은 좋아 죽겠다는 표정으로 석이 얼굴을 빤히 쳐다봤다. 하늘에서 좁쌀이 연달아 떨어지는 것처럼 원두막 천장을 때리며, 장대비는 계속 쏟아지고 있었다. 내리는 빗물 사이로 오싹한 느낌을 들게 하는, 맹꽁이 울음소리와 천둥 번개 치는 소리만 번갈아 들려왔다. 석이는 뜸을 들이다가 분위기를 잡더니, 무서운 이야기를 하기 시작했다.

"옛날에 전깃불이 들어오지 않았을 때는 해거름이 짙어지면 마을에는 불빛이 사라졌대. 특히 그믐날 밤에는 온 천지가 칠흑 같은 밤이 되었는데, 그때 어떤 아이가 해거름에 부모님 심부름을 했어. 엄마는 아이에게 학교 뒷산에 있는 옥수수밭에 가서, 삶아 먹을 옥수수를 몇 개 따서 자루에 넣어오라고 했대."

"거기, 망부석 있는 곳 아냐?"라고 하며, 아이들은 귀를 쫑긋하여 듣고 있었다.

"혼자서? 그 무서운 곳으로?"

"응, 혼자서. 그날은 그믐날 저녁이었어. 아직 한여름이고 서산에 석양이 걸려 있길래, 빨리 다녀오면 될 것 같아서, 아이는 뛰어서 곧장 옥수수밭으로 갔어. 학교를 지나 대나무 숲이 있는 뒷산으로 막 올라가려고 할 때, 갑자기 하늘이 컴컴해지더니 비가 한두 방울 머리에 떨어지는 거야. 아이는 조금만 더 가면 옥수수밭이고, 옥수수 몇 개를 따는데 그렇게 많은 시간이 걸리는 것도 아니어서, 그냥 뛰어서 옥수수밭으로 올라갔어."

이야기를 맛깔나게 하던 석이는, 아이들의 반응을 슬쩍 살피더니 긴장감이 넘치는 공포 분위기로 몰고 갔다.

"점점 빗방울이 굵어지고 소나기가 세차게 내리더니, 밭에 거의 다다랐을 때는 밭의 언덕과 언덕 사이 도랑에서 물이 넘쳐 콸콸 흐를 정도였어. 아이는 옥수수를 따다가 이제 몇 개만 더 따서 자루에 넣으면 될 것 같아, 한두 개를 더 따러 옆에 있는 밭으로 갔어. 그때, 다시 천둥 번개가 우르르 쾅쾅 치며 섬광이 눈앞에서 번쩍이는 거야. 해는 서쪽으로 넘어가지도 않았는데 꼭 밤처럼 캄캄했어. 그러다가 시간이 조금 지나고 어찌하다 보니, 진짜 석양이 서산으로 넘어가 버린 거야."

"온 사방이 컴컴하고 장대비는 쏟아지고 어쩌지. 그 아이 큰일 났네." 라고 하며, 아이들은 이야기에 푹 빠졌다. 무서운 이야기에 흥미가 있었던지 다들 맞장구를 치며, 석이 얼굴만 빤히 쳐다봤다.

"지금과 같은 장대비가 캄캄한 밤에 내렸으니 얼마나 아이가 무서웠겠어. 그리고 학교 뒷산을 쭉 따라 올라가면 망부석이 있는 무서운 산 중턱이잖아. 아이는 엄마 말을 잘 듣는 아이여서, 옥수수를 몇 개만 더 따면 될 것 같았지. 욕심이 생기기도 해, 한두 개를 더 따려고 언덕 옆 도랑 쪽으로 다시 이동했어. 옥수숫대를 잡고 큰 옥수수 하나를 따려는 순간, 그 옥수수를 아이 뒤에서 검은 망토를 걸친 시커먼 손이 덥석 잡는 거야. 아이는 놀라서 시커먼 손을 뿌리치고, 옥수수자루를 매고 달리기 시작했어. 밭 근처는 이미 어둠이 내려앉았고, 장대비로 눈앞이 잘 보이지도 않았지. 근처에서 어떤 소리가 난 것 같은데 무슨 소린지 잘 들리지도 않았어. 컴컴한 그믐날 밤에 장대비 사이로 아이가 언덕 밑으로 달리는데, 안개인지 구름인지 모를 운무가 흘러가기도 하니 앞이 보일 리가 없잖아. 온 힘을 다해 달리는 사이 '우르르 쾅쾅쾅' 벼락 치는 소리에 놀란 아이는, 바지에 그만 오줌까지 싸버린 거야. 그런데 온몸이 비에 젖었으니, 옷에 오줌을 싼 표시도 나지 않았어."

"아하, 그 아이 진짜 무서웠겠다. 아이고 추워. 얘들아? 내 팔 좀 봐. 소름이 돋았어."라고 하며, 아이들은 이야기 속에 푹 빠져 얼굴을 찡그리며 겁에 질려 있었다. 그런 아이들을 보며 고소하고 통쾌하다는 듯이 석이는 음흉한 미소를 지으며, 능청스럽게 무서운 이야기를 이어서 했다.

"그때, 아이가 빗속으로 달려 내려가는데 자꾸 뒤에서 누가 부르는 소리가 들렸어. 아이가 고개를 갑자기 돌려 뒤돌아보니, 시커먼 갑빠 같은 것을 입은 검은 망토를 걸친 괴물이 뒤쫓아오는 거야. 아이를 부르는 소리 같기도 하고, '거기 서!'라는 호통치는 소리처럼 들리기도 했어. 아이는 놀라서 더 세게 달리다가 미끄러져 그만 도랑에 빠져버린 거야. 급히 일어나 학교 대나무 숲을 지나쳐 내려오는데, 그 언덕길이 한강수가 된 것처럼 길바닥에도 흙탕물이 쏟아져 내려오고 있었어. 아이의 고무신은 비에 젖어 땟국물이 신 밖으로 나와 꼭 벗겨질 것 같았지."라고 하며, 석이는 이야기를 잠깐 멈췄다.

그때 옆을 바라보니, 한여름 장대비는 그칠 줄 모르고 쏟아져 하천물도 흙탕물로 변하고, 과수원의 수박이나 참외는 물속에 잠기는 것 같았다. 과수원과 원두막 주변은 거의 깊은 밤이 된 것처럼 어둠이 깔렸다. 아이들은 아우성을 지르며, 석이에게 빨리 이야기해달라고 조르기도 하고 온갖 난리를 떨었다. 석이는 잠깐 뜸을 들이더니, 다시 무서운 이야기를 이어서 들려주었다.

"아이가 새까맣게 보이는 학교 교문을 돌아 내달려 뒤쫓아오는 물체와 거리를 상당히 벌렸는데, 비탈길에서 그만 미끄러져 고무신이 벗겨져 버린 거야. 벗겨진 신발은 공교롭게 넘치는 도랑물에 빠져버렸어. 그 고무신이 둥둥 떠내려가서 큰일이 난거지. 겁에 질린 아이는 고무신 한 짝이 떠내려가는 걸 봤지만 뒤쫓아오는 검은 망토를 걸친 괴물 때문에 못 줍고 다시 뛰기 시작했어. 잠깐 고무신을 손에 쥐려고 하는 사이에, 검은 망토를 걸친 괴물은 장대비 속으로 아이 눈에 보일 정도로 가깝게 쫓아왔어. 꼭 뮤지컬 오페라의 유령에 나오는 검은 망토를 걸친 유령 같았어. 겁이 난 아이가 뒤돌아보는 순간, 검은 망토를 입은 유령이 손을 쭉 뻗어 아이를 낚아채려고 했어."

"우아! 너무 무섭다. 그 아이 또 오줌 싼 건 아니지? 그 아이 기절한 거 아냐? 빨리 얘기해 줘."라고 하며, 석이의 얘기를 빨리 듣고 싶다며 아이들은 너도나도 아우성을 질렀다. 원두막 연못가에 내리고 있는 장대비와 컴컴한 분위기 때문에, 아이들은 무서운 이야기에 더욱 스릴과 공포감을 느끼며, 깊이 빨려 들어가고 있었다. 소녀와 리솔이는 서로 두 손을 꼭 붙잡고 부둥켜안고 벌벌 떨며 듣고 있는 것 같았다. 창의는 겁에 질려 있던 여자애들을 보더니 겁쟁이라고 놀렸으나 겁이 많기는 그도 오십보백보(五十步百步)인 아이였다. 석이는 아이들에게 지금 들려줄 부분이 중요한 이야기니, 잘 들어 보라며 잠시 뜸을 들이다가 이야기를 이어 갔다.

"그 아이가 고무신 한 짝을 잃어버린 것도 깜박 잊고, 달리고 달려 조금만 더 가면 자기 집이 나오는 길모퉁이를 내달리고 있었어. 장대비도 내리고 컴컴한 밤이어서, 이제는 누가 누군지 옆에 있어도 분간이 힘들 정도였어. 가로등도 없고, 칠흑 같은 밤이었으니까. 아이가 담쟁이넝쿨이 무성한 담벼락을 돌아, 조금만 더 가면 자기 집 대문이 나오는 곳까지 왔어. 아이는 있는 힘, 없는 힘 다 내어 달리고 달려, 이제 집에 다 왔구나 하고, '엄마!'하고 부르며 자기 집 대문을 열려고 막 문고리를 잡았어. 그때, 아까 옥수숫대에서 옥수수를 따려고 잡았을 때 봤던 그 시커먼 손이 아이 손을 떡 낚아채는 거야. 아이가 얼마나 놀랐겠어? 아이는 다시 바짓가랑이에 오줌을 싸는 느낌이 들 정도였으니까."
라며 또 뜸을 들였다.

아이들은 깔깔대며 웃기도 하고, 겁에 질린 아이가 불쌍하다는 시늉
을 하며

"그 아이 어쩌나? 잡혀가는 거 아냐?"라고 하며, 이야기가 어떻게 전
개될지 무척 궁금한 듯이, 석이 입만 빤히 쳐다봤다. 소녀와 리솔이는
아직도 부둥켜안고, 귀만 쫑긋하게 해서 얘기를 듣고 있는 모습이 겁
에 잔뜩 질린 표정이었다.

석이는 이야기를 더 해달라는 아이들의 눈빛을 즐기기라도 하듯

"이제 이야기 그만할래…."라고 하며, 하던 이야기를 갑자기 멈춰버
렸다. 그러고는 주섬주섬 자기 물건을 챙기더니

"비를 맞고라도 집에 갈래."라고 농담으로 말하며, 짓궂은 표정으로
자리에서 일어서려고 했다. 아이들은 흥미진진하게 전개되던 이야기
가 갑자기 중단되어, 김이 샌 표정으로 석이를 쳐다봤다. 아이들은 가
지 말라고 어르기도 하고 달랬지만 석이는 엎드려 절받는 걸 즐기는 듯
했다. 기가 막힐 노릇이었다. 그때, 귀가 얇은 윤택이가 불쑥 나섰다.

"아닌 밤중에 홍두깨도 유분수지, 자다가 봉창 두드리지 마라."며, 약
간 성질이 난 듯 한마디 쏘아붙였다. 그러면서 그냥 가면 안 된다고 하
며, 석이의 바짓가랑이를 붙잡고 늘어졌다. 석이는 바지가 벗겨져 엉덩
이가 보일 정도로 되니, 그제야 알았다며 다시 제자리에 돌아와 앉았
다. 그러고는

"너희들도 무서운 이야기 해줘야 해."라고 하며, 아이들의 약속을 받
아내고는 한숨 돌리더니 이야기를 또 시작했다.

"아까, 어디까지 얘기했더라. 문고리를 잡는 순간까지 얘기했지?"

"응, 맞아, 아이가 문고리를 잡는 순간, 옥수숫대를 잡았던 그 시커먼 손이 아이 손을 덥석 잡았다고 했어."라고 하며, 아이들이 이야기 줄거리를 더 잘 기억하고 있었다. 공부와 달리, 무서운 이야기에는 아이들의 집중력도 대단하였다. 공부를 그렇게 했으면 일등을 하고도 남았을 텐데….

석이의 무서운 이야기는 멈출 기미를 보이지 않고, 억수로 내리는 장대비와 함께 얘기는 계속 이어졌다.

"급하게 달려서 내려오다가 고무신 한 짝도 잃어버리고, 자기 집 대문에서 문고리를 잡고, '엄마!'하고 부르는데 시커먼 물체가 달려와 문고리 잡은 아이 손을 덥석 낚아챘어. 아이는 반사적으로 뒤돌아봤어. 시커먼 망토를 걸친 유령이 자기 손을 잡고 서 있는 거야. 저승사자가 따로 없었어. 아이는 대문 안에까지 소리가 들릴 정도로 크게 고함을 치며, '엄마!'하고 또다시 외쳤어. 그랬더니 아이 손을 잡은 이상한 검은 망토가 말했어."

"뭐, 뭐라고 했는데?"라고 하며, 귀를 쫑긋 세워 이야기를 듣고 있던 아이들은 또 석이 입만 쳐다봤다. 애들을 보더니 석이가 시커먼 손이 했던 말을 했다.

"검은 망토는 '왜? 엄마 여기 있다!'라고 하며, 아이 귀에 대고 더 큰 소리로 고함을 쳤어. 아이는 그 소리에 놀라 이제 바짓가랑이에 오줌을 싼 것도 모자라, 그만 기절을 해버린 거야. 시커먼 손을 가진 검은 망토는 아이를 둘러업고 집 안으로 들어갔어. 아이를 마루에 천천히 눕히고, 기절한 아이를 흔들어 깨우는 거야. 잠시 뒤에 아이가 눈을 떴어.

아이가 눈을 떠보니 시커먼 옷을 입은 사람이 자신을 내려다보고 있는 거야. 기절했다가 눈을 살며시 떴는데, 그 순간 검은 망토와 시선이 딱 마주친 거야. 자라 보고 놀란 가슴 솥뚜껑 보고 놀란다더니 그 사람 얼굴도 못 알아보고 한 번 더 기절해버린 거야."라고 하며, 이야기를 끝맺으려고 했다.

"그래서, 그래서 어찌 됐어? 어찌 됐냐고?"라고 하며, 아이들은 이야기해달라고 하며, 젖 달라고 우는 어린애들처럼 계속 보챘다.

그러자 석이는

"잘 들어봐. 그 시커먼 검은 망토를 걸친 유령은 누구였겠어?"라고 하며, 아이들에게 답을 맞혀보라고 했다. 아이들은 모두 놀란 토끼 눈을 하고 어리둥절하여, 서로 누구냐고 묻기도 했다. 그러는 사이 장대비는 잠시 멈추는 듯하더니 다시 쏟아져 내렸다. 아이들은 이런저런 대답을 했다. 망부석의 혼령이라거나 그믐날 밤에 나오는 도깨비라는 대답도 나왔다. 석이는 "그게 누구냐면?"이라고 하더니 힌트를 주었다.

"아이를 쫓아온 그 시커먼 망토를 걸친 유령의 손에는, 아이의 잃어버린 고무신 한 짝이 들려 있었어. 아이가 신고 있었던 고무신을 벗겨, 자신이 들고 있던 고무신과 나란히 하여, 마루 밑 주춧돌에 세워놓았어."

그런 후, 또 아이들을 물끄러미 쳐다보며 답을 해보라고 했다.

"……."

아이들은 묵묵부답(黙黙不答)이었다. 어리둥절하여 서로 쳐다보며 아무도 대답하지 못했다. 침묵만 흐르고, 모두 석이 얼굴만 뚫어져라 쳐다봤다. 답답하다는 듯한 표정을 짓던 석이는, 싱긋이 웃으며 아이들을 쳐다보더니 고소하다는 듯이 답을 알려줬다.

"그 시커먼 망토를 걸친 사람은, 바로 아이의 엄마였어."라고 했다. 그러자 아이들은

"에이, 뭐야? 아이 엄마가 옥수수밭에까지 따라갔었던 거야?"라고 하며, 다들 깔깔대며 박장대소(拍掌大笑)를 하였다. 소녀와 리솔이는 부둥켜안고 있던 팔을 풀고, 재미있기도 하고 무서웠다며, 얘기의 갑작스러운 반전에 배꼽이 빠지게 한참을 웃었다. 즐거워하는 아이들을 보며 석이는 "호랑이에게 물려가도 정신만 차리면 산다."라는 속담을 들먹이며, 전설의 섬 탐험대 활동에 교훈이 되는 말로 이야기를 끝맺었다. 무더운 한여름날에 이보다 더 좋은 피서가 또 있을까. 평소 아이들이 무서운 이야기에 열광하며 매달리는 까닭은 많았다. 태양이 내리쬐는 한낮을 눈 깜짝할 사이에 건너뛰며 피서도 즐기고, 긴 장마로 지루해진 일상을 무서움과 공포에 몰입하여, 상상의 나래를 펼치는 재미가 솔솔했기 때문이었다. 아이들은 엉덩이가 무거워서 그런지 꼼짝하지도 않은 채 얘기를 끝까지 듣고 있었다.

한 시간 이상이나 장대비가 쏟아져 내리더니, 주변의 논이나 과수원이 모두 물에 잠길 것처럼 보였다. 또, 갑자기 내린 강물이 불어나면서 원두막으로 건너오는 다리도 강물에 잠겨버릴 것만 같았다. 아이들은 무서운 얘기를 하다가 말고, 짐을 주섬주섬 챙기기 시작했다. 예전에도 장마가 지면 하루아침에 강물이 불어나서 들녘에 곡식이 흙탕물에다 잠기고, 아침에 눈을 떠보면 그 강물이 어느새 마을 입구까지 불어나 있었던 적도 있었다. 아이들은 원두막에서 내려와 마을로 급히 달려

가야 했다. 어른들께 빨리 알려드려야 했다. 부모님들께서 자식 키우듯 애지중지(愛之重之) 피땀 흘려 다 지어놓은 농사가, 물에 잠겨버릴 것만 같았기 때문이었다. 모래톱 마을이 다시 큰 시름에 빠지지 않도록, 강물이 불어나 다 지어놓은 농작물을 덮친다고 급히 알려야 했다. 미리 우비도 준비하지 못한 아이들은 모두 서둘러 장대비를 맞으며, 마을 쪽으로 빠르게 달리기 시작했다.

27화 실종자는 누구인가

모래톱 아이들은
자신들을 바라보는 어른들의 달갑지 않은 눈초리와
그로 인한 두려움도 알고 있었다.
소녀와 아이들은 주변의 시선에 휘둘리지 않고,
스스로 옳다고 생각한 일을 해나갈 수 있는
"자기 신뢰"의 힘과 용기를 보여 주었다.

모래톱 아이들은 자신들의 행위가 마을의 관습이나 전통에 대항하는 일탈이며, 어쩌면 도전으로 비칠 수도 있다는 것을 충분히 이해하고 있었다. 아무것도 모르는 철부지들이 아니었다. 소녀는 다가오는 모든 생생한 위기를 비겁하게 피하지 않고, 당당하게 마주할 수 있는 용기와 자기 내적인 힘을 신뢰하고 있는 것 같았다. 성숙이나 성장이 멈춘 사람들이나 현실에 안주하고 타협에 익숙한 사람들은 도저히 흉내 낼 수 없는 일들을, 아이들은 너무나 자연스럽게 헤쳐 나아가고 있었다.

장기간 사람들의 일상생활에 심각한 혼란을 주었던 역병은 점차 물러나고, 모든 것들이 정상화되어 가는 것 같았다. 모래톱 아이들은 소녀의 도움으로 그들의 모험심을 더욱 확장하고 있었다. 마을을 짓눌러왔던 의문들을 양파껍질 벗기듯이 하나씩 벗기며, 전설의 섬의 신비스러운 정체에 한 발짝, 한 발짝 다가가고 있었다. 아이들은 신비의 섬 탐사 활동과 별장이 있는 섬에서 들었던 이야기를 바탕으로 체험보고서를 작성하여 방학 과제로 제출할 작정이었다. 탐험대에 참가했던 아이들은 이제껏 각자가 수집한 자료들을 가지고 강나루 쉼터에 모이기로 했다. 구슬이 서 말이라도 꿰어야 보배라고, 아이들 각자가 수집하여 뿔뿔이 흩어져 있었던 자료들을 취합하여 하나로 정리할 필요가 있었다.

소녀와 단이는 사진관에 맡겨 둔 카메라 필름에서 인화한 사진들을 가져왔다. 리솔이는 자신이 본 것을 수시로 스케치하여 정리한 그림들을 준비해서 모임에 나왔다. 석이는 주로 망원경으로 관찰하기도 했던 것들을 정리했고, 윤택이와 창의는 자신들이 보고 들은 것을 떠올려서 적은 메모지를 가지고 모임 장소에 나타났다. 티끌 모아 태산이라더니 대원들이 모아 온 자료들은 옹골찼다.

　탐험 대원들은 각자의 역할을 잘 수행하여 기록으로 남긴 자료들을 바탕으로, 전설의 섬의 실체를 확인하려고 맘먹었다. 아이들은 보고 듣고 느낀 것을 잘 정리해두어, 전설의 섬에 대해 궁금했던 점들을 서로 묻고 답하며 토의하기에 무리가 없었다. 탐험대가 전설의 섬으로 탐사를 떠나기 전에 주로 관심을 가졌던 의문점을 중심으로, 조사 활동에 박차를 가하기 위해 이야기를 나누었다.

　"탐험대가 떠날 때, 전설의 섬에 대해 우리가 주로 의문을 가졌던 것은 도깨비불, 사람의 흔적, 동굴 속의 괴상한 울림을 비롯하여, 소녀의 귀에 이상한 목소리가 자주 들렸었던 것과 망부석이 있는 언덕에서 촬영한 사진 속에 불가사의한 형체가 흐릿하게 찍혀 있었던 것이었어."라고, 단이가 탐험대 아이들의 주요 관심사들을 정리해서 말했다.

　"도깨비불은 사람을 닮은 짐승이 해산물을 익혀서 먹을 때 새어 나온 불빛이라고 다들 생각하는지……."라고 소녀가 말하자, 아이들은 모두 그렇다고 얘기했다.
　"사람의 흔적이나 동굴 속의 괴상한 소리는 모두 탐사를 통해 확인했잖아. 아마도 사람을 닮은 짐승의 소행이라고 생각하는데 다른 의견이 있는지 궁금해."라고 단이가 말했다.
　"어쨌든 전설의 섬에 생명체가 존재한다는 것을 확인했고, 괴상한 소리도 그 생명체가 동굴 속에서 포효하듯이 괴성을 질러, 울려서 나온 소리라고 봐도 될까?"라고 하며, 소녀가 단의 생각에 덧붙여 말했다.

다른 아이들도 고개를 끄덕였다.

짐승의 생김새에 대해서는 사진이나 스케치한 것을 바탕으로 추리하기로 했다. 리솔이가 주로 스케치했는데 그림을 참고하면서 설명했다.

"우선, 우리가 본 짐승은 사람처럼 두 발로 서서 이동했어. 머리, 가슴, 팔다리가 사람의 모습과 매우 흡사했고. 얼굴 부분이 털로 덮여있었기 때문에 귀, 눈, 입, 코 등 이목구비(耳目口鼻)가 잘 보이지는 않았지만 각 기관의 기능은 사람과 비슷한 것 같았어. 우리가 도망칠 때 따라오는 동작이나 고함치고, 귀로 듣고, 눈으로 확인하는 것이 가능했던 것 같았어."라고 일목요연(一目瞭然)하게 정리해주었다. 리솔이의 말을 듣고 있던 석이가 궁금한 것이 있다는 표정으로 물었다.

"그럼, 그 짐승을 사람으로 봐야 할지, 아니면 오랑우탄 같은 짐승으로 봐야 할지 궁금해."

"짐승의 모습이 오랑우탄과 닮기는 했으나 오랑우탄이라는 동물의 분포지는 적도 부근에 국한되어 있잖아. 그곳의 자연유산으로도 지정되어 있다고 하니, 전설의 섬에 오랑우탄이 사는 것은 아닐 것 같아."라고 소녀가 말했다.

"전설의 섬 앞바다에서 오래전에 마을 사람들의 사고가 났을 때 모두 시신으로 발견되었다고 했잖아. 그 사고에서 한 명은 실종으로 처리되었다고 하니, 짐승이 그 일과 연관이 있을까?"라고 하며, 단이가 평소 궁금하게 생각했던 것을 물었다.

아이들은 별장지기와 해녀들의 회상을 떠올리며 말했다.

"아마도, 그때 실종자가 며칠 전에 우리가 봤던 생존자일 수도 있지 않을까?"

"그럴 가능성이 없지는 않지. 그런데 왜, 그가 그곳에 아직도 남아 있어야 하는지 이해가 안 되네."라고 단이가 말했다.

"만약, 그 짐승이 실종자라면 그는 자기 고향인 모래톱 마을을 분명 알고 있었을 테니, 어떻게든 찾아왔어야 했어. 그런데 전설의 섬에서 수십 년을 혼자서 지내고 있었다니 도무지 이해가 안 되는 거야."라고 하며, 소녀가 말을 이었다.

"하지만 또 다른 가정도 가능할 것 같아. 예를 들면 실종되었을 때, 어떤 충격 때문에 기억 상실 상태로 되었거나 동굴 속으로 피신하면서, 큰 부상으로 장기간 움직일 수 없어, 말도 글도 모두 망각한 상태로 되었을 수도 있지 않을까?"

소녀는 짐승이 수십 년간 전설의 섬에 있게 된 것을, 논리적으로 여러 가능성을 염두에 두고 나름대로 정리하며 추리하였다. 소녀의 말을 듣고 있던 아이들은 섬에서 본 짐승이 실종자이고, 그 실종자는 곧 섬 주변 사고 해역의 생존자가 될 가능성이 전혀 없는 것은 아니라는데 다들 동의하는 눈치였다. 탐험대 아이들은, 희박하지만 단 몇 퍼센트라도 실종자가 생존자일 가능성은 있다고 보는 것 같았다.

이제 탐험대는 실종자가 생존자인지를 증명하는 구체적인 자료를 확보하는 것이 필요했다. 뜬소문이나 막연한 상상에 의존하는 것이 아니라 누구도 부인할 수 없는 기록상의 증거 같은 것을 찾는 일이 절실했다. 소녀의 귀에 들린다는 "도와주세요! 도와주세요!"라는 말이나 망부석 부근에서 밤에 찍은 사진에서 어떤 형체가 보였던 것은, 혼령과 관련되는 영적인 부분인 것 같아서 확신할 수 없다는 의견이 많았다. 생존자가 있다면 어떤 루트를 통해서든 자신의 생존 사실을 알리려고 했

을 것이며, 그런 것이 혼령이나 영적인 작용을 통해 전달될 수도 있는
지는 의문이었다. 아직 과학적으로 입증되거나 명확히 눈으로 확인된
적은 없었으나 공공연히 소문으로 떠돌기도 하는 얘기들이 아이들 사
이에 오가기도 했다. 아이들은 어두운 밤에 그런 영혼들이 떠돌아다닐
지도 모른다고 생각하기도 했다. 사람들이 밤길을 걸을 때, 가끔 등골
이 오싹해지거나 소름이 돋으며 식은땀도 흘리는 것은, 아마도 그런 것
들과 연관이 있는 것은 아닌가 하고 의문을 품기도 하였다.

　　탐험대 아이들은 우선 실종자가 누구였는지 밝혀내야만 했다. 그 일
이 무엇보다 급선무였다. 마을 어른들은 의문에 답해주지 않고, 물어보
는 것도 금하고 있으니, 스스로 알아내어야 했다. 그 당시 섬 주변 해역
에서 실종되었다면, 그 실종자가 생존할 확률은 얼마나 되는지, 그러한
자료도 확보할 필요가 있었다. 어른들은 전해 내려오는 미신을 신봉했
으나 아이들은 눈으로 확인하고 입증할 수 있는 과학을 지지하는 편이
었다. 서로의 생각에 현격한 차이가 있었다. 탐험대는 그 차이를 논리
적이고 과학적인 증명으로 극복해나가고 싶었다. 막무가내로 억지를
부리거나 근거 없이 우길 생각은 털끝만큼도 없었다. 아이들은 그 일
을 조용히 진행해야 했으므로 소녀와 단에게 맡기기로 무인도에서 약
속했었다. 우물을 파도 한 우물만 파라는 말이 있듯이 우선 신문 자료
에 집중해 조사해야 했다. 당장 조사할 것들이 복잡하게 널려있어 머리
가 혼란스러웠으며, 두 마리 토끼를 다 잡을 수는 없는 법이니까. 소녀
와 단은 역병도 사라졌으니 읍내에 있는 도서관을 방문하여, 그 당시
의 신문을 열람해보기로 했다. 아이들은 모두 헤어지고, 소녀와 단은
같이 강나루 쪽으로 걸어오다가 갈림길에서 헤어졌다. 둘은 다음날 읍

내 도서관에 함께 가기로 약속했다.

　탐험대 아이들은 반세기 전, 전설의 섬 해역에서 있었던 사고의 진실은 무엇이며, 실종자는 과연 누구인지 몹시 궁금했다. 또 그 진실을 꼭 알고 싶었다. 아이들은 아이들이었다. "눈이 내리는 날 결코 눈덩이를 던져보고 싶은 충동이 생기지 않으면, 당신은 노화의 손아귀에 꽉 붙잡힌 것이다."라고 누군가가 했던 말이 떠올랐다. 어른들이었으면 실행하기 어렵고, 할 마음도 생기지도 않았을 일인데, 자라나는 아이들이니까 궁금증과 호기심이 발동한 것일까. 물 들어올 때 노 젓는다고 좋은 기회를 놓치지 않고, 다음 날 바로 도서관을 방문하여 소녀와 단은 조사 활동을 행동으로 옮겼다.

　먼저, 그 당시 사고 해역 수색과 관련한 실종자의 신상을 신문 기사에서 찾아보기로 했다. 소녀와 단은 열서너 살의 아이들이었지만 매사에 총명하고 지혜로웠으며, 그 영특함은 중고생들을 뺨칠 정도였다. 나이가 들어도 천둥벌거숭이처럼 철이 들지 않고 지내는 아이들도 흔히 볼 수 있다. 같은 또래들이라도 아이들은 무엇에 관심을 가지느냐에 따라, 서로 다를 수도 있다는 사실을 소녀와 단은 수시로 증명해 보였다.

　어른들은 자신들이 아는 것만큼, 또 알고 싶은 것만큼만 보고 믿는 경향이 있다. 어른들의 잣대로 아이들을 재단하기도 하고 가두려고도 하지만, 아이들의 본성과 타고난 재능은 천차만별(千差萬別)이다. 도서관에 도착한 소녀와 단은 지난 신문들을 연대별로 열람하기 시작했다. 누렇게 색이 변하고 먼지가 쌓인 오래된 신문지 철을, 몇 개씩 꺼내와서 조심스럽게 넘겨보았다. 전설의 섬 주변 해역에서 사고가 일어난 때가 여름철이라고 했으니, 날짜별로 한 장씩 넘겨보며 사고 기사를 찾아내어야만 했다.

마침내 도서관 간행물실에서 사고와 관련된 기사가 있는 신문지 철을 찾았다. 그 당시 신문에는, 물살이 센 섬 주변 사고 해역에서 조업하던 멸치잡이 어선에서 7명이 사고를 당하였고, 그중에 2명이 구조되었으며, 나머지 5명은 실종되었다고 실려 있었다. 그리고 한 주 뒤의 기사를 또 찾아보니, 사고 해역에서 5명의 실종자 중 4명의 시신이 발견되었다는 기사도 보였다. 소녀는 주요 기사를 카메라로 찍었다. 나머지 한 명은 생사가 불투명하며 실종 상태라고만 되어 있었다. 사고 해역의 해저지형이나 물살의 세기 등을 미뤄볼 때, 실종자의 생존 가능성은 희박하다는 지적도 있었다. 어쨌든 당시 신문 기사를 통해 사고의 진실을 소녀와 단은 확인할 수 있었다.

이제 남은 일은 실종자의 신상을 파악해야만 했다. 신문 기사에는 실종자는 "남성, 28세, 목모 씨"라고만 되어 있었다. 지금부터 40여 년이 지났으니 만약 실종자가 생존하고 있다면 나이는 대략 70대 중반쯤 될 것 같았다. 소녀는 실종자의 나이를 확인하더니 외할아버지와 비슷한 연세라고 하며, 과연 목모 씨라는 분이 누굴까 궁금해했다. 옆에서 듣고 있던 단은, 자기 할아버지께서도 살아계셨다면 그 정도 연세가 될 거라고 하며, 옛날에 일찍 돌아가셨다고 했다. 할머니께서 자세한 이야기를 해주지 않으시니 기억에 희미하긴 하지만 아마도 전사했다고 들은 것 같다고 했다.

소녀와 단은 도서관에서 자료를 찾는다고 시간을 많이 보내었다. 시계를 보니 도서관 간행물실 폐관 시간이 점점 다가오고 있었다. 둘은 나룻배를 타고 마을로 돌아가야 했으므로 급히 도서관을 빠져나왔다. 신문을 통해 확인한 것은, 사고는 약 반세기 전에 발생했고, 일곱 명이 사고를 당하여 두 명이 구조되었으며, 다섯 명이 실종 상태였으나 사고로부터 여드레째 되는 날, 네 구의 시신이 발견되었다는 사실이었다. 나머지 실종자 한 명의 생사는 불투명하였으며, 신원 파악을 해보니, 그 당시 28세 남성이었는데 성이 목 씨로 판명되었다. 두 아이는 조사한 자료를 챙겨서 읍내 재래시장으로 나왔다. 점심 식사를 굶었기 때문에 배가 출출하여 간단한 요기를 하고, 나루터 선착장으로 갈 요량이었다.

도서관 앞 읍내 시장에서 아이들은 떡볶이와 라면을 시켜서 먹고 나왔다. 읍내의 조금 넓은 신작로를 걸어가는 길에, 파리만 날리고 있는 가게에서 소녀가 달고나 뽑기를 하자고 했다. 참새가 방앗간을 그냥 지나치랴. 아이들은 지나는 길에 달콤한 달고나 냄새가 코를 자극하자, 각자 하나씩 달고나 뽑기를 하며 시간을 지체하게 되었다. 시간 가는 줄도 모르고 달고나 뽑기에 빠져 있던 사이에, 마을로 들어가는 마지막 나룻배는 선착장을 출발하여 강을 건너가고 있었다. 도서관에서 늦게까지 자료를 찾고 잠깐 요기도 하는 간발의 차로, 그만 마을로 돌아가는 마지막 배를 놓치고 말았다. 둘은 마을의 맞은편 강나루에서 나룻배를 향해 고함을 치며 뱃사공을 불렀으나 닭 쫓던 개 지붕 쳐다보는 격이었다. 나룻배는 가던 방향 그대로 유유히 떠나가고 있었다.

배를 놓친 두 아이는 마을로 돌아갈 일을 생각하니 한숨만 나왔다. 한

여름이라 태양이 서산 너머로 떨어질 시간은 아직 남아 있었으나 서두르지 않으면 산길을 가다가 곤경에 처할 수도 있다는 건 불을 보듯 뻔했다. 소녀와 단은 정리한 자료들을 가방에 넣어 어깨 위에 단단히 매었다. 강 상류로 거슬러 올라가, 산기슭을 돌아서 마을로 들어갈 작정이었다. 아마도 지금 출발하면 초저녁쯤 되어서 마을에 도착할지도 몰랐다. 가는 길에 산짐승이라도 만나거나 하면, 피해서 가야 하니 더 늦어질 수도 있는 난감한 처지였다. 단은 가는 길을 몇 번 다녀봐서 밤길을 잘 알고 있었다. 소녀는 밤길이 초행길이라 걱정이 태산 같았다.

28화 Over the Rainbow

소녀와 단은
읍내 도서관을 찾았다가
마을로 떠나는 마지막 나룻배를 그만 놓치고 말았다.
아까 시장에서 달고나 뽑기만 하지 않았더라도
나룻배를 탈 수 있었을 텐데
산길을 멀리 돌아서 마을로 갈 일을 생각하니
진한 아쉬움이 남았다.

나룻배나 연안 낙도를 오가는 도선을 이용하는 사람들은 가끔 배를 놓치기도 하였다. 도선의 왕래가 뜸한 시골에서, 간발의 차로 연락선을 놓치는 날엔 큰일이 아닐 수 없었다. 나룻배를 놓친 두 아이는 하는 수 없이, 강나루 상류로 거슬러 올라가 산길로 걸어서 마을로 돌아가야 했다. 태양이 아직 넘어가지는 않았으나 서둘러야만 했다. 지체하면 깊은 밤길을 걸어서 마을로 돌아가야 했기 때문에, 둘은 강 상류 쪽으로 빠르게 걸었다. 단은 마을로 돌아가는 길에 조금 늦어져 밤길을 걷더라도 보름달이 뜨는 날이라 다행이라며, 겁먹은 표정을 짓는 소녀에게 살짝 귀띔해줬다. 과학에 관심이 많았던 소녀는, 오늘 저녁은 다른 날과 달리 개기월식이 있는 날이라고 했다. 보름달이 뜨더라도 달이 지구의 그림자에 가려지는 시간이 생기기 때문에 밤길을 걷는데 곤란할 수도 있을 거라며 걱정하는 눈치였다.

월식은 달이 지구의 그림자 안으로 들어가 보름달이 가려지는 것을 의미했다. 옛날 사람들은 이런 현상이 생기면 세상에 재앙이 온다는 뜬소문을 퍼뜨리기도 했었다. 월식 현상을 통해 마을 사람들의 오랜 관습이나 미신은 물론, 샤머니즘에 대한 이해를 엿볼 수가 있었다. 흔한 일은 아니었으나 월식은 지구가 달과 태양 사이에 위치할 때 일어날 수 있는 현상으로 보름달이 뜨는 음력 15일경에 일어났다. 보름달이 뜬다고 해서 매달 월식이 일어나는 것은 아니었다. 지구의 공전 궤도면인 황도와 달의 공전 궤도면인 백도가 약 5도 기울어져 있어서 태양-지구-달이 일직선으로 놓이는 경우가 드물었기 때문이다. 소녀는 오늘 저녁에 보름달이 뜨고, 태양-지구-달이 일직선에 놓인다는 예보를 라디오에서 들었다고 했다. 라디오 개기월식 예보는, 밤중에 보름달이 떴다가 사라지는 시간이 발생하니, 보름달만 믿고 밤길을 함부로 걸으면 위험하다는 안내였다. 시골 사람들은 보름달이 뜬 날, 강물에 비친 달빛을 바라보며, 산길을 이용해 마을과 마을을 자주 넘나들기도 했었다.

저녁에 개기월식이 시작되어 달이 가려지기 전에 아이들은 마을에 도착해야 했다. 두 아이는 더욱 빠른 걸음으로 걷기 시작했다. 강가를 따라 코스모스가 한두 송이 피어 있는 한적한 길을 걷고 있었다. 장마도 끝물이라 비 걱정은 하지 않고 읍내 도서관에 출타하였다. 그런데 어제도 비가 많이 내렸고, 오늘도 날씨는 흐려졌다 맑아지기를 반복하며 오락가락하였다. 둘은 도서관에서 자료를 열람하여 찾고자 하는 자료를 모두 찾았기 때문에 나룻배는 놓쳤으나 기분은 홀가분했다. 친구들에게 도서관에 간다고 자랑했었는데 실종자를 확인할 수 있어서 자신들의 면이 설 것 같아 마음은 뿌듯하였다. 드넓은 강물을 응시하며 둘이 걷는 길이 얼마나 오랜만이던가. 소녀와 단은 나룻배를 타고 처음 바다로 나갔을 때, 갈대숲과 철새들이 평화롭게 노닐던 해질녘이 떠올랐다. 강물에 반사되어 반짝이는 태양은 금빛 꽃가루를 뿌려놓은 듯 아름다웠다. 살랑살랑 불어오는 강바람은 황금빛 저녁노을과 잘 어울려 내일의 찬란한 꿈을 약속이라도 하는 듯했다. 소녀는 몇 걸음 앞서 걷고 있는 단을 바라보며, 행복에 겨워 절로 콧노래가 나오는지 연신 노래를 흥얼거렸다.

얼마간 걸었을 때, 번개가 번쩍하며 연이어 천둥소리가 들려왔다. 하늘을 보니 먹장구름에 비가 묻어오는 것 같았다. 구름 갈 제 비가는 것처럼 맑던 하늘이 갑자기 어두워지고 앞이 캄캄해졌다. 어제 원두막에서 본 것처럼 삽시간에 큰 빗방울과 함께 소나기가 세차게 떨어지기 시작했다. 소나기에 놀라 비를 피할 곳을 찾던 아이들의 눈에, 저만치 과수원 모퉁이에 움막 같은 것이 보였다. 어두워진 날씨 탓에 장대비 사이로 흐릿하게 보이는, 비를 피할 곳을 향해 뛰었다. 둘은 아무 생각 없이 손을 잡고 그쪽으로 힘껏 달렸다. 목적지에 도착한 아이들은 급한 김에 구석진 빈자리를 찾아서, 내리는 비를 우선 피했다. 과수원 일에 필요한 농기구를 보관하는 원두막 같은 곳이었다. 두 아이는 갑자기 내린 비로, 움막 밑에 쪼그리고 앉아 손꼽아 소나기가 지나가길 바랐다. 아이들은 비가 내리는데 좁은 공간에서 단둘이 있다는 게 조금 어색한 것 같았다. 단은 "하늘에 구멍이 났는지도 모르겠네."라고 하며, 마을 어른들이 애꿎은 비를 원망할 때, 늘 하던 말을 작은 소리로 들릴락 말락 내뱉었다.

소녀와 단은 소낙비에 머리가 젖어 물방울이 볼을 타고 흘러내렸다. 급히 달려오느라 콧잔등에는 이슬처럼 땀이 송골송골 맺혀 있기도 했다. 소녀는 예쁘게 접은 손수건을 가방에서 꺼내어 단에게 땀을 닦으라고 내밀었다. 손수건을 받아 쥔 단은 소녀의 얼굴에 흐르는 빗방울을 닦아주며, 이마에 흘러내린 머리칼을 가지런히 올려주었다. 소녀는 단의 눈빛을 마주하기 부끄러워 고개를 옆으로 돌리며 살며시 눈을 감았다. 단은 예쁜 눈을 지그시 감고 고개를 돌리고 있는 소녀의 하얗고 가는 목선을 바라보았다. 그 순간, 불현듯 언젠가 본 듯한 꿈속 소녀의 아리따운 자태가 아슴아슴 떠올랐다. 깨고 싶지 않았던 지난날의 어떤 꿈에 대한 아름다운 회상 속으로 순식간에 빠져들었다. 꿈속에서 보았던 장면을 생각하며 눈을 지그시 감고 있는 사이, 소녀는 단이가 쥐고 있던 손수건을 갑자기 빼앗았다.

"야! 너 얼굴 닦으라고 준 건데⋯."라고 하며, 빼앗은 손수건을 펼치더니 단의 얼굴에 묻은 빗방울을 닦아 주었다. 단은 소녀의 부드러운 손길을 느끼며, 황홀한 꿈을 꾸는 듯하였다. 마치 지난 어느 날 꿈속에서, 무지개를 타고 하늘에서 내려온 선인이 소녀에게 물을 얻어서 먹는 장면이 떠오르며, 묘한 기분에 사로잡혔다.

지난날의 꿈속에 빠져 있는 사이, 앞이 보이지 않을 정도로 억수로 퍼붓던 소나기는 갑자기 구름이 걷히면서 잦아들었다. 소나기가 그치자마자 구름 사이로 태양이 선명하게 얼굴을 내밀었다. 언제 비가 내렸냐는 듯 다시 강한 햇빛은 하얀 뭉게구름 사이로 내리쬐기 시작했다. 연기처럼 뿌연 물안개가 지배하고 있던 강물은, 안개를 헤집고 나와 햇빛에 반사되어 반짝였다. 구름 저편에는 일곱 색깔 무지개가 하늘에 걸려 점점 더 선명해지고 있었다. 소녀와 단은 움막을 뛰쳐나와 환호성을 지르며 무지개를 두 팔을 벌려 반겼다. 마치 무지개를 타고 겹겹이 싸인 구름을 지나, 저 먼 곳으로 넘나들며 파란 하늘을 나는 파랑새처럼, 마음은 벌써 무지개 저편을 날고 있는 듯하였다.

소녀는 서울에서 바이올린을 배우면서 우쿨렐레도 짬짬이 익힌 적이 있었다. 엄마의 눈 밖에 나기 싫어, 울며 겨자 먹기로 억지로 악기 연습을 한 적도 많았다. 그때 "오즈의 마법사"라는 영화에 나오는 노래 중에 "Somewhere, over the rainbow"를 익히기도 했다. 따라 하기 쉬운 리듬과 노랫말이 맘에 들어 노래를 즐겨 부르기도 했었다. 소녀는 무지개를 바라보더니 자신도 모르게 "오버 더 레인보우"를 흥얼거렸다.

"우 우 우~~ 우~우~우우 오 우우…. 썸웨얼 오벌더뤠인보우…."

무지개 너머 저 하늘 높이 어딘가에
자장가에서 언젠가 들어본 곳이 있어요
무지개 너머 어딘가에 파란 하늘이 펼쳐진
감히 꿈꾸던 그런 꿈들이 정말로 이루어지는 곳이죠
언젠가 난 별에게 소원을 빌어
저 하늘의 겹겹이 쌓인 구름 위에서 잠을 깰 거예요
걱정거리가 마치 레몬즙처럼 녹아내리는 곳
굴뚝 꼭대기보다 더 높은 그곳에서 저를 찾을 수 있을 거예요
무지개 너머 어딘가에 파랑새들이 날아다니는 곳
새들이 무지개 너머를 자유롭게 날아다녀요
그러니 왜, 왜 나라고 날 수 없겠어요?
무지개 너머 귀여운 파랑새들이 행복에 겨워 날아다니는데
왜, 왜 나라고 날 수 없겠어요?

소녀는
"Why, oh, why can't I?"를 예쁜 목소리로 목청이 가늘게 떨리며
꼭 자신이 영화의 주인공이라도 된 것처럼 몇 번이고 반복해서 흥얼거
렸다. 소녀는 정말 무지개 너머 먼 곳에, 자장가에서 들었던 그런 세상
이 있다고 믿는 것 같았다. 구름 너머 달 뒤편으로 자유롭게 날아다니
며, 파랑새처럼 마음속에 간직한 예쁜 꿈들을 꾸고 싶었던 것일까.

소녀의 노래를 듣고 있다가 단이도 영화의 한 장면이 생각났는지 따

라 부르기도 하고, 모르는 가사는 흥얼거리기도 했다. 둘은 아무런 갈등도 무서운 역병도 없는, 그런 세상을 꿈꾸고 있는 것 같았다. 두려움 없이 살아갈 수 있는 세상이 어딘가에 반드시 있을 것이라 확신하였던 것일까. 그곳이 "Somewhere, over the rainbow"에 나오는 노랫말처럼, 아주 멀리 먼 곳에 있다고 할지라도. 설령 구름 저 멀리 달 뒤편에 있다고 할지라도. 그곳에 갈 수만 있다면 가보고 싶은 눈빛을 마주 보며 서로 주고받기도 했다. 소녀와 소년이 꾸는 꿈은 순수했고 예뻤다. 아이들이 모두 그렇듯이.

29화 징검다리와 산사(山寺)

노래를 흥얼거리며
강 상류 쪽으로 급하게 올라오니
조금 전에 내렸던 소나기로 강물이 더 불어나 있었다.
먼 길을 가야 하는 소녀와 단은
징검다리를 건너야 하는데 급류가 흘러가고 있어
걱정이 태산 같았다.

예전에 왔을 때는, 더 높은 곳으로 강을 따라 올라가지 않아도 징검다리로 시냇물을 건너서 모래톱 마을로 가는 지름길로 들어설 수 있었다. 어제오늘 내린 빗물로 하천에 흐르는 물이 불어나 징검다리가 잠길락 말락 하였다. 높은 산 위에서 발원한 물줄기는 거세게 요동칠 뿐만 아니라, 냇가에 깔린 바위에 부딪혀서 하얀 물보라를 일으키며 사납게 내려오고 있었다. 단은 소녀에게 저 시냇물 물살을 가로질러 건널 건지, 아니면 높은 산 쪽으로 더 올라가서 돌아갈 건지 물었다. 소녀는 돌아가면 너무 시간이 지체되어, 한밤중에 밤길을 걸어갈 일이 꿈만 같고 두려웠다. 두 아이는 이러지도 저러지도 못하는 매우 곤란한 상황 속에서 진퇴양난(進退兩難)에 빠진 느낌이었다.

아이들은 거세게 흘러 내려오는 하천을 가로질러 반대편 쪽으로 건너가기로 했다. 소녀는 모처럼 읍내 도서관에 출타하여 구두를 신고 있었다. 그렇다고 뾰족하고 날카로운 자갈들과 바위들이 널려있는 하천을 맨발로 건너기에는 위험 부담이 너무 컸다. 단은 바짓가랑이를 주섬주섬 걷어 올리더니 소녀 앞에서 등을 내밀었다. 비싼 구두를 물에 적실 수는 없었고, 그렇다고 맨발로 걸어서 건너는 것도 곤란한 상황이었다. 소녀는 단의 등을 보더니, 부끄럽고 쑥스러워서 업힐 수 없다는 표정을 지으며 손사래를 쳤다. 단은 시간이 순식간에 흘러가고, 늦은 오후라 석양도 서쪽 산 위로 내려앉고 있는 것을 보았다. 마음이 급하기도 하고, 너무 지체되거나 하면 나중에 밤길을 걸어갈 일이 두렵기도 하여 걱정이 앞섰다. 단은 염치없는 태도라고 생각하면서도, 급한 마음에 다시 소녀 앞에서 넓은 등을 내밀며 업히라는 시늉을 했다. 잠깐 머뭇거리던 소녀는 어쩔 수 없다는 듯 마지못해 살짝이 단의 등에 업혔다.

산골짜기에서 내려오는 급류가 위험했지만, 하천을 건너야 지름길인 산길로 접어들 수가 있었다. 불어난 물과 거센 물살에 하천의 징검다리는 물에 약간 잠겨 있었다. 징검다리 돌 위에 올라서면 발목만 잠길 정도여서 운이 좋으면 건너갈 수 있을 것 같기도 했다. 단은 용기를 내어 소녀를 업은 채로 물길을 가로질러 건너가려고 징검다리의 첫 번째 돌 위에 올라섰다. 돌 위에 올라서 보니, 발목을 지나는 물줄기가 생각보다 거세다는 느낌이 들었다. 징검다리 위로 흘러가는 물줄기가 발목에 부딪혀 무릎 위까지 튀어 오르기도 하였다.

소녀를 업은 채로 단은 한 발짝을 떼서 두 번째 돌에 올라서려는 순간, 움찔하며 넘어질 뻔했다. 소녀는 등위에 업혀 흔들리는 느낌을 받자 순간적으로 간이 떨어질 뻔한 듯 "앗!" 하고 놀라며, 자신도 모르게 비명을 질렀다. 징검다리에 놓인 바위가 하천의 한가운데 쪽으로 갈수록 물살은 더 거세졌다. 발목쯤 올라왔던 물줄기는 무릎 부근까지 차오를 것처럼 보였다. 소용돌이치며 흘러가는 하천을 무모하게 건너다가는, 둘 다 물속으로 빠지거나 큰 봉변을 당할 수도 있다는 생각이 들었다.

소녀가 단에게 말했다.
"단, 하천의 물이 조금 줄어들 때 징검다리를 건너면 안 될까? 너, 너무 무서워…."
"지금 건너다가 둘 다 물속으로 빠지는 날에는 큰일 날 것만 같아."라고 하며, 걱정스러운 표정을 지었다.
"응, 나도 그렇게 생각해. 물줄기가 생각보다 거세어 발이 미끄러질 것만 같았어."라고 단은 대답했다. 두 아이는 배려심이 많아 서로 이심

전심(以心傳心)으로 잘 통했다.

단은 소녀를 업은 채 중간쯤 건너가던 징검다리에서 엉금엉금 뭍으로 되돌아 나왔다. 둘은 하천의 수위가 낮아지고 물줄기가 약해질 때까지 시간을 보내고 있어야만 했다. 서쪽 하늘의 저녁노을은 황혼이 짙어질수록 붉게 물들고 있었다. 잠긴 징검다리만 바라보며 아까운 시간을 허비하고 있어야 한다니, 자신들의 처지가 딱하기도 하고 나중 일이 두렵기도 했다. 하지만 어쩔 수 없는 일이었다. 단은 시간도 보낼 겸, 가까운 곳에 있는 산사를 둘러보자고 했다. 마을에서도 자세히 바라보면 희미하게 보이기도 했던 그 산사를 향해 두 아이는 천천히 걸어 올라갔다.

조그마한 언덕을 넘어가니 맑은 물이 흐르는 계곡이 펼쳐졌다. 그곳에서 모래톱 마을을 바라보고 서 있는 고적한 작은 절이 하나 있었다. 마을 사람들이 읍내로 가거나 특별한 일이 있으면, 그 절에서 예불을 드리기도 하는 곳이었다. 절의 입구는 두 자 남짓한 야트막한 담장이 흙담으로 둘러쳐져 있어, 입구를 들어가지 않더라도 안마당이 훤히 보였다. 고즈넉한 산사에는 들꽃들이 소담히 피어 있는 것이 눈에 들어왔다. 단은 불심이 두터웠던 할머니를 따라 읍내에 나오는 길에 몇 번 들른 적이 있었다. 할아버지 제사를 지내는 기일에 맞추어 할머니와 함께 절에 왔었다는 기억이 났다. 절의 안마당에는 초록빛 잔디가 촘촘히 자라고 있었다. 본당이나 별채로 가려면 땅에 직사각형 대리석을 박아놓은 데를 밟고 가게 되어 있었다. 절 앞쪽 산 밑에는 계곡물이 고였다가 다시 흐르는 냇가가 있었고, 시냇물을 바라볼 수 있는 곳에 흔들의자 두 개도 있었다. 안마당을 지나 흔들의자 쪽으로 가려면, 잔디를 밟지 않도록 그

쪽으로도 대리석이 땅에 듬성듬성 박혀 있었다. 안마당 잔디밭에는 절의 안마당을 네 등분하듯이 작은 대리석 돌들이 박혀 있어, 마치 상형문자(象形文字)를 보는 듯하였다.

할머니를 따라 절에 오는 날에는 보살님들이 여럿이서 예불을 드렸다. 예불 순서를 기다리며, 단은 할머니와 함께 흔들의자에 앉아 있기도 했었다. 벚나무가 그늘을 만들어 주는 의자에 앉으면 바로 눈앞에 가까이 있는 시냇물을 바라볼 수 있었다. 졸졸 흐르는 시냇물 소리나 산새의 노랫소리를 듣기도 하고, 벚나무 이파리들이 나붓나붓 흔들리다가 흐르는 시냇물에 파르르 떨어지는 장면을 보기도 했다. 절의 양지바른 언덕배기에는 연노란색 꽃들이 만발해 있었다. 그 옆에는 여름철에 한창 꽃이 피는 배롱나무가 군락을 이루어, 땡볕도 아랑곳하지 않고 싱그럽게 꽃을 피우고 있었다. 본당을 끼고 돌아 뒤란으로 가는 길에 있는 웅덩이에는, 큰 연꽃 화분이 물속에 잠겨 있었는데 뿌리에서 나온 줄기를 타고 잎이 무성하게 퍼져서, 웅덩이 수면이 보이지 않을 정도였다. 연꽃이 핀 웅덩이에는 부귀영화(富貴榮華)와 무병장수(無病長壽)를 상징하는 아홉 마리 잉어를 그린 구어도(九魚圖)에서 본 듯한 커다란 잉어들이 헤엄쳐 다니기도 했다. 잠자리 떼도 앉았다 날았다 쉴 새 없이 반복하며 맴돌았다.

며칠째 내린 소낙비로, 배롱나무 꽃잎은 물방울이 함박 담겨 있어 윤이 나고 반짝반짝 빛을 반사하였다. 모퉁이에 있는 배롱나무 밑에는 작고 빨간 꽃잎들이 앵두처럼 떨어져 마치 붉은 장판을 펼쳐놓은 듯하였다. 단은 가끔 할머니를 따라왔었던 절이라 그런지 다른 절과 달리 무어라 꼬집어 말할 수 없는 고요함과 따스한 온기를 느꼈다. 할머니께서는 절에 오시면 대웅전이라는 현판이 붙어 있는 본당 부처님 앞에서도 절을 올렸으나 모래톱 마을 신비의 섬 쪽으로도 바라보시며 합장하셨다. 그때마다 단은

"할머니, 부처님은 저쪽이에요."하고, 말씀드렸지만 아무런 대꾸도 없이 산사에 오실 때마다 그러셨다. 단도 이제는 지쳐서 그런 말을 하지 않게 되었고, 그 까닭을 여쭈어도 대답이 없으시니 더는 여쭙지도 않았다. 언제부터인지 모를 정도로, 단은 아주 어린 시절부터 이 절에 왔었다는 느낌을 받곤 했다.

소녀와 단은 절 안마당을 지나 본당 앞에서 합장하고 예불을 드렸다. 절에 사는 보살님이 어디서 왔느냐고 물어보시다가 단의 얼굴을 보고는 놀란 표정을 지으셨다.

"아니, 너, 단이 아니냐? 오늘 어쩐 일이니? 할머니는 어쩌고?"라며 친근하게 아는 척을 하셨다.

"오늘은 다른 일로 읍내에 왔다가 잠깐 들렀어요."라고 하며 인사를 드렸다. 보살님은 선물이라며 작은 봉지 하나를 둘에게 주셨다. 봉지 속에는 행사를 마치고 나온 떡과 과일이 들어있었다. 싼 게 비지떡이라고 부실하게 먹은 점심으로 배가 고팠던 차에, 떡과 과일을 보니 아이들은 눈이 번쩍 뜨였다. 보살님으로부터 음식을 받고 난 뒤, 단은 불현듯 할머니께서 자신의 손을 꼭 붙들고, 어린 시절부터 이곳 절에 다니신 까닭이 궁금해졌다. 할머니 손을 잡지 않고 혼자서 절에 오기는 처음이었다. 그때, 소녀는 건너편에서 절을 둘러보다가 본당 뒤란으로 돌아가 벽에 그려진 벽화들과 산사 언덕배기에 피어 있는 꽃들을 감상하고 있는

것 같았다.

"보살님, 저 한 가지 여쭤봐도 돼요?"하고 단이가 말했다.

"응, 무슨 일인데?"

"저, 저, 우리 할머니께서는 왜 이 절에만 자주 오시는 거예요?"

"단이, 너, 그것도 모르고 이제껏 절에 왔었나?"라고 하시며, 고개를 갸우뚱하셨다.

"네, 그냥 할머니께서 절에 가시자고 하셔서……."

"응, 그랬구나. 너희 할아버지께서 여기 모셔져 있잖아. 그래서 매년 기일 때를 맞춰 너희 할머니께서 이 절에 오시지."

"아마, 올해도 머지않아 오실 때가 돼 가는 거 같은데, 참 불쌍한 할머니지. 쯧쯧쯧……."라고 하셨다. 보살님은 안타까운 사연이라도 알고 있는 표정으로, 말끝을 흐리며 혀를 차시는 것 같았다. 그때, 별채에서 누군가가 부르는 소리를 듣고 보살님은 건너편 쪽으로 급히 가셨다.

단은 소녀와 함께 하늘에 걸린 무지개도 보고, 징검다리를 건너려다가 하천의 물이 갑자기 불어나 어쩔 수 없이 산사에 들리게 되었다. 모두 우연한 일들이었다. 산사에 와서는 또 우연히 자신이 어린 시절부터 왜 이곳에 오게 되었는지를 어렴풋이 알게 되었다. 우연과 우연이 연이어 계속 겹치게 되면 그건 필연이라고 했던 말이 떠올랐다. 하늘이 구름을 몰고 와 소나기를 뿌리고, 하천의 수위를 끌어올렸단 말이던가. 물이 불어나 징검다리를 못 건너게 하고, 자신을 산사로 인도하여, 보살님으로부터 어린 시절부터 자신이 왜 이 절에 오게 되었는지, 그 연유를 듣게 했단 말인가. 우연한 일들이 미리 정해진 일처럼 어떻게 겹칠 수가 있을까.

우리의 인생이나 삶은 우연과 필연을 오가며 이어져 오는 것인지도 몰랐다. 모래톱 마을에서 늘 의문을 품었던 일들이 소녀와 함께 있을 때마다 안개가 걷히듯이 서서히 드러나는 것이 이상하기만 했다. 단은 소녀와 얽히고설켜 있는 이런저런 우연들이 너무나 신기하였다. 어떤 힘의 작용 때문에 꼼짝도 하지 못하고, 단은 그 자리에서 모래톱 마을 쪽을 바라보았다. 눈앞에서 합장한 채 마을 저편 바다를 응시하며 서서 계셨던 할머니의 촉촉한 눈가가 희미하게 떠올랐다. 오늘 다시 예전에 보았던 할머니의 모습을 생각하니 눈물이 고여 있었던 선한 얼굴이 그려지는 것 같았다. 단은 할머니께서 늘 절에 오시면 바라보셨던 바다 건너 섬 쪽을 향해 서서, 눈을 지그시 감고 깊은 생각에 잠겼다.

단이가 느끼기엔 산사에 올라온 지 벌써 한 식경 정도 시간이 지나간 것 같았다. 절을 둘러보고 있던 소녀는 단이가 서 있는 곳으로 천천히 걸어왔다. 소녀는 무서운 형상의 사천왕상과 각각 서로 다른 의미를 담고 있는 범종, 법고, 목어, 운판 등 불전사물(佛殿四物)을 구경했다며, 침이 마르도록 자랑을 늘어놓았다. 시간이 흘러 해는 서쪽으로 거의 넘어가고 있었다. 아이들은 절에서 보살님께 인사를 드리고 징검다리가 있는 곳으로 내려가기로 했다.

산사에서 막 출발하려고 할 때, 소녀는 보살님께 별채 옆의 언덕에 피어 있는 연노란색 꽃이 예쁘다며 무슨 꽃인지 여쭤봤다.
"그 꽃은 귀한 꽃이란다."

"귀한 꽃이라고요? 꽃 이름이 뭐예요?"

"으, 응, 목화꽃이지."

"목화꽃이면 문익점이라는 사람이 원나라에서 들여왔다는 그 목화를 말하는 거예요?"

"그, 그래. 목화씨가 들여온 때가 고려에서 조선으로 바뀔 무렵이라고 들은 것 같아. 맨 처음에 목화씨를 가져온 것은 저쪽 지리산 비탈에서 재배했다던데⋯."

그때, 단이가 옆에서 두 사람의 대화를 듣고 있다가

"목화씨를 붓대에 넣어서 들여왔다고 어느 책에서 읽은 것 같아요."

라고 하자, 소녀는 눈이 휘둥그레져서 평소 궁금했던 걸 또 여쭤봤다.

"목화는 솜털인데, 저 연노랑 꽃이 어떻게 솜털이 되는 거예요?"

그러자 보살님께서는 좀 더 자세히 얘기를 들려주셨다.

"목화꽃은 이 시기에 피어서, 가을 추수 때쯤에 솜 봉오리를 맺는단다."

"그럼, 목화 솜털은 언제쯤 볼 수 있어요?"

"꽃이 지고 늦가을에서 초겨울쯤에 솜뭉치가 팝콘처럼 열리면, 그때부터 시간이 갈수록 점점 크게 부풀어 오르게 되지. 첫눈이 오기 전에는 목화솜을 따야 하니⋯."

두 아이는 귀한 목화꽃도 보고, 꽃이 솜털로 되는 과정에 대한 설명을 흥미롭게 듣고는 신기해하는 눈치였다. 소녀는 목화 솜털이 열려 있는 걸 보고 싶다고도 했다. 보살님의 목화에 관한 이야기를 더 듣고 싶었으나 소녀와 단은 하천으로 흘러내려 가던 물살의 세기가 줄어들었기를 바라며 서둘렀다. 두 아이는 저녁노을을 바라보며 조급한 맘에 시냇가로 달리기 시작했다.

30화 달빛을 따라 걷다

세상의 일은
급하게 서둘러서 해야 할 일도 있지만
느긋하게 여유를 갖고 기다려야 할 때도 있다.
인생에는 서두르는 것 말고도
더 많은 것이 있다는 말이 떠올랐다.

당대 최고의 연주자라면 건반을 두드리는 일도 잘해야 하겠지만 언제 건반을 멈추어야 하는지를 아는 것은 더욱 중요하다. 강약과 고저나 셈여림에서도 마찬가지이다. 여림이 없는 셈이란 있을 수 없으며, 있다 하더라도 그 의미를 상실하기 마련이다. 소녀와 단은 절에서 시냇가 징검다리가 있는 곳으로 서둘러 내려갔다. 두 아이는 급할수록 돌아가랬다는 속담을 떠올리며, 급하다고 무모하게 하천을 건너가지 않고, 시간을 두고 기다린 일이 잘한 일이라는 것을 눈으로 확인했다. 언제 그랬냐는 듯이 거세게 소용돌이치며 내려오던 물살의 수위는 몰라보게 낮아져, 징검다리는 얼굴을 내밀고 소녀와 단을 반기는 듯하였다. 무섭고 거칠게 내려오던 급류는 한결 부드럽게 흐르고 있었다. 하천을 바라보던 두 아이는 안심이 되어 눈이 번쩍 뜨였다.

단은 이제 걱정 없이 소녀를 업은 채로 징검다리를 건너갈 수 있을 것 같았다. 소녀의 손에는 구두와 단의 가방이 들려 있었다. 단은 소녀를 등에 업고 조심스럽게 징검다리를 세어가며 하나씩 건너갔다. 소녀는 아주 오래전에 아빠 등에 업혀서 동네 뒷산에 올라간 적이 있었는데, 그때 업힌 채로 잠든 기억이 떠올랐다. 소녀는 단의 등이 편안하여 징검다리 한가운데쯤 건너갔을 때 흘러가는 시냇물을 여유 있게 바라보았다. 등에 업혀 바라보는 시냇가의 풍경은 색다른 느낌을 주었다. 갈 길이 급하더라도 서둘지 않고, 생각을 조금 바꾸면 일이 쉽게 해결될 수도 있구나 하고 속으로 쾌재(快哉)를 불렀다. 하천의 물이 줄어들기를 기다리며, 위험을 무릅쓰지 않고 절에 다녀온 일은 아무리 생각해도 잘한 일 같았다.

하천을 건너오면서 쌓여 있는 자갈과 모래를 바라보았다. 높은 산에서 발원한 물줄기가 세차게 흘러 내려올 때, 크고 작은 돌들도 함께 굴러서 내려와 바위와 자갈들이 잔뜩 쌓여 있었다. 모래톱 마을이 어떻게 생겨났으며, 강나루 하구에 새로운 모래톱들은 어떻게 만들어지고 있는지 그 까닭도 이해할 수가 있었다. 단은 어릴 때 비가 온 뒷날 아침, 강나루 하류에 나가본 기억이 떠올랐다. 하천에 자갈이나 모래가 어디서 생겨났는지 산더미처럼 쌓여 있어서 궁금했던 적이 많았다. 밤새 누군가가 일부러 퍼다 날라놓은 줄로만 여기기도 했었다. 높은 산의 바위들이 큰 나무뿌리에 의해 금이 가거나 경사진 계곡으로 굴러 내려오면서 깨어져 작은 돌이 되는 것 같았다. 작은 돌들은 하천의 거센 물살에 쓸려 내려오며 굴러서 강 하류로 운반될 때, 더 잘게 부서지게 되고, 그것은 자갈이나 모래가 되었다. 자갈이나 모래, 진흙이 바다에 막혀 더 멀리 이동하지 못하고, 강 하류에서 머물게 되면서 세월이 지나면 모래톱이 되고, 모래톱은 다시 굳어져 땅이 되는 것 같았다.

하천과 바다를 끼고 있었던 모래톱 마을에는 퇴적암이 많다. 퇴적암은 물에 의하여 운반된 자갈, 모래, 진흙 등이 강이나 바다에 쌓여서 오랜 시간이 지나면서 굳어져 만들어진 암석이다. 퇴적물이 쌓일 때 생물의 유해나 흔적이 같이 쌓이게 되면 화석이 만들어지기도 했다. 화석은 퇴적암이 만들어졌을 당시에 살았던 생물의 종류나 환경을 이해하는데 중요한 자료가 되기도 하는 것이다. 아이들은 교실에서 익히고 배운 것을 자연 속의 다양한 현상들을 통해 더욱 자세히 이해하게 되었다. 흩어져 있었던 분절된 지식은 아이들이 자연현상을 접하며 머리에 쏙 들어와서 순간순간 놀라운 경험을 하게 했다. 하천을 건너며 바위와 자갈, 모래 등이 어떻게 물에 의해 운반되는지를 직접 눈으로 확인하였다. 아울러 화석이 퇴적암 속에서 어떻게 만들어지는지도 짐작할 수가 있었다. 영특한 아이들은 그것을 책에서 배운 다양한 지식과 관련지어 생각함으로써 땅이 생기는 원리는 물론, 퇴적암이나 화석이 만들어지는 이치도 더욱 분명히 알게 되었다.

소녀와 단은 징검다리를 건넌 후, 잠깐 자갈밭에 앉아서 발을 닦아 말리고 신을 신었다. 하천을 건너왔으니 강을 좌측으로 끼고 산길을 따라 마을로 돌아가면 되었다. 가는 길에 낮은 구릉과 작은 산을 넘기도 하고, 넓은 들을 낀 골짜기도 지나며 가야 했다. 물이 흐르는 하천은 무사히 건넜으나 갈 길은 태산이었다. 가야 할 곳의 목표는 분명했고, 어쨌든 마을에 도착해야 했으니, 단단히 맘을 먹고 다시 걷기 시작했다. 강의 상류에서 하류를 바라보니 갈대숲이 바람에 흔들리고 있었다. 서산의 해는 익을 대로 익어 막 떨어지려고 하고 있었다. 어느새 한낮의 더위는 물러가고, 어둠이 내리기 직전의 고요하고 적막한 한여름의 평온한 저녁 풍경이 눈 안으로 가득 들어왔다.

노을빛은 장관이었으며 산천을 바라보니 요산요수(樂山樂水)가 따로 없었다. 하지만 밤길을 가야 하는 다급한 마음에, 그 아름다운 풍경이 제대로 눈에 들어올 리가 없었다. 단은 노을을 바라보며 생각에 잠긴 듯 걷고 있었다. 아무 말도 없이 강 하구 쪽 바다 건너편을 지그시 응시하였다. 단은 아까 절에서부터 계속 의미심장한 눈빛으로 마을이 있는 바다 쪽을 쳐다보았다. 할머니께서 절에 왔을 때 합장하며 기원을 올리기도 하셨던 섬 주변 해역에 단의 시선은 꽂혀 있었다. 절에서 보살님이 지나가며 들려주셨던 얘기 때문에, 입을 꼭 다물고 골똘히 뭔가를 생각하는 것 같았다. 할머니는 왜 바다를 바라보고 계셨을까. 왜 할아버지 기일로 절에 오신다는 말씀은 해주시지 않았을까. 바다를 응시하던 할머니의 눈가가 촉촉해진 까닭은 무엇 때문이었을까. 이런저런 생각을 하게 되니, 왠지 쓸쓸하고 외롭고 허전한 마음이 되었다. 그냥 아무 생각 없이 멍하니, 강 저편만 쳐다보며 걷고 싶었다.

할아버지는 왜, 어떻게 돌아가셨는지 자세히 들은 적이 없었다. 그전에 누군가에게 들은 것은, 저 위쪽 삼팔선 부근에서 전사하셨다고 했던 기억뿐이었다. 할머니에 관한 지난 이야기를 절에서 듣고 난 후, 궁금증은 꼬리에 꼬리를 물고 커져만 갔다. 도서관에서 본 전설의 섬 주변 해역 사고의 기록에는, 그 당시 해난사고는 오래전에 발생했고, 실종자는 28세의 성이 목 씨라는 사람이었다. 그 실종자가 소년의 할아버지와 연관이 있는 사람일 수도 있단 말인가. 단은 그런 생각을 하게 되니, 머릿속은 점점 더 복잡해지고 혼란스러워지는 것 같았다.

소녀는, 마음이 콩밭에 가 있는 아이처럼 멍하니 강 하구 바다 쪽을 응시하며 걷고 있는 단을 쳐다보며

"무슨 걱정거리라도 있어?"하고 물었다.

소녀의 목소리를 듣고 깜짝 놀라며 잠에서 깨기라도 한 듯이 단은 엉겁결에

"아무 일도 아냐. 하하하."라고 하며 시치미를 뚝 뗐다. 무엇을 들켜서 급히 숨기는 것처럼 크게 웃었다.

"아까, 너 등에 업고 징검다리를 건널 때 겁주려고 했었는데 못했어."

라고 하면서 아쉬운 표정을 지었다.

"다음에 그런 기회가 있으면, 그때는 깊은 하천에 빠뜨릴지도 몰라." 라고 하며 놀렸다. 그러자 소녀는

"물에 빠지면 시원하고 좋지 뭐."라고 하며 응수했다.

소녀와 단은 징검다리를 건너려다 포기하고 산사로 간 일이며, 절에서 보고 들은 것들을 얘기하며 마을로 향해 걸었다. 해는 뉘엿뉘엿 넘어가 바닷속으로 사라진 지 오래되었다. 어둠이 내리면서 동쪽 하늘과 산 위에는 보름달이 떠오르고 있다는 밝은 기운이 느껴졌다. 길을 걷다가 갑자기 단이가 절에서 봤던 천왕문 옆에 버티고 서 있었던 사천왕상을 들먹이며, 무섭지 않았냐고 물었다. 소녀는 날카로운 연장을 쥐고 있는 모습이나 투박하고 익살스러운 표정은 생각만 해도 소름이 돋는다고 했다. 그런 소녀를 보며, 단은 장난을 치고 싶어, 옛날에 전해 내려오던 이야기 하나를 꺼냈다.

"옛날에 읍내 장터에 갔다가 나룻배를 놓친 노인 두 사람이 있었어. 우리처럼 이렇게 밤에 마을로 돌아가는데 둘 다 막걸리를 몇 되나 마셨어. 두 사람은 술에 취해 걷다가 저기 언덕 보이는 곳 있지? 그 너머는 공동묘지가 있어서 무섭기로 유명한 곳이야. 한 노인이 술에 취해 마을 쪽으로 가지 않고, 저쪽 구릉 너머 공동묘지로 가고 있었던 거야. 다른 노인이 그쪽이 아니라 이쪽이라며 불러도 쇠귀에 경 읽기처럼 답이 없자 '야, 이 무식한 우이독경(牛耳讀經)아!'라고 흉을 봤어. 공동묘지가 있는 구릉 쪽으로 가던 노인은 그 말에 화가 나 성질을 부리며, 다른 길로 가던 노인을 부르다가 자기 말을 듣지 않자 '어이구, 이 늙은 마이동

풍(馬耳東風)아!'라고 하며, 귀담아듣지 않는다며 타박해댔어. 그때 저녁에 놀러나 온 도깨비들이 술에 취해 옥신각신하는 노인들을 지켜본 거야. 심심했던 도깨비들은 두 노인을 불러 서로 씨름을 시키며 장난을 쳤지. 도깨비가 한 노인한테 가서 살짝 귀에 대고 자기를 이기면 집으로 가게 해준다고 했어. 다른 노인한테도 가서 도깨비를 이기면 집으로 가게 해준다고 했지. 그러자 노인들은 각자 도깨비와 씨름한다고 생각하고 죽어라 이기려고 용을 썼어. 한 노인이 상대의 약점을 들추어내어 험담을 늘어놓았어. 그랬더니 다른 노인도 도끼눈을 뜨고 상대를 노려보며 허수아비라며 놀렸어. 가는 말이 고와야 오는 말이 고운 법인데 두 노인은 서로를 모함하고 험담하는 데만 열을 올렸던 거야. 사실은 도깨비들이 자기들은 옆에 앉아서 구경만 하고, 술에 취해서 정신이 없는 노인들끼리 씨름을 붙였던 거지. 서로 이기려고 용을 쓰고 씨름을 하다가 한 노인은 상대방의 저고리를 벗겨서 챙기고, 다른 노인은 상대방의 바지를 벗겨 챙겼어. 두 노인의 모습은 정말 우스꽝스럽기 그지없었지. 서로 옷이 벗겨진 채 한 노인이 먼저 다리를 걸어차며, 주먹을 날렸는데 손이 무척 매웠어. 그러자 다른 노인이 화가 머리끝까지 올라, 주먹이 운다며 상대방을 둘러메고 냅다 내동댕이 쳐버린 거야. 먼저 다리를 걸어찼던 노인은 되로 주고 말로 받은 거나 마찬가지 꼴이 된 거지. 내동댕이 당한 노인은 억울한 표정으로 엉엉 흐느끼며 울었어. 그 모습을 구경하던 도깨비들은 뛰는 놈 위에 나는 놈 있다며 한바탕 크게 웃더니 재밌다고 손뼉을 치며 난리가 났어. 그렇게 지켜보던 도깨비들은 두 노인의 귀에 대고 따로따로 당신이 이겼으니 이긴 증표를 가지고 집으로 가라고 했어. 두 노인은 각자 다른 노인의 바지와 저고리를 가지고 마을로 돌아오게 되었지. 술에 취한 두 노인은 무서운 도깨비와 씨름했는데, 이긴 증표를 보여 주겠다며 마을 노인들을 불러 모았어. 자기들 손에 쥐고 있는 옷과 바지를 증표라고 보여 주었지. 그런데 그 증표라는 것이, 노인들이 서로 원수가 되어 상대방의 옷을 빼앗아 쥐고 있었던 거야. 그 모습을 지켜보던 마을 노인들은 원수는 외나무다리에서 만난다는 말과 함께 한바탕 크게 웃었다는 옛날이야기야. 공동묘지 쪽에 가서 술에 취한 두 노인이 자기들끼리 씨름해놓고, 도깨비와 씨름한 것으로 착각했다는 믿거나 말거나 한 옛날이야기야." 라고 하며 얘기를 마무리했다.

옛날 해학(諧謔)이 담긴 이야기를 듣는 사이, 보름달은 동쪽 하늘 위로 떠올랐다. 환한 달빛이 아이들이 걸어가는 들판 위로 내려앉고 있었다. 들판에는 아이들 허리춤쯤 키가 자란 달맞이꽃이 흐드러지게 피어 꽃동산을 이루고 있었다. 아이들은 달이 뜨면서 더 밝게 빛나는 노란 달맞이꽃 사이로 뛰어다녔다. 그때 소녀가 자신은 모란을 좋아한다며, 시를 들려주겠다고 했다. 지천으로 피어 있는 달맞이꽃 사이로 사뿐사뿐 들어가더니 자신은 오월에 태어났다며, 오월의 꽃인 모란을 노래한 "모란이 피기까지"라는 시를 암송하였다.

모란이 피기까지는
나는 아직 나의 봄을 기다리고 있을 테요
모란이 뚝뚝 떨어져 버린 날
나는 비로소 봄을 여읜 설움에 잠길 테요
오월 어느 날 그 하루 무덥던 날
떨어져 누운 꽃잎마저 시들어 버리고는

천지에 모란은 자취도 없어지고
뻗쳐 오르던 내 보람 서운케 무너졌으니
모란이 지고 말면 그뿐 내 한 해는 다 가고 말아
삼백예순 날 하냥 섭섭해 우옵내다
모란이 피기까지는
나는 아직 기다리고 있을 테요, 찬란한 슬픔의 봄을

기다림, 상실과 슬픔, 또 기다림이 반복되는 의미를 담고 있는 시를 소녀와 단은 고요한 밤공기 속에서 함께 음미했다. 누군가를 기다리기도 하고, 잃어버린 것에 대한 슬픔을 담고 있지만, 또다시 기다림을 함축함으로써 여전히 끝나지 않은 사랑을 향한 애틋함이 전해져 왔다.

길동무가 좋으면 먼 길도 가깝다는 말도 있지 않던가. 아이들은 처음에 가졌던 밤길에 대한 두려움이나 걱정에서 벗어나 적막하고 고요한 밤을, 포근하고 정겨운 밤으로 바꿔놓고 있었다. 해학이 담긴 무서운 이야기도 하고, 시를 낭송하는 사이 보름달이 떠오르니 서서히 어둠의 그림자가 보름달 쪽으로 이동해 갔다. 아마도 개기월식이 곧 시작될 것 같았다. 개기월식은 달이 어느 순간 지구의 그림자 안으로 완전히 들어가 보름달이 잠깐 사라졌다가 다시 나오게 되는 현상이었다. 초저녁부터 개기월식이 시작되어 보름달의 면적은 조금씩 줄어들고 있었다. 아이들은 예기치 못한 개기월식으로 밤길에 대한 걱정을 많이 했었는데, 오히려 태양계의 신비에 관한 유익한 체험을 하는 것 같았다. 모든 부정적인 것을 긍정적인 것으로, 낙담을 희망으로 바꾸어가는 아이들의 타고난 성정(性情)과 에너지가 신기할 뿐이었다.

두 아이는 달빛을 따라 걷다가 완전히 달이 지구 그림자에 가려지는 순간을 맞게 되었다. 개기월식이었다. 보름달이 뜨는 대낮 같은 밤이 갑자기 그믐날 밤처럼 캄캄해졌다. 미신에 지배되었던 시절, 이런 날은 재앙이 마을을 덮칠 것이라 여겨, 잠 못 드는 특별한 밤이었으리라. 어둠이 찾아오자 흔히 개똥벌레로 불리기도 하는 반딧불이가 더 많이 무리를 지어 날아다녔다. 친근하던 주변의 풀벌레 소리며, 부엉이 우는 소리는 갑자기 무서운 기운으로 변하는 것 같았다. 아이들은 나란히 걷다가 누가 먼저인지도 모르게 서로 손을 잡고 걸었다. 바람 소리가 휙휙 지나가기도 하고, 인기척에 곤히 잠든 동물들도 가끔 어두운 밤의 정적을 깨뜨렸다.

밤이 되어 바람이 불자, 그림자를 크게 만든 나뭇잎들도 아늘아늘 춤을 추는 듯했다. 갑작스러운 동물의 움직임에 깜짝 놀란 소녀는, 단의 손을 꽉 쥐고 더욱 힘을 주었다. 완전한 개기월식 현상이 진행되는 동안 칠흑 같은 어둠은 계속되었다. 밤하늘의 별을 바라보며 밤길을 걷고 있는 두 아이를 보니, 알퐁스 도데의 "별"에 나오는 목동과 스테파네트 아가씨의 서정적 감흥을 불러일으키는 이야기가 생각났다. "만약, 당신이 아름다운 별빛 아래에서 밤을 지새워 본 적이 있다면, 당신은 모두가 잠든 깊은 밤에 또 하나의 신비로운 세계가 고독과 적막 속에서 깨어난다는 사실을 알고 있을 것입니다."라는 구절이다. 소녀와 단은 깊은 밤길을 걸으며, 밤이 주는 적막함과 고요함 속에서 신비로운 세상을 경험하고 있었다.

둘은 살금살금 엉금엉금 더듬거리며 한 걸음씩 나아가는데, 갑자기 꿩 한 쌍이 후다닥 소리를 내며 날아올랐다. 소녀와 단은 붙잡고 가던 손을 서로 당기며 풀숲으로 쓰러졌다. 동물들의 움직임에 놀란 아이들은 가슴이 콩닥콩닥 뛰기 시작했다. 그때 다시 괴상한 울음소리를 내며, 다른 동물들도 덩달아 잠자던 자리를 박차고 풀숲으로 도망치기도 하고 날아오르기도 하였다. 그 소리에 놀란 아이들은 달맞이꽃 사이에 부둥켜안고 한동안 꿈쩍도 하지 못했다. 주변이 조용해지는 듯하여, 둘은 누워서 하늘을 쳐다보며 눈을 떴다. 새까만 하늘을 보니 한결 성글어진 나뭇가지 사이로 하나둘 별빛이 내려앉기 시작했다. 검은 하늘에 보석 같은 별들이 반짝이고, 여름철 별자리들은 경쟁하듯이 얼굴을 내밀었다. 두 아이는 달맞이 꽃대 사이에 누워 손을 잡은 채 밤하늘을 바라보았다. 별이 내리는 하늘이 너무 아름다웠다. 달맞이꽃의 꽃말은 무언의 사랑, 보이지 않는 사랑, 기다림이라고 했던가. 아이들의 우정이 달맞이꽃 풀숲 사이에서 무언의 기다림처럼 싹트고 있는 것 같았다.

얼마간 시간이 지났을까. 개기월식으로 완전히 가려졌던 보름달은 서서히 얼굴을 드러내며 어둠을 밀어내고 있었다. 흐드러지게 핀 달맞이꽃들도 달빛을 반기며 춤추는 듯 하늘거렸다. 마치 꿈을 꾸고 있는 것만 같았다. 소녀와 단은 자신의 별을 찾기라도 할 양, 아무런 말도 없이 밤하늘을 뚫어지게 쳐다보았다. 별이 빛나는 밤하늘을 보고 있으니, 보면 볼수록 더 많은 별이 보이기 시작했다. 더 자세히 별을 보고 있으니, 그 옆에 작은 별들도 앞다투어 밝게 보이려고 애를 쓰는 것 같았다. 별들은 까만 도화지에 하얀 소금을 뿌려놓은 듯이 밤하늘을 아름답게 수놓고 있었다.

31화 의문에 한 걸음씩 다가서다

소녀와 단은 보름달이 뜬 날
밤길을 걸으며 개기월식도 체험하고
산길에서 여러 가지 색다른 경험도 하였다.
둘은 무사히 마을로 돌아오고 있었다.

개기월식 현상을 직접 경험하고 난 아이들은 태양계의 천체가 궁금해졌다. 지구의 공전과 자전은 물론, 달이나 다른 행성들의 움직임에 대해서도 더욱 흥미를 갖게 되었다. 뉴턴은 사과가 떨어지는 장면을 보고 의문을 가지면서 만유인력을 발견했다고 했다. 우리가 주변에서 쉽게 경험하는 현상들도 유심히 탐구하는 자세를 가진다면 새로운 과학적 사실들을 더 많이 발견할 수 있을 것 같았다. 발명왕 에디슨이 "천재는 99%의 노력(努力)과 1%의 영감(靈感)으로 이루어진다."라는 유명한 말도 남기지 않았던가.

　　소녀는 태양계의 행성을 두문자(頭文字)로 "수금지화목토천해명"이라고 하면서, 기준이 되는 행성에 따라 내행성과 외행성으로 구분하기도 한다고 했다. 예를 들어 지구가 기준이 된다면, 기준 행성인 지구보다 공전 궤도가 상대적으로 안쪽에 있는 내행성은 수성과 금성이 되고, 외행성은 화성, 목성, 토성, 천왕성, 해왕성, 명왕성이 된다는 것이다. 명왕성은 왜소 행성으로 분류해야 한다는 움직임도 있다면서, 관측기기의 발달로 명왕성과 비슷한 궤도를 도는 천체들이 여럿 발견되면서 행성 자격에 대한 논란도 일고 있다고 했다. 사실, 명왕성의 공전 주기는 무려 약 248년이나 되며, 자전 주기는 약 153시간이나 되었다.

　　상상 속의 별들에 관한 이야기는 여전히 진행형이며, 예전에는 미지의 별자리였으나 별을 관측하는 사람들에 의해 새로 이름을 얻은 별들도 속속 등장하고 있었다. 광활한 우주에 비하면 인간은 한낱 먼지에 지나지 않는 존재이며, 그런 인간들은 밤하늘을 바라보며 미지의 별을 통해 상상의 나래를 펼치곤 했다. 소녀와 단은 개기월식을 계기로, 태양계와 천체에 관한 얘기를 하며 시간 가는 줄 모르고 밤길을 걸었다. 아이들은 월식 현상을 경험하며, 태양계나 우주의 질서에 대해서도 생각해 보았다. 그런 자연현상을 보고 있노라면 세속은 한없이 작아지고 우주의 섭리가 온 세상에 내려와 앉은 듯했다. 우주 안의 모든 사물은 각자의 위치에서 질서를 지키며 자연스럽게 존재하고 있다. 인간도 자연의 한 부분이므로 평화로운 공존을 위해서는, 자연의 오묘한 질서와 섭리를 배우고 닮으려는 노력이 필요할 것 같았다.

개기월식 현상이 끝나고, 다시 환하게 밤길을 비춰주는 달빛을 따라 소녀와 단은 손을 잡고 호젓한 산길을 걸었다. 밤길은 고요하고 평화로웠다. 마을 어귀 느티나무가 서 있는 곳에 다다랐을 때였다. 사람들의 웅성거리는 소리가 들려왔다. 둘은 맞잡고 오던 손을 놓고, 빠르게 소리가 들려오는 곳으로 달려갔다. 동네 아이들의 소리였다. 저녁을 먹고 바람을 쐬러 강나루 쉼터에 나왔다가 소녀와 단이 없다는 걸 눈치챈 것 같았다. 읍내에 간 두 아이가 밤길로 산을 넘어올 것 같아, 마을 어귀까지 마중을 나오고 있었다. 아까 쉼터에서 놀고 있다가 갑자기 보름달이 사라져 마을 사람들도 놀라고, 아이들도 놀라 모두 집으로 돌아갔다가 다시 나왔다고 했다. 마을 어른들도 개기월식을 봤으나 태양계의 현상에 대해 잘 이해하지는 못하였다. 아이들은 하늘이 점점 어두워지면서 보름달이 갑자기 사라져 안 보이다가, 한참 만에 달이 다시 나왔다면서 신기해했다.

소녀와 단은 아이들과 함께 기와집으로 몰려갔다. 소녀의 외할아버지께 인사를 드리자, 외손녀가 늦은 밤인데도 돌아오지 않아 걱정하고 있었다면서 가볍게 야단을 치셨다. 읍내 도서관에 간다고 말하고 아침에 나갔는데 너무 늦어 나룻배를 놓쳤을 것이라 짐작했다고 하셨다. 집안의 일꾼들을 읍내 쪽 산길로 마중을 보내려고 했던 참이라며, 무사히 돌아와서 다행이라고 하셨다. 소녀의 외할아버지께서는 갑자기 단이를 부르시더니 많이 컸다고 하시면서 머리를 쓰다듬어 주셨다.

잠시 후, 아이들이 다 같이 인사를 드리고 대문을 나서려고 할 때, 단이는 남아서 따로 드릴 말씀이 있다고 했다.

"오늘 절에서 무슨 얘기를 들었는데 저희 할아버지 얘기입니다."라고 뜬금없이 말씀드리자

"으, 응, 단이 할아버지는 나의 어린 시절 친구였지."라고 하시며, 매우 친한 사이였다고 하셨다.

"저희 할아버지는 어떻게 돌아가셨어요?"라고 하며, 아까 산사에서부터 의문을 가졌던 일을 여쭤봤다.

"그걸 아직도 모르고 있었나? 아마 네가 어려서 할머니께서 말씀해주시지 않은 것 같구나."라고 하셨다.

"저희 할아버지의 죽음에 대해 잘 아세요?"라고 하며, 단은 재차 여쭤봤다. 소녀의 외할아버지께서는 아무 말씀도 하시지 않으시고, 잠시 뜸을 들이시다가 말씀을 이으셨다.

"응, 잘 알지. 단이가 이제 많이 컸으니 집에 돌아가거든 할머니께 자세히 여쭤보는 게 좋겠구나."라고 하시며, 밤이 늦었다면서 빨리 집으로 돌아가라고 하셨다. 단이는 오늘 하루 내내 머리를 짓눌렀던 궁금증을 풀지 못하고, 결국 의문을 품은 채 집으로 돌아가게 되었다.

아이들은 소녀와 인사를 나누고 내일 강나루 쉼터에서 만나자고 한 후 기와집을 나섰다. 갈림길 근처에서 각자의 집으로 돌아가면서 오늘 도서관에 가서 알게 된 것은 내일 정보를 공유하자고 했다. 단은 이튿날 날이 밝자, 할머니 일손을 거들어드리다가 어제 있었던 궁금한 이야기를 끄집어내었다. 느닷없이 질문을 받으신 할머니께서는 일손을 멈추시고 손사랫짓까지 하시며, 부엌에 가서 찬물 한 그릇을 떠 오라고 하셨다. 할머니께서는 속이 타시는지 찬물을 벌컥벌컥 들이키시더니, 조심스럽게 오랫동안 묵혀둔 지난 얘기를 꺼내셨다.

할머니께서는 소녀의 외할아버지와 할아버지가 어린 시절부터 친하게 지냈다는 얘기에서부터 시작해, 사고가 나서 할아버지가 단이 아버지를 얻고 얼마 되지 않아 돌아가셨다는 말씀도 해주셨다. 단이가 너무 어려서 그런 얘기를 여태껏 해주지 못했다면서, 미안한 마음도 드러내셨다. 단이 할아버지께서 실종되었던 그날이 돌아오면 언제나 건너편 절에 가서 예불을 드리고, 사고가 난 바다를 바라보며 무사히 돌아오기만을 합장하여 기원했다고 하셨다. 해난사고 때, 실종되었지만 시신으로 발견되지 않았기 때문에, 할머니께서는 할아버지께서 어딘가에 살아 계실 거라고 굳게 믿고 계시는 것 같았다.

"할아버지께서 살아계셨으면 우리 단이를 얼마나 좋아하셨을까."라고 하시며, 할머니께서는 연신 눈시울을 붉히셨다. 얘기를 듣고 있던 단이는 궁금증이 풀리는 것 같다면서 할머니께서 젊은 시절부터 힘들게 살아오신 세월에 대해 조금은 이해하는 눈치였다. 단이는 어제 절에서 들은 얘기와 할머니께서 하신 말씀으로 평소의 궁금증을 어느 정도

풀고, 아이들이 기다리고 있는 강나루 쉼터로 향했다.

아이들은 모두 모였으나 소녀와 리솔이만 보이지 않았다. 단이는 어제 있었던 개기월식에 대해 아이들이 잘못 이해하고 있는 것을 바로잡아 주기도 하며, 소녀와 리솔이를 찾았다. 호랑이도 제 말 하면 온다더니, 그때 리솔이가 달려오면서 설이는 조금 늦을지도 모른다고 했다. 아마도 어제 늦은 귀가로 눈 밖에 날 뻔해 외할아버지로부터 주의를 듣고 있는 것 같았다. 옹기종기 모인 아이들은 어제 읍내 도서관에 가서 조사한 일을 물었다. 단은 먼 옛날 신비의 섬 주변 해역에서 있었던 해난사고가 실린 신문 기사의 메모지를 보여주며, 조사한 내용을 설명해 주었다. 아이들은 단의 설명을 듣더니 고개를 끄덕이기도 하고, 몇 가지 의문점을 묻기도 했다.

그때, 소녀가 멀리서 급히 달려오고 있었다. 단은 소녀에게 어제 도서관에서 찾은 조사자료를 아이들에게 알려주고 있다고 했다. 그러자 소녀는 자신이 걱정하고 있었던 의문에 대해 급하게 물었다.
"단이 할아버지에 대해 할머니께 여쭈어봤어?"
"응, 우리 할머니께서도, 그 당시 사고 해역에 설이 외할아버지와 함께 우리 할아버지께서도 멸치잡이 조업에 나가셨다고 하셨어."
"그 당시, 바다에 나가셔서 지금까지 할아버지께서는 돌아오지 않으시고 있다면서 애통해하셨어."라고 했다.
소녀는 짐작하지 못한 뜻밖의 답변에 몹시 놀라는 눈치였다.
"그럼, 어제 도서관에서 그 당시 신문 기사에서 본 목모 씨라는 실종자가 단이 할아버지라고?"

"응, 그런 것 같아. 할머니께서는 실종자의 시신이 발견되지 않으니, 여태껏 할아버지께서 살아 계신 걸로 굳게 믿으시는 것 같았어. 그래서 절에 같이 갈 때도 나에게 할아버지께서 돌아가셨다는 얘기는 입 밖에도 꺼내지 않으셨대."라고 하며, 단은 자신이 들은 가슴 아픈 사연을 전해주었다.

아이들도 모두 소스라치게 놀라며

"수십 년 전 사고 때, 단이 할아버지께서 실종되셨다니…."

"아니, 그럴 수가?"라고 하면서 다들 안타까워했다. 마을 어른들께서 그 사실에 대해 입단속을 하여 아이들은 물론이고, 젊은 청년들조차도 여태껏 모르고 지냈던 것 같았다.

단이가 전해준 애통한 얘기를 접한 아이들은, 새로운 도전 목표라도 발견한 맹수들처럼 호기심에 찬 눈빛을 반짝거렸다. 아이들은 별장이 있는 섬에서 들었던 보물선 침몰에 관한 의문을 파헤쳐야 한다는데 다들 입을 모았다. 신비의 섬 해역에서 일어났던 불미스러운 사고들이, 침몰한 보물선과 관련이 있을 수도 있다고 의심하는 것 같았다. 아이들은 다시 도서관에 가서 보물선에 관한 기사도 찾아보자고 제안했다. 단이는 낼모레 날이 좋은 날 가는 게 좋겠다고 했다. 다른 아이들도 맞장구를 치며 읍내 구경도 할 겸 이번에는 모두 같이 가자고 했다. 가는 날은 모레 아침 강나루에서 떠나는 첫 나룻배를 타자고 했다. 조사를 마치고 돌아올 때는, 나룻배를 놓치지 않도록 여유 있게 돌아오자며 염려하는 말도 나왔다. 아이들은 모두 모레 아침, 강 나루터에서 만나기로 하고 헤어졌다.

소녀와 단이는 갈림길까지 같이 가기로 하고, 강나루를 따라 산책길을 걸어갔다. 단은 기와집 외할아버지께서 사고에 대해 더 잘 아시고 계실 테니, 집에 돌아가면 살짝 그 일을 여쭈어보는 게 어떻겠냐고 소녀에게 넌지시 말했다. 소녀도 어제저녁 외할아버지께서 하신 말씀을 듣고 보니, 사고에 대해 잘 아시는 것 같다고 했다. 단이 할머니를 생각해서 자세히 말씀하시지 않는 것 같더라면서 그렇게 해보겠다고 하였다. 둘은 읍내 도서관에 가기 전에, 보물선의 침몰에 대해 좀 더 알아볼 것이 있으면 미리 조사해 보기로 했다.

32화 보물선과 해저 유물

사람들이 위대한 일을 하는 데 있어
언제나 대단한 도전이 필요한 것은 아니다.
순간순간의 작은 도전들이 모여 하나의 위대한 일은
이루어질 수도 있는 것 같았다.

위대한 일이라고 해서 손에 넣을 수 없는 것은 결코 아니다. 작은 일들을 차근차근하다 보면 자신도 모르는 사이에 원하던 것이 저절로 이루어져 있을 수도 있다. "순간을 사랑하라. 그러면 그 순간의 에너지가 모든 경계를 넘어 퍼져 나갈 것이다."라는 말도 떠올랐다. 모래톱 마을 아이들이 행하고 있는 작은 도전이나 모험심에는 본받을 점이 많았다. 마음속에 품은 의문에 대해 머리를 맞대고 궁리하며, 한 발짝, 한 발짝 흔들림 없이 목표를 향해 나아가고 있는 아이들이 대견하였다. 보물선에 대한 의문을 풀기 위한 자료도 수집하고, 모처럼 읍내에서 함께 어울리기 위해 탐험대 아이들은, 모두 읍내 도서관을 방문하기로 했다.

역사책이나 위인전을 읽어 보면 예부터 무역선이나 보물선들이 서해안이나 남해안을 중심으로 자주 드나들곤 했었다는 기록은 많이 남아 있었다. 근래에는 해저 유물이 수백 점 발견되었다는 소문이 파다하게 퍼진 적도 있었다. 그 옛날, 장보고는 신라의 무장으로 청해진을 설치하여 신라, 당나라, 일본을 잇는 해상무역을 주도했었다. 그가 해상왕으로 기세를 떨친 일화는 널리 알려진 이야기였다. 당시에는 바다를 항해하는 배를 습격하여 재물을 빼앗는 해적들이 출몰하기도 했었다. 해적을 만난 보물선들은 급하게 도망치다가 해적선에 나포되기라도 하면, 일부러 귀한 유물을 거친 바다에 던져버리기도 했었다고 한다. 조선시대에는 조선통신사라는 사절단이 귀한 물건을 싣고 부산포에서 출항하여 일본과 소통했다는 기록도 있었다. 남해안에서 해상 운송이 활발하게 이루어졌다는 증거들은 전설의 섬 해역에서 발생했던 사건이나 사고와 어떤 관련이 있는지도 몰랐다. 가랑잎에 떨어진 좁쌀알 찾기처럼 조사 활동은 높고 험난한 벽처럼 느껴지기도 했다. 탐험대 아이들이 읍내에 있는 도서관을 방문해, 보물선에 대한 기록을 조사하고자 하는 의도는 점점 분명해져 갔다.

읍내로 가기로 한 날, 아이들은 약속 장소인 강나루 나룻배 선착장에서 아침 일찍 모였다. 친구들 집에 들렀다가 오는 석이가, 창의는 고뿔로 열이 많이 나 어쩔 수 없이 빠져야 할 것 같다고 했다. 아이들은 오뉴월 감기는 개도 아니 걸린다는 우스갯소리도 했으나 친구를 걱정하는 눈치였다. 탐험대는 나룻배 출항 시간이 되어 나루터를 떠났다. 배에 탄 아이들은 나룻배를 타고 가면서 읍내에서 할 일들에 대해 이런저런 의논도 하였다. 도착하면 도서관에서 자료를 수집하고, 읍내 시장에서 점심을 먹은 뒤, 자전거를 빌려서 타자는 의견이 나왔다. 아이들이 함께 외출하게 된 날은 오랜만이라 모두 들뜬 기분이 되었다. 자전거를 타고 읍내 유원지를 방문하자거나 점심은 찐빵과 꼬챙이로 끼워 만든 얼음과자인 아이스께끼로 때우자는 얘기도 나왔다. 그림에 관심이 많았던 리솔이는 달고나 문양에 자신이 있다며 달고나 뽑기 대결을 하자고 했다. 아이들은 아이들을 좋아했다. 그냥 함께 어울리는 것 자체가 즐거운 일이었다. 이런저런 얘기들을 하며 하루 계획을 짜다 보니, 어느새 나룻배는 마을 건너편에 도착했다.

아이들은 도서관 앞마당 벤치에 앉아, 조사 활동의 역할 분담을 의논하였다. 조사는 보물선의 유물이 발굴된 사례나 보물을 실은 배들이 전설의 섬 주변을 운항한 단서를 찾는 것이 목적이었다. 아이들은 보물선을 조사할 때, 무역선의 침몰과 발굴된 유물로 구분하여 조사하면 시간이 절약되어 좋겠다는 의견을 내었다. 윤택이는 남학생들이 보물선 침몰 조사를 할 테니, 여학생들은 해저 유물을 조사하는 게 어떻겠느냐면서 역할 분담 방법을 얘기했다. 보물선팀과 해저유물팀으로 나누어 조사를 마치고, 정오쯤에 도서관 앞마당 벤치에서 다시 만나기로 약속하고 열람실로 서둘러 올라갔다. 아이들의 이번 탐사 활동에 임하는 자세와 포부는 하늘을 찌를 기세였다.

보물선팀은 "보물선을 찾아라!"라는 구호를 크게 외쳤고, 유물팀은 "해저 유물을 찾아라!"라고 외치며, 기록물들을 뒤지기 시작했다. 서로 경쟁이라도 하는 것처럼 눈에 불을 켜고 달려들었다. 아이들은 도서관에서 전설의 섬 주변 해역에서 발생한 무역선인 보물선의 침몰 경위와 그 이후 발굴된 해저 유물과 관련된 신문 기사와 괴소문들에 관한 자료를 열람했다. 시간이 흘러 정오 무렵, 팀별로 도서관 앞마당에 모이기 시작했다. 백지장도 맞들면 낫다더니 팀별로 조사 활동이 계획대로 잘 이루어졌는지, 도서관에 들어갔던 아이들은 여유를 부리며 밝은 표정으로 나타났다. 다시 모인 탐사대는 팀별로 조사한 내용을 공유하기로 했다.

먼저, 보물선팀에서 조사한 내용을 정리하여 발표하였다.

"해저 유물이 발굴되기 오래전인 해방을 전후하여, 전설의 섬 주변 해역은 암암리에 보물선을 찾느라 난다 긴다 하는 도굴꾼들이 바다 밑을 뒤지고 다녔다는 소문이 있었다. 나라에서 본격적으로 해저 유물을 발굴하게 되자 세상의 주목을 받기 시작했다. 이때 발굴된 보물선은 10여 년에 걸친 학계의 연구에 의하면, 송나라에서 일본으로 가던 무역선이 풍랑에 난파된 것임이 밝혀졌다. 신문 기사에는 보물선에 대한 정보를 담고 있었다. 보물선은 수백 년 전인 1323년 6월 초 어느 날, 동남아를 주름잡던 길이 28.4m, 너비 6.6m, 높이 2.5m의 원나라 대형 무역선이 양 자강 하구의 경원로(慶元路, 지금의 寧坡) 항을 떠났다. 수만 점의 도자 기와 금속제품, 동전, 목제품 등 무역품을 가득 싣고, 고려에 정박해 식 료품을 보급받은 후 일본 도후쿠지(東福寺)를 향해 출발했다. 이때가 그 해 6월 하순에서 8월 사이였다. 항해하던 무역선은 태풍을 만나게 되 고, 물살이 사나운 남해안 앞바다에서 끝내 침몰했다. 그 뒤, 바다 밑에 서 긴 잠을 자다, 6백여 년 만에 보물선은 다시 빛을 보게 되었다. 지난 1975년부터 이곳 해역은 문화재 보존지구로 지정돼 10년간 조업을 하 지 못했다.”라고 하며, 보물섬팀에서 참고 자료를 바탕으로 조사한 내용 의 발표를 마무리했다.

이어서, 유물팀의 조사 활동 발표가 있었다. 유물팀은 그 당시 해저 유물 발굴로 세상을 떠들썩하게 만든 곳에 대한 기록을 뒤져 보았다고 하면서 발표를 시작했다.

“유물팀이 조사한 해역은 넓은 바다 위에 깨알을 흩뿌려 놓은 듯 8백 40여 개의 고만고만한 섬들이 몰려 있는 곳이기도 했다. 해저 보물선 의 존재가 세상에 알려지기 전에 육지의 끝머리에서 바라본 그곳에는, 그물질에 맞춰 부르는 어부들의 뱃노래만 바다를 가득 메웠었다. 유물 이 발굴된 곳에서 가장 가까운 포구의 동네 어귀부터 안쪽까지 이어진 돌담은, 갯마을의 정취를 물씬 풍겨 마을 분위기를 더욱 정겹게 만들었 던 곳이기도 했다. 그 당시 신문 기사에는, 이 마을에서 태어나 40여 년 을 어업에 종사한 분의 인터뷰도 실려 있었다. 인터뷰한 최모 씨(63)라 는 분은 그물에 걸린 도자기를 문화재관리국에 신고한 사람 중의 한 명이었다. 그 어부는 '일제 강점기 때부터 이곳에서 고대구리로 불리는 어선으로 고기잡이에 나선 어부들은 그물에 깨진 그릇, 나무토막 등이 걸려 나올 때마다 재수 없다고 바다에 버렸어요. 저도 그물질을 하다가 정교하게 조각된 불상과 도자기 등을 건졌어요. 그때 문화재관리국에 감정을 의뢰하기 위해 집에 놔두었던 불상을, 막내아들이 장난감처럼 갖고 놀다 떨어뜨려 산산조각을 내버리기도 했지요.'라고 말한 기록들도 신문에 실려 있었다. 그만큼 문화재에 대한 인식이 부족했던 시대의 이야기였다. 그 사이 9년간(1976~1984) 10차례에 걸쳐 도자기 2만 6백61점, 금속제품 7백29점, 석제품 43점, 자단목 1천17개, 동전 52종 28톤 등 송대 및 원대 유물이 발굴됐다. 감시초소와 탐조등까지 설치하고, 24시간 감시를 했던 해저 발굴 앞바다는, 전국에 내로라하는 문화재 도굴범들이 몰려 1만여 점의 보물을 훔쳐 갔을 정도였다. 도굴은 심각한 사회문제로 대두되기도 했는데 들키거나 하면 도굴꾼들은 잽싸게 줄행랑을 놓는 일이 다반사(茶飯事)였다. 그로 인해 이곳 어민들의 피해도 컸었다."라고 하며, 해저 유물 발굴과 인근 마을 사람들의 피해 등을 자료에 근거하여 설명하면서 유물팀도 발표를 마무리하였다.

아이들은 보물선팀과 유물팀의 조사 발표를 다 들은 뒤, 상대 팀의 조사 내용에 대해 궁금한 점을 서로 묻기도 하였다. 먼저, 유물팀에서 보물선팀이 조사한 내용 가운데 의문점이나 시사점을 물었다.

"해저에 침몰한 보물선은 우리나라 선박이 아니었다는 말인가요?"
"기록에는 송나라 및 원나라 배였다고 되어 있었어요."
"그럼, 침몰한 무역선이 고려에는 왜 입항하게 되었나요?"

"중국 쪽에서 일본으로 가는 무역선이었는데, 장기간 항해 중이라 중간에 식수나 식료품 등을 공급받았던 것 같아요."

"보물선의 크기는 우리 마을 나룻배로 치면 얼마나 큰 걸까요?"

"큰 나룻배의 5~6배는 될 것 같아요. 높이나 폭도 그렇고…."

"보물선이 발견되고, 인근 해역에 10여 년간 조업이 금지되었다는데 그 까닭은 뭘까요?"

"아마도, 불법적으로 보물선에 접근하여 유물들을 훔치려는 무리가 있어서 그랬던 것 같아요."

"조업이 금지되었다면 인근 마을 사람들은 어떻게 살았을까요?"

"마을 주민들의 생업에 타격이 컸을 것 같아요. 불법 어선들도 출몰하여 서로 겁을 주기도 하고, 보물선이 가라앉아 있는 곳에 접근하지 못하게 괴소문을 퍼뜨리기도 했을 것 같아요."

보물선팀이 조사한 내용에 대해 상대 팀원들은 이것저것 궁금한 점을 구체적으로 물어보기도 하고, 조사기록을 참고하여 친절히 답변도 해주었다.

이어서, 해저유물팀에서 조사한 내용에 대해 서로 궁금한 점을 질문하기도 하고, 의문점을 제기하기도 하였다.

"해저에서 보물선이 발견된 지점에 감시초소를 뒀다고 했는데 그 까닭은 뭘까요?"

"아마도 해저 유물을 훔치기 위해 법을 어긴 도굴꾼들이 설치니, 도굴꾼들의 낯 뜨거운 노략질을 감시하기 위해 감시초소를 뒀을 것 같아요."

"인근 어민들의 손실이 막심했다고 했는데, 주로 어떤 피해를 봤나요?"

"아마도 도굴꾼들이 서로 해저 유물을 차지하려고 전설의 섬 인근에 무서운 소문을 퍼뜨리고, 일부러 사건이나 사고를 위장하기도 했을 것 같아요. 그 결과, 전설의 섬 인근 해역에서의 조업도 불가능했을 테고….”

“어부들이 조업하면서 걸려 올라온 유물을, 강아지 밥그릇으로 사용했다는 소문도 있었다고 했는데 그런 것이 사실일까요?”

“어떤 어부의 인터뷰 기사를 보면, 그냥 보통 가정에서 사용하는 그릇으로 생각했다면 그럴 수도 있었을 것 같아요.”

“발굴 초기에는 일정한 원칙이나 규정이 없다 보니 귀에 걸면 귀걸이 코에 걸면 코걸이 식으로 유물들을 아무렇게나 취급했을 수도 있지 않았을까요?”

학교에서 했던 탐구 활동을 참고하여, 아이들은 유물팀에서 발표한 내용에 대해 의문점을 제기하기도 하고, 서로의 의견을 주고받으며 조사 결과의 시사점도 알아보았다.

팀별로 조사한 내용에 대한 궁금한 점에 대해 서로의 생각을 교환한 후, 어떤 아이가 다시 의문점을 꼬치꼬치 캐묻기도 했다.

“아까, 일제 강점기라는 말도 나오고, 고대구리라는 배에 대해서도 발표했는데 그건 잘 이해가 되지 않아서….”라고 하며, 조사 내용을 구체적으로 물었다. 보물선팀에서 발표한 내용인데 자기들도 생경한 용어들이 한둘이 아니었다며 혀를 내둘렀다. 그러자 소녀가 벌떡 일어나 설명을 덧붙이기도 했다.

“일제 강점기는 일본이 조선을 강제로 점령했던 시기를 말하는 거야. 그리고 고대구리는 일본말인데 아까 우리 팀이 조사하면서 찾아보니

'코가 작은 그물로 불법 어로를 하는 방식이나 그러한 배'라고 적혀 있는 걸 본 기억이 나."

"그런 배들이, 왜 우리나라에 널리 퍼졌을까?"

"우리나라 어구들은 그 당시 일본의 영향을 많이 받았던 것 같았어. 작은 치어들까지 싹쓸이하며 각광(脚光)을 받았던 고대구리 어선들이 일제 강점기를 거치면서 남해안에서 불법 조업을 많이 했대. 그러다가 광복 이후, 고대구리가 단속을 피해 우리나라에 널리 퍼지게 됐다고 기록되어 있었어."라며, 도서관에서 본 기억을 되살려 설명해주었다.

"코가 작은 그물로 해저 밑바닥인 저층을 훑는 마구잡이 불법 어선들이 옛날부터 전설의 섬 주변에서 판을 쳤다는 얘기네."라고 하며, 단이가 꼬집어 말하자 소녀도 미심쩍은 부분이 있다고 했다.

"고대구리나 특이한 어구들을 실물이나 그림으로 본 적이 없으니 어떻게 이용되었는지 잘 이해가 되지 않았어. 나중에 우리 외할아버지께 자세히 여쭤보려고 해."

"바다 밑을 그물로 끌고 가다가 널브러져 있던 유물들이 그물에 끌려 올라왔을지도 몰라."라고 하며 석이도 대화에 끼어들었다. 아이들은 일제히 탄성을 지르며 "그래, 바로 그거야!"라고 하며, 정말 그런 추리도 가능하겠다며 무릎을 치기도 했다.

과학적 증거가 되는 기록물인 그 당시의 신문이나 참고 자료를 바탕으로, 탐험대 아이들은 전설의 섬이 가진 의문에 한 걸음씩 다가가고 있었다. 아이들은 이번 도서관 방문을 통해, 신비의 섬 인근 해역에서 보물선이 침몰했다는 증거를 찾아내었다. 또, 보물선은 귀한 물건을 실은 무역선이었으며, 많은 유물을 싣고 중국에서 일본으로 가던 중에 태풍을 만났다는 사실도 밝혀내었다. 해저 보물을 찾기 위해 불법적으로 유물을 훔치려는 무리가 이곳저곳에서 다수 출몰했었던 일이나 인근 마을에 피해가 막심했었다는 사실을 알아내는 개가(凱歌)도 올렸다. 그런데 구체적으로 어떤 피해가 있었으며, 도굴꾼들은 어떤 방법으로 해저 유물을 훔치려고 했는지는 알 수가 없었다. 그런 세세한 피해 사례는 기록물에서는 찾지 못하였다. 그것은 아마도 피해를 본 마을 사람들로부터 직접 증언을 들어 보는 것이 좋을 것 같았다.

탐험대 아이들은 그전에 별장지기와 해녀들로부터 보물선과 해저 유물 때문에 신비의 섬 인근 지역에서 끊임없이 무서운 소문들이 나돌았다는 걸 들은 적이 있었다. 마을 사람들은 전설의 섬 해역에서 십여 년간 사건이나 사고가 끊임없이 발생하고, 나라에서 조업을 금지하기도 하니, 섬 근처에 가면 큰일이 나는 것처럼 인식되었을 것이라는 추정도 가능했다. 이제 탐험대는 그 당시, 구체적으로 어떤 배나 장비를 가지고 도굴꾼들이 활개를 쳤으며, 왜 마을 사람들은 그곳 섬 근처에 갈 엄두를 내지 못했는지를 밝혀내야 했다. 특히, 고대구리라는 소형기선저인망에 대해 아이들은 다들 궁금해하는 것 같았다. 그런 의문들이 밝혀진다면 전설의 섬의 어두운 그림자의 정체에 대한 어떤 실마리를 찾을 수도 있을 것 같았다.

마을 아이들은 도서관에서 조사해야 할 것들이 거의 마무리되었고, 또 앞으로 조사해야 할 일들도 대충 정리가 된 것 같아서 도서관에서 나가기로 했다. 가벼운 발걸음으로 나룻배가 출발할 때 점심으로 먹기로 했던 찐빵과 아이스께끼를 사 먹으러 갔다. 지갑을 열어보던 리솔이는 아침에 서둘러 나오다가 부모님께서 챙겨 준 용돈을 마루에 두고 왔다며 걱정이 태산 같았다. 아이들은 각자 챙겨 온 코 묻은 돈을 십시일반(十匙一飯)으로 조금씩 보태서 점심을 먹자며 안심시켰다. 일찍 나루터에 나온다고 아침밥도 거른 아이들은, 배가 등짝에 붙어 시장에서 고픈 배를 채울 생각만 머릿속을 맴돌았다. 끼리끼리 손을 잡기도 하며 천천히 걸어가더니, 도서관 담벼락을 돌자마자 허기진 배를 채울 요량으로, 어깨동무한 팔도 푼 채 읍내 시장으로 서둘러 달려갔다.

33화 무서운 음모와 노략질

신비의 섬 주변 해역에서 있었던
무서운 음모와 노략질로 마을 사람들은
그곳에 발을 끊고 섬을 전설로 묻어둔 것일까?
무슨 이유에서인지 섬과 모래톱 마을은
수십 년간 모든 왕래가 끊겨있었다.

아이들은 도서관에서 나와 읍내 시장에서 아이스크림을 사서 길거리에서 먹었다. 시장통 모퉁이에 있는 허름한 파라솔 밑에서 옹기종기 모여 앉아 달고나 뽑기도 하려고 했었다. 달고나 뽑기는 여러 가지 도형과 동물 모양이 있었다. 아이들은 하트나 별 모양 등 자신이 좋아하는 문양을 선택해 각자 두 번씩 달고나 뽑기를 할 계획이었다. 그런데 가는 날이 장날이라고 공교롭게도 파라솔 아래 달고나 할아버지는, 그날따라 쉬는 날이라 장사를 하지 않았다. 김이 샌 아이들은 실망한 나머지 뭘 할지 몰라 우왕좌왕했다. 우선, 찐빵집에서 김이 모락모락 나는 찐빵 열 개를 사서 두 봉지에 담아 석이와 윤택이가 가방에 챙겨 넣었다. 달고나 뽑기 할 돈으로 떡볶이집에서 떡볶이와 오뎅을 몇 개씩 사서 먹고, 그 바로 옆에 있는 자전거 대여점에서 자전거도 빌렸다. 도서관에 조사하러 왔다가 먹고 노는 데 정신이 팔려있는 아이들을 보니, 배보다 배꼽이 더 크다는 말이 떠올랐다. 서로 앞서거니 뒤서거니 하며, 읍내에서 강변을 따라 둑길로 자전거를 타고 달렸다. 강변에는 군데군데 갈대숲이며, 작은 모래톱들이 옹기종기 모여 있었다. 곧은길에서는 자전거 운전대를 놓고, 양팔을 하늘 높이 쳐들어 만세를 부르듯이 하여 페달을 밟기도 했다.

햇볕은 뜨겁게 내리쬐고 있었으나 시원한 강바람을 가슴에 안고 모처럼 달리는 기분은, 하늘을 나는 듯이 좋았다. 역병으로 고생도 하였으나 올해처럼 다양한 체험도 하고, 동무들과 즐겁게 어울리며 신나게 보내는 방학은 처음이었다. 평소와 달리 직접 체험도 많이 하며, 색다른 방법으로 공부하는 것도 좋았다. 학기 중에는 도저히 상상도 할 수 없었던 탐험대 탐사 활동도 하고, 도서관 방문이나 자전거 타기까지 하다니 얼마나 보람된 방학인가. 자전거를 타고 바람을 가르며 강둑을 거쳐, 바다가 보이는 곳까지 나갔다가 나룻배 시간에 늦지 않게 되돌아왔다.

해가 아직 중천에 있어 귀가할 시간이 넉넉했으나 부모님과의 약속을 지키기 위해, 이른 시간에 마을로 돌아가는 나룻배를 탔다. 배를 타고 마을로 돌아가며 앞으로 풀어가야 할 남은 과제에 대해서도 생각을 나누었다. 신비의 섬 주변 해역에서 무서운 음모와 노략질이 있었다는 건 확인하였다. 그런 일로 인해 모래톱 마을 사람들이 전설의 섬을 멀리하고 수십 년간 발을 끊게 되었다는 사실을 수소문해야 했다. 늘 안분지족(安分知足)하여 제 분수를 지키고 만족하며 살았던 순박한 촌민들이 오죽했으면 발을 끊고 지냈을까. 옛날 탐관오리(貪官汚吏)와 같은 비루(鄙陋)한 관리들은, 촌민들의 힘든 형편을 고려하지 않고 마구잡이식으로 세금을 갹출(醵出)하는 등 가렴주구(苛斂誅求)를 일삼아 고혈(膏血)을 짜내기도 했었다. 그 한탄의 소리는 길을 가득 채웠고, 원망과 원성은 하늘을 찌를 듯하였다는 소문도 있었다. 그 당시 생업을 포기했었던 사람들은 각자가 스스로 살길을 도모하는 각자도생(各自圖生)의 길로 접어들었던 것 같았다.

수심이 깊은 심해 해저가 있는 해역은, 예측하기 힘든 소용돌이로 어선들의 침몰이나 해난사고가 잦은 곳이었다. 그 당시 신비의 섬 해역은 보물선이 침몰하였다는 소문이 퍼지자, 해저 유물을 손아귀에 넣으려는 여러 부류의 무리도 다수 출몰하게 되었다. 그들은 떼를 지어 다니며, 바다에서 조업하던 사람들을 해치거나 재물을 강제로 빼앗는 노략질을 서슴지 않고 자행하였다. 하루가 멀다고 발생한 흉흉한 사건 사고

들은 마을 사람들의 뇌리에 깊이 박혔다. 그런 일로 사람들이 수십 년 간 섬과 발을 끊고 지냈다니 안타까운 일이 아닐 수 없었다. 만약, 도굴꾼들의 노략질로 인해 멸치잡이 배에서 사고가 생겼고, 그 당시의 실종자가 탐험대 아이들이 섬에서 봤던 짐승처럼 생긴 괴생명체라면, 하루빨리 그를 구조해야 한다는 생각도 들었다.

탐험대 아이들은 읍내 도서관에서 전설의 섬 주변 해역에서 발생했던 조사자료를 정리하였다. 섬 주변 해역에서 일어났던 약 4~50년 전의 마을 사람들의 사고 기록과 해저 유물을 훔치려는 도굴꾼들의 출몰 시기도 대조하며 찬찬히 살펴보았다. 모든 정황이 뜬소문으로 치부하기도 했던 무서운 괴담들과 거의 일치하였다. 그냥 입에서 입으로 흘러 다니는 소문들이, 실제로 존재했었던 사실이라니 놀라지 않을 수 없었다. 소문의 진실을 추적하던 탐험대 아이들은 긴장할 수밖에 없었다. 이제부터는, 신문에는 기록되어 있지 않으나 눈으로 직접 보거나 겪었던, 그 당시 마을 사람들의 사건 사고에 대한 증언이 필요하다는 생각에 이르렀다. 소도 언덕이 있어야 비빈다고 탐문조사를 하더라도 사전에 수집된 자료가 있어야 했다. 아이들이 조사했던 기록과 그 당시 마을 사람들이 어떤 피해나 수모를 겪었는지 수소문한 자료들을 조사하여 대조해 보면, 전설의 섬을 둘러싼 의문의 실체를 밝혀 줄 중요한 단서를 확보할 수도 있을 것 같았다.

아이들은 조사자료를 참고하여 침몰한 보물선이 발견된 이후, 해저 유물 발굴을 전후하여, 신비의 섬 주변에서 어떤 일들이 생겼는지 탐문조사를 하기로 했다. 탐험대 아이들은, 전설의 섬의 무서운 이야기들이 누군가가 일부러 지어낸 뜬소문일 수도 있다는 사실을, 마을 사람들에게 낱낱이 알려야 했다. 단이와 소녀는, 그 당시 멸치잡이 배에서 함께 조업했던, 사고 해역의 생존자를 만나보고 싶었다. 그 사람을 만나서 물어보면 해결의 실마리를 풀 수도 있을 것 같았다. 그때, 살아서 돌아온 사람은 두 명이었는데 선장은 노환으로 돌아가고 없었다. 이제 남은 생존자는 한 명만 남아 있었다. 단이 할머니께서는 할아버지께서 단짝 친구와 조업을 나갔다가 사고를 당했다고 했었다. 그 친구는 바로 어린 시절을 함께 했었던 소녀의 외할아버지였다. 단은 소녀의 외할아버지께 그 당시의 일에 대해 여쭈어보는 게 좋겠다고 슬쩍 언질을 주었다.

탐험대 아이들은 사흘의 말미를 가지고, 그 당시 마을에서는 어떤 일이 있었는지 탐문조사를 벌이기로 했다. 이미 하루가 지나버려 발등에 불이 떨어진 것 같았다. 소녀의 외할아버지께서 출타라도 하시는 날에는 면담 조사가 어렵게 될 수도 있었다. 단은 소녀와 의논해 기와집으로 초대받아 가기로 했다. 아이들은 사고를 당했을 당시의 불법 어로에 대해서도 의문을 품고 있었다. 더 나아가 도서관에서 조사할 때, 궁금해했던 고대구리라는 어선의 정체와 그것과 모래톱 마을은 어떤 연관이 있는지도 여쭈어보고 싶었다. 단이는 기와집에서 소녀의 외할아버지를 서둘러 만났다. 자기 할머니께서 할아버지는 6.25 전쟁 때 전사했다는 소문은 거짓이라며, 멸치잡이 배에 따라 나갔다가 바다에 빠져 실종되었다고 하셨던 말씀을 전해드렸다. 그랬더니 소녀의 외할아버지께서는, 이제 단이도 많이 컸으니 모든 걸 알 때가 되었다고 하셨다. 그러시면서 오랫동안 가슴에만 품고 숨겨뒀던 아픈 기억을 들추어내어 이야기하기 시작하셨다.

"그 당시, 일제 강점기가 끝나고 광복이 되니, 일본 고대구리를 본뜬 어선들이 불법 어로를 많이 했었다. 그물에 유물들이 끌려 올라오기도 하고, 그런 소문이 여기저기로 퍼져서 나가니 수상한 선박이나 잠수부들이 섬 주변에서 판을 쳤었다. 외할아버지는 단짝 친구인 단이 할아버지와 함께 일손이 부족하다는 하소연을 듣고, 멸치잡이 배를 타고 조업에 나섰다. 멸치잡이 배에서 그물을 바닷속으로 던져넣는데 선장 말에 따르면, 그날따라 누가 바다 밑에서 끌어당기는 것처럼 그물이 바다 위에 뜨지 않고 갑자기 물속으로 끌려들어 갔다고 했다. 그런 와중에 어부들이 일곱이나 물속에 빠졌고, 외할아버지와 선장만 구조되었다. 하지만 섬 주변 해역은, 거친 소용돌이로 배가 침몰하기도 하는 곳이다 보니 나머지 다섯 명은 실종되었다. 그러던 중 넷은 시신으로 발견되었고, 단짝 친구인 단이 할아버지는 여태껏 생사가 불분명한 채 돌아오지도 않고 있다."라는 말씀을, 꼭 머릿속에서 외우고 있다가 하시는 것처럼 생생하게 얘기를 들려주셨다.

　소녀의 외할아버지 얘기를 듣고 있던 두 아이는, 자신들이 도서관에서 조사한 사실들과 일치하는 부분이 많아 고개를 끄덕이며 들었다. 그 당시 섬 주변 해역에는 무서운 음모와 노략질이 활개를 쳐서 전설의 섬 주변이 쑥대밭이 되었던 것 같았다. 고래 싸움에 새우 등 터진다는 말처럼 갖은 음모로 애꿎은 시골 마을만 피해를 고스란히 떠안은 격이 되었던 것 같았다. 무인도에 정박했을 때 들었던 별장지기와 해녀들의 이야기와도 일맥상통(一脈相通)한 부분이 많았다. 소녀와 단은 왜 마을 사람들이 신비의 섬에 발을 끊을 수밖에 없었는지, 그 연유가 어렴풋이 짐작되기도 했다.

외할아버지의 이야기를 듣고 난 뒤, 두 아이는 고대구리라는 배의 어구에 대해 정확히 이해가 안 가니, 그림으로 그려 설명해달라고 부탁을 드리기도 했다. 그리고 잠수부를 일본말로 모구리나 머구리라고 했다는데, 머구리가 어떻게 깊은 바닷속에서도 장시간 작업이 가능했는지에 대한 것도 궁금하다고 했다. 그러자 외할아버지께서는 그림을 그려 보여 주시며, 고대구리부터 설명해주셨다.

"고대구리는 작은 선박에 커다란 자루 모양의 그물을 달고 바다의 저층을 끌어 물고기를 잡는 어구 어법인 '소형기선저인망'을 뜻한다. 고대구리 어선은 그물코가 작고 어구 입구를 넓힐 수 있는 전개판까지 부착하고 있다. 소형 선박과 적은 인원으로도 많은 물고기를 잡는 것이 가능했던 고대구리는 어촌의 주요 소득원이었다. 고대구리는 경남, 전남·북 연근해에서 가자미, 넙치, 아귀, 새우, 문어, 낙지 등을 남획하기도 했다. 한번 그물에 걸려든 어린 물고기들도 빠져나가지 못해, 수산 생태계는 황폐화했다. 그물코가 작아 빠져나갈 수 있는 어종이 거의 없을 정도로 어획 강도가 굉장히 높았기 때문에, 고대구리는 어자원 고갈, 치어 싹쓸이의 대명사로 악명이 높았다."

"배에서 그물까지 60~70m 길이의 줄 두 가닥이 30m의 본 그물을 끌고 갔다. 본 그물 뒤에는 함정 역할을 하는 불꼬리(1.5m)가 달려 있다. 주된 특징은 그물을 양쪽으로 넓게 벌려주는 오따(전개판, 1.5 ×4m 내외)가 있으며, 거기에다 길이 40㎝의 개떼(갯대)가 '그물을 서서 가게' 잡아 주었다. 쉽게 말해서, 그물을 위아래로 넓게 벌려서 싹쓸이하는 것이다. 방금 던진 숟가락도 건진다는 우스갯소리가 있을 정도로 밑바닥까지 긁었다."라고 하시며, 어렵고 생경한 용어들을 섞어가며 자세히 설명해주셨다.

외할아버지의 고대구리에 대한 설명에서 그물을 단순히 끌고 가는 것이 아니라, 밑바닥까지 긁었다는 표현을 들어 보니, 어떻게 바다 밑에서 작업을 했을지 실감이 났다. 어구의 그림을 보니 자루 모양의 그물을 굵은 밧줄로 연결하여, 해저 바닥을 훑으면서 어획하는 것이었다. 그물코가 작고 어구 입구를 넓힐 수 있는 전개판까지 부착하고 있어, 어획 강도가 높아 생태계를 파괴하기도 하여, 섬 주변에서 서식하던 어종들은 거의 사라지게 되었다고 했다. 고대구리의 출몰로 모래톱 마을은 고기잡이가 되지 않으니 궁핍한 길로 들어서게 되었던 것 같았다.

소녀의 외할아버지께서 고대구리에 대한 설명을 마치시자 소녀는 눈을 반짝이며, 그전에 의문을 품었던 것에 대해서도 질문을 던졌다.

"머구리는 뭐예요?"라고 하며 여쭈어봤다. 그러자 할아버지께서는 또다시 설명을 이어서 해주셨다.

"머구리는 모구리라고 부르기도 했단다. 해저 깊은 곳에서 장시간 잠수를 하며 해산물을 채취하기도 하고, 물속에서 여러 분야에서 활약했던 일종의 잠수부란다. 일본 사람들이 처음에 그런 조업을 하면서, 그 말이 퍼진 거지. 배 갑판 위에 산소를 공급해주는 기계 장치를 설치해두고, 잠수부와 산소 호스를 연결했으니 물속에서 오랫동안 머물 수가 있었다네. 머구리는 깊은 바닷속에서 장시간 해저 활동이 가능하여, 바다에서 물질하던 해녀들이나 어부들은, 머구리가 나타나면 무서워서 겁을 먹고 도망치곤 했었지."라고 하시며, 기억을 더듬어 추억담도 얘기해주셨다. 외할아버지 말씀을 들어 보니, 머구리의 모습에서 달나라를 탐험하는 우주선 복장이 떠올랐다. 달에서 첫발을 내디뎠던 아폴로 11호의 우주인 닐 암스트롱의 뉴스 장면을 연상해보니, 산소를 공급하는 호스가 달려 있었던 우주복이, 마치 머구리의 모습과 흡사한 것 같았다.

마을 사람들의 목소리를 생생하게 듣고자 했던 면담 조사 활동을 마치고, 아이들은 다시 정해진 기일에 강나루 쉼터에서 만났다. 탐험대 아이들은 마을 사람들과의 면담을 통해, 전설의 섬이 간직한 두려움에 대한 수수께끼를 서서히 풀어가고 있었다. 진위를 알 수 없었던 사실들을 추리하기도 하고, 마을 사람들의 미신과 그 당시 사고나 사건의 오류를 바로잡기도 했다. 기록이나 문헌으로 찾을 수 없는 사실들은, 관련 당사자들과의 직접 면담이라는 탐문조사를 통해 나머지 의문점들을 밝혀내려고 애썼다. 탐험대 아이들은 전설의 섬이 간직한 무섭고도 소름이 돋는 악몽으로부터 마을 사람들을 구해 내는 쾌거를 거두게 될 것인가. 어린 조무래기들의 놀이 삼아 시작된 어설픈 탐사 활동이긴 했으나 그 귀추(歸趨)가 주목되었다.

34화 실종자는 과연 살아 있을까

그 옛날,
신비의 섬 해역에서 발생한 사고로
한 명이 여전히 실종된 상태로 남아 있었다.
해난사고의 실종자는 과연 살아있는 것일까.
아이들의 의문은 꼬리에 꼬리를 물었다.

아이들은 자신들이 목격한 사실과 기록물을 토대로 수집했던 증거들을 믿었다. 전설의 섬에 대해 품었던 두려움도 마음속에서 서서히 사라지고 있었다. 탐험대 아이들은 전설의 섬을 탐사하여 괴생명체를 목격하고, 읍내 도서관에서 기록물도 열람하며 조사 활동을 마무리하였다. 더 나아가 탐문조사로, 마을 사람들로부터 전설의 섬 주변 해역에서 발생했었던 음모와 노략질에 대한 증언도 확보하였다. 탐험대의 치밀한 조사 활동을 보니 "공든 탑이 무너지랴!"라는 속담이 떠오를 정도였다. 도저히 가망 없어 보였던 전설의 섬의 신비를 밝혀내는 일은, 돌다리도 두들겨보고 건너라는 말처럼 하나하나 점검하며 탄탄하게 이루어졌다. 탐험대의 탐사 활동은 시나브로 지속되어 마침내 그 끝을 보게 되는 것 같았다.

아이들이 섬에 상륙하여 사람의 흔적을 발견한 후, 도깨비불에 대한 두려움은 점점 사라지고 있었다. 그 옛날, 어부들이 들은 적도 있다는 섬 뒤편의 동굴에서 울리는 괴성에 대해서도 무서워하지 않게 되었다. 탐험대 아이들은 눈으로 직접 전설의 실체를 확인해가고 있었다. 이제 남은 일은, 그 당시 전설의 섬 해역에서 실종된 사람이, 탐험대가 섬에서 보았던 그 괴생명체인지를 확인하는 일만 남은 것 같았다. 아이들은 다시 모여서, 이 문제를 어떻게 풀어가야 할지 고민하지 않으면 안 되었다. 마을 어른들께 전설의 섬에 탐험대가 상륙했었던 사실을 숨기고, 풍랑에 나룻배가 떠내려가다가 무인도에 정박했다는 사실만 발설했다. 이제는 탐험대의 활동에 대해 있는 그대로 사실을 알려야만 했다. 그래야 마을 사람들의 도움을 얻어, 어른들과 함께 실종자가 섬에서 살고 있는 생존자인지를 확인할 수가 있을 것 같았다. 난감한 위기에 부딪힌 아이들은 언제, 어디서 이실직고(以實直告)를 할 것인지, 또 어떤 방법으로 자신들의 행위를 있는 그대로 고할 것인지 빨리 정해야 했다. 넘기 힘든 난관에 봉착한 아이들은 어떻게 해야 할지 갈피를 못 잡고 있었다.

다루기 까다롭고 민감한 문제를 해결하기 위해, 아이들은 마을에서 좀 떨어진 조용한 원두막에서 모였다. 원두막은 엎어지면 코 닿을 데 있었으나 어른들의 눈에 잘 띄지 않는 곳에서 비밀리에 작전을 세워야 했다. 모두 심각한 표정으로 모인 아이들은, 원두막에 둘러앉았다. 탐험대 대장인 단이가 먼저 말문을 열었다.

"우리가 일전에 마을 어른들로부터 대청마루에서 훈계를 들었는데, 한술 더 떠서 섬에 간 사실을 숨겼다는 말씀을 염치없이 또다시 드려야 할 것 같다. 이 일을 어찌하면 좋을까?"라고 하며, 아이들에게 의견을 내어보라고 했다.

"……."

아이들은 모두 꿀 먹은 벙어리처럼 눈만 껌벅거렸다. 아무리 머리를 쥐어짜도 뾰족한 수가 생각나지 않았다.

"어찌하면 좋을지 빨리 좋은 의견을 말해봐."라고, 재차 단은 아이들이 머리를 짜내도록 대답을 채근했다. 단의 재촉을 듣고 있던 창의가 먼저 입을 열었다.

"아무리 어리석어도 눈 가리고 아웅하는 수작에는 속지 않아. 어른들을 얕은 수로 속이려 해서는 안 되잖아."

"그냥 있는 그대로 사실대로 고하면 마을에서 쫓겨나지 않을까?"라고 하며, 석이는 조심스러운 표정으로 한 번 더 거짓말을 하자고 했다.

"다시 거짓말하는 건 못된 송아지 엉덩이 뿔난다는 말을 딱 듣기 십상이지. 아니, 또다시 거짓을 말하면, 더 난처한 일이 생길지도 모르잖아…."라고 하며, 리솔이가 석이의 말꼬리를 잡고 늘어지다가 난감하다는 듯이 말끝을 흐렸다.

그때, 소녀가 아이들의 걱정스러운 표정을 읽고는 말을 받았다.
"아무리 숨기려고 해도 소용없을 것 같아. 손바닥으로 하늘을 가릴 수는 없잖아."
"쇠뿔도 단김에 빼라는 말도 있듯이, 이번 기회에 망설이지 말고 있는 그대로 사실대로 말하는 게 좋겠어. 거짓말이 눈덩이처럼 커지기라도 하면 호미로 막을 일을 가래로도 막지 못할 수도 있으니……."
소녀는 종종 대자연과 교감하며 깊은 생각에 잠기기도 하고, 내면의 목소리에 귀를 기울임으로써 상황을 판단하는 직관력과 강단이 있었다. 아무도 예상하지 못한 촌철살인(寸鐵殺人)의 화법을 듣고 있던 아이들은, 소녀의 용기와 단호함에 다들 당황하여 멍한 표정만 지었다.
"……."
원두막에는 풀벌레 소리만 들릴 뿐, 잠시 무거운 침묵이 흘렀다. 꾸어다 놓은 보릿자루처럼 고개를 푹 숙이고 앉아 있던 아이들은 모두 소녀 쪽만 쳐다봤다.
"우리가 나룻배를 타고 가다가 섬에서 괴생명체를 봤다고 하면 어떨까?"
"아니면, 남쪽으로 떠내려가다가 전설의 섬에 상륙했었는데 우연히 사람의 흔적을 발견했다고 하는 거야. 흔적을 쫓아서 섬 뒤편으로 넘어가다가, 옛날 막걸리통 같은 것이 인적도 없는 섬에 있는 것을 보고 의문을 품게 되었으며, 그 근처에서 동굴도 보았다고 하는 거야."라고 말했다. 그러자 단이가 끼어들었다.

"그럼, 결국 우리가 전설의 섬에 우연히 상륙하게 되었고, 거기서 짐승인지 오랑우탄인지 모를 어떤 괴생명체를 눈으로 확인했다고 해야겠네."라고 하며, 마을에서 금하고 있었던 전설의 섬에 어른들의 허락도 없이 상륙한 사실을 알려야 하는지 물었다.

"단이 할머니께서는 실종된 할아버지께서 살아계신다고 굳게 믿고 계시니, 할머니께 먼저 말씀드리면 어떨까?"라고, 소녀가 넌지시 말을 꺼내는 방법을 조심스럽게 얘기했다.

"사실대로 말하되, 설이 외할아버지와 우리 할머니를 모시고, 두 분이 같이 계시는 자리에서 우리 할아버지의 실종과 생존 가능성에 대해 말씀드리는 건 어떨까?"라며, 단이가 의견을 덧붙였다.

소녀와 단의 의견을 듣고 있던 아이들은 잠시 생각하는 듯하더니 무릎을 치며, 그러는 게 좋겠다고 다들 입을 모아 얘기했다. 하늘이 무너져도 솟아날 구멍이 있다더니, 고개를 떨군 채 풀이 죽어 있던 아이들은 소녀의 말을 듣고는 용기가 생기는 것 같았다. 아이들은 자신들이 섬에 상륙한 적이 있으며, 그곳에서 이상한 괴생명체를 목격했다는 사실을, 우선 두 분께 먼저 알리기로 했다. 그 일은 아이들이 모두 같이 가서 말씀드리기보다는 소녀와 단이가 둘이 가서 조용히 말씀드리는 게 좋겠다고 했다.

소녀는 외할아버지께 부탁드려 단이와 할머니를 기와집에 초대하여 말씀드리기로 하였다. 사실, 소녀의 외할아버지나 단이 할머니께서도 단이 할아버지께서 실종된 사실을 여태껏 숨겨 온 것이어서, 어쩌면 아이들에게 미안한 마음을 가지고 계셨을지도 몰랐다. 단이가 자기 할아버지의 실종 때문에 힘들어하는 것 같으니, 단이와 할머니를 초대해 점심을 같이 먹으면 어떻겠냐고 소녀는 외할아버지께 말씀을 드려보았다. 소녀의 외할아버지께서는 기다렸다는 듯이 흔쾌히 수락하셨다. 그렇지 않아도 그럴 생각이었다며, 언제가 좋겠는지 약속을 잡아보라고 하셨다. 기회가 우리를 도우려 할 때는 그 기회를 도와서 놓치지 않고 뭔가를 해나가야 한다. 떡 본 김에 제사 지낸다고 소녀는 당장 단에게 달려가 점심 약속을 정하는데 다리를 놓아주었다. 물 들어올 때 노 젓는다는 말처럼 내친김에 바로 다음 날 점심 무렵에, 단이와 할머니께서 기와집을 방문하기로 하였다.

점심 약속이 잡힌 날 정오쯤에 단이와 할머니께서 기와집을 방문하였다. 기와집에서는 손님들이 왔다며 시원한 열무국수와 수박을 준비해 두었다. 네 사람은 특별히 기와집 사랑채에서 점심을 먹었다. 손님 대접이라며 나중에 다과상도 준비해서 내왔다. 소녀와 단은 긴장이 되어, 향기가 나는 차가 목구멍을 타고 내려가는 것도 느끼지 못하고 차를 마셨다. 두 아이는 마치 눈칫밥을 먹고 바늘방석에 앉은 꼴이 되어 어찌할 바를 몰랐다. 먼저, 소녀의 외할아버지께서 여태껏 단이 할아버지의 생사에 대해, 마을에서 숨기고 있었던 일에 대해 미안한 마음을 전했다. 이제 많이 컸으니 할아버지의 실종을 뒤늦게나마 알려주게 되어 다행이라며 위로해 주셨다. 할머니께서도 할아버지 기일마다 산사에 단이 손을 잡고 다녔지만, 어린아이에게 좋은 기억이 아닌 것을 말하기 뭣해서, 사실대로 말하지 못한 점을 이해해 달라고 하며 어깨를 두드려주셨다.

단이는 지난 실종 사고에 대한 두 분의 애틋한 속마음을 알아채고는 대화에 끼어들었다.

"우리 할아버지께서 실종 상태라면 희박하긴 하지만 단 몇 퍼센트라도 살아 있을 가능성도 있는 거 아닌가요?"라고 하며, 두 분께 환심을 사기 위해 위안이 되는 말씀을 드렸다.

"실종자이니 생존도 가능하지 않겠어요?"라고 하며, 소녀도 고개를 끄덕이며, 시의적절(時宜適切)하게 단의 말에 맞장구를 쳤다.

"살아계시기만 하면 얼마나 좋을까."라고 하시며, 할머니께서는 눈을 지그시 감은 채 긴 한숨을 내쉬셨다.

"내 단짝 친구가 살아만 있다면, 어디에 있던 구만리(九萬里)라도 찾아가고 싶구나."라고 하시며, 소녀의 외할아버지께서도 할머니의 애통한 마음을 달래 드리려고 애썼다. 그때, 소녀가 다시 대화에 끼어들어 애교 섞인 표정을 지으며

"저, 저기, 외할아버지, 지난번 아이들이 먼바다에서 풍랑을 만났을 때…….."

"사실은 배가 떠밀려서 전설의 섬에 상륙한 적이 있어요."라며, 기어들어 가는 목소리로 운을 뗐다. 그러자 외할아버지께서는 심각한 표정을 지으시고, 혀를 끌끌 차시며 갑자기 언성을 높여 말씀하셨다.

"머, 뭐라고? 그, 그런 일이 있었단 말이야."

"그, 그런 위험한 곳에…. 하룻강아지 범 무서운 줄 모른다더니, 마을 사람들이 알면 큰일 날 일이구나."라고 깜짝 놀라시며 크게 역정을 내셨다. 옆에 앉아 듣고 계시던 할머니께서도 기가 차서 말이 안 나온다며, 못마땅한 표정을 지으셨다. 그때, 단이도 끼어들었다.

"사, 사실은, 그곳에 가면 안 되는 줄 알면서 어쩌다 섬에 가게 되었어요. 입이 열 개라도 드릴 말씀이 없지만…….."

"그런데 그곳에서 사람의 흔적을 우리가 발견했어요."라며, 소녀가 용기를 내어 목소리를 높여 말했다. 외할아버지와 할머니께서는

"머, 뭐라, 그곳에 사람의 흔적이 있었어?"라고 하시며, 믿을 수 없다는 표정으로 눈을 크게 떠셨다.

"그, 그곳에서 사람 같은 걸 봤단 말이냐? 사람이 살지 않는 그 섬에서…."라고 말문이 막히는 듯 놀라시며, 외할아버지와 할머니께서 동시에 말씀하셨다.

"네, 그렇다니까요, 정말 사람 같은 게 그 섬에 있었어요."라고 하며, 소녀와 단은 자신감에 넘쳐 용기를 내어 말씀드렸다.

소녀의 외할아버지와 단의 할머니께서는, 그곳에 사람의 형체를 한 괴생명체가 산다는 아이들의 말을 듣고는 도저히 믿을 수 없다는 표정을 지으셨다. 한편, 실종된 단의 할아버지께서 생존해 있을 수도 있다는 실낱같은 희망을 품고 있었던 할머니께서는, 혼잣말로 '그 사람이 실종된 단의 할아버지일 수도 있을까?'라며, 일말의 생존 가능성이라도 기대하시는 눈치였다. 지금껏 할머니께서는 단의 할아버지께서 살아 계실 것이며, 꼭 돌아오실 거라고 굳게 믿어왔기 때문인 것 같았다. 외할아버지와 할머니께서는 두 분이 살짝 자리를 피해, 무릎을 맞대고 소곤소곤 얘기를 나누셨다. 소녀와 단이는 어른들의 결정이나 의견이 궁금하기도 해 기다리는 사이 좀이 쑤셨다. 어른들의 의견을 초조하게 기다리는 시간이 너무나 길게만 느껴졌다. 그러는 사이, 두 분의 고민이 끝났는지 자리로 돌아오셨다. 두 분은 단호하게 생존자가 누구인지 빨리 확인해야겠다고 하셨다. 아이들은 들뜬 마음이 되어, 그때 섬에서 목격했던 괴생명체의 인상착의를 낱낱이 말씀드렸다. 할아버지께서는 당

장 내일이라도 채비하여, 섬으로 가서 생존자를 확인하자고 하셨다. 그러면서 마을 어른들께 고하고, 양해를 구하는 일이 남았다고 하셨다.

모든 일은 순조롭게 착착 진행되었다. 신비의 섬은 인적이 없는 곳이며, 사람이 살지 않는 무인도로 다들 알고 있었다. 그런데 그곳에 괴생명체가 있다는 미처 생각지도 못한 극적인 반전이 일어났다. 마을 사람들의 분위기는 의견이 분분해지고, 시골 민심은 흉흉해지는 것 같았다. 결국, 마을 어른들은 사람의 흔적이 있다면 섬으로 가서 확인하는 것이 급선무라며, 다시 섬에 상륙하는 것을 순순히 허락하였다. 이제, 적당한 날을 받아서 마을 어른들과 아이들이 함께 섬으로 가서, 괴생명체를 확인하는 일만 남게 되었다.

그 당시 섬 주변에서 사고가 났을 때, 단이 할아버지께서 실종되었다는 사실을 마을 사람들도 이제 다들 알게 되었다. 오랜 세월 비밀이었던 그 일은 누구나 아는 사실이 되었다. 그렇다면 전설의 섬에서 아이들이 본 털북숭이같이 생긴 사나운 짐승이 단이의 할아버지일 수도 있단 말인가. 어찌하여 이런 불행한 일이 실제로 존재할 수 있단 말인가. 사람들은 모두 아연실색하여 벌어진 입을 다물지 못하였다. 전혀 생각지 못한 충격적인 사실에 다들 놀란 눈빛을 감추지 못하였다. 처음에 전설의 섬에 가 보자고 제안한 사람은, 서울에서 역병 때문에 모래톱 마을에 내려온 소녀였다. 대자연과 교감하며 자기 내면의 목소리에 귀를 기울이기도 하고, 소녀의 남다른 모험심과 도전 정신은 마을 아이들을 움직였다고 해도 과언이 아니다.

모든 일이 일사천리로 진척되고 있을 때, 소녀는 해거름에 강바람을 쐬며 강나루를 거닐고 있었다. 저녁 바람이 이마를 스치며 소녀의 긴 머리칼을 쓸어 넘겼다. 소녀는 강나루 하구의 바다 건너 신비의 섬 쪽을 응시하며 '실종자가 생존자일 수도 있을까'라는 의문으로 깊은 생각에 잠기기도 했다. 지난날을 회상해보니, 소녀가 도깨비불을 보러 갔을 때, 사진에는 이상한 형체가 찍히기도 했었다. 또 별장이 있는 섬에서 혼자 바다 수영을 하고 있을 때는 누군가가 "도와주세요! 도와주세요!"라는 가늘게 전해지는 실낱같은 목소리가 신경을 곤두서게 하기도 했었다.

　그토록 두렵고 가슴 조마조마했던 순간들이, 모두 괴이할 뿐만 아니라 신비스럽기만 했다. 바람결에 스치듯 들려온 "도와주세요! 도와주세요!"라는 목소리의 주인공이, 탐험대가 목격한 짐승같이 생긴 괴생명체가 보내온 구원의 울림이었단 말인가. 이런저런 생각들이 꼬리에 꼬리를 물고 이어지는 순간, 소녀는 자신도 모르게 등골이 오싹해지는 소름을 또다시 느꼈다. 소녀는 과학을 신봉했기에 혼령이나 영혼의 소리를 믿지 않았을 뿐만 아니라, 자신에게 그런 영적인 소리가 들릴 수 있다는 사실에 대해 도저히 납득할 수 없었다. 소녀는 강바람을 쐬고 있었지만 지금 자기 주변에서 벌어지고 있는 불가사의한 현실 앞에, 머리는 점점 혼란스럽고 복잡해지는 것 같았다.

　한편, 아이들은 마을 사람들이 여기저기서 수군거리고 다니는 것을 지켜보았다.
　"아이들이 정말 스스로 섬을 탐사했을까?"
　"애들이 큰일이나 했겠어? 그냥 황소 뒷걸음치다 쥐 잡은 꼴인데 너무 호들갑을 떠는 것 같아."

"누가 어린애들에게 시킨 것은 아니겠지?"

"그걸, 말이라고 해? 아이들이 그 섬에 호기심이나 용기가 없었다면 왜, 스스로 그런 위험한 곳에 들어갔겠어?"

"어른들도 무서운데, 아이들은 겁나지 않았을까?"

"어린애들이 초지일관(初志一貫)의 자세로, 두려움을 무릅쓰고 처음에 세운 뜻을 끝까지 밀고 나갔다는 게 정말 대단한 것 같아."

마을 사람들은 삼삼오오(三三五五) 모여 근거가 없는 뜬금없는 소문들을 퍼트리기도 했다. 신비의 섬에 짐승이 산다느니 오랑우탄을 봤다는 소문도 있다느니 하면서, 마을 사람들의 관심과 시선은 온통 전설의 섬과 아이들의 탐사 활동에 쏠리는 것 같았다. 탐험대 아이들은 마을 어른들께서 실종자가 신비의 섬에 생존해 있는지 확인하러 가기로 했다는 소식도 듣게 되었다. 아이들은 자신들의 탐사 활동이 모래톱 마을을 위해 어쩌면 큰일을 해낼 수도 있다는 생각에, 다들 뿌듯함과 함께 조금씩 자부심도 느끼는 것 같았다.

35화 전설의 섬 생존자의 정체

마을 사람들과 탐험대 아이들은
대청마루에 모여 다시 섬으로 가는 일을 의논했다.
아이들의 용기 있는 행동으로
신비의 섬에서 목격됐던 생존자를 확인하기 위해
마을 사람들은 섬으로의 출발을 서둘렀다.

마을 어른들은 대청마루에서 탐험대가 신비의 섬에 상륙하여 탐사 활동을 통해 얻은 자료들을 낱낱이 훑어보았다. 한때 훈계의 대상이 되기도 했었던 아이들은, 이제 마을의 어두운 그림자를 걷어낼지도 모르는 용기 있는 주인공이 되고 있었다. 아이들은 섬에서 보고 듣고 느낀 것들을 소상히 말씀드렸다. 증거가 될 만한 사진 자료와 스케치 자료도 보여드렸다. 섬에서 목격했던 사람의 흔적으로 조개껍데기, 불을 사용한 그을음, 고갯마루에 있는 오솔길 그리고 옛날 막걸리통 등을 설명하였다. 원시인들이 정착 생활에 이용하기도 했다는 동굴의 위치와 그것을 터전으로 삼아 살고 있었던 괴생명체의 존재에 대해서도 직접 보고 겪은 대로 거짓 없이 말씀드렸다.

마을 어른들께서는 아무것도 모르는 코흘리개이고 어린 꼬맹이라고만 여겼던 아이들이, 증거를 들이대며 설득력 있게 주장하는 것을 보고는, 벌어진 입을 다물지 못했다. 옆에서 지켜보던 사람들도 작은 고추가 맵다며 어린애들이 대단하다고 수군거렸다. 용기가 없는 사람이라면 도저히 상상도 할 수 없는 일이었기 때문이다. 대청마루에 앉아 있던 어른들께서는 "우리 마을에 이토록 용기 있는 아이들이 자라고 있었단 말인가."라는 말을 되풀이하셨다. 모여든 사람들은 여기저기서 쑥덕거리기도 하고, 연신 대견하다며 치켜세우기도 하였다. 아이들은 모두 자신도 모르게 어깨가 으쓱해지는 것 같았다.

어른들은 그들의 의식이나 사회적 관습이라는 감옥에 갇혀 살았으나 아이들은 달랐다. 모래톱 아이들은 마을에 드리워진 어두운 그림자를 두려워하지 않고, 자신들의 순수한 내면의 목소리에 귀를 기울이며 행동했을 뿐이었다. 소녀는 시골 마을에 내려오면서 겪게 된 풀리지 않는 의문들에 낙담도 했으나 자기 내면의 목소리를 신뢰했기에 온갖 시련이 닥쳐도 흔들리지 않았다. 자기 마음이 내는 소리를 따라 꿋꿋이 나아갔다.

영국이 낳은 세계적인 극작가 셰익스피어는 "용기의 핵심은 신중함이다."라는 명언을 남기기도 했다. 사람들은 간혹 용기를 사납고 거칠며 성급한 것으로 오해하기도 하지만, 용기는 무모함이나 허영심과는 거리가 있다. 진정한 용기는 매우 이성적이며 신중한 것이다. 타고난 성격과 관계없이 조심스럽고 치밀한 준비를 통해 자신감을 가지게 된다면, 누구나 용기 있는 사람이 될 수가 있다. 용기의 근원이 되는 신중함은, 현실을 객관적으로 인식하게 도와주며, 행동할 때를 알게 하고, 기다릴 줄도 알게 해준다. 무엇을 행하는 것만이 용기가 아니고, 참는 것도 때로는 용기가 될 수 있다. 셰익스피어의 말에 따르면, 소녀와 단은 전설의 섬 탐험대 활동을 통해, 진정으로 용기 있는 사람으로서의 면모를 여과 없이 보여 주었다. 그때마다 마을 아이들은, 자신들의 친구로 소녀와 단을 곁에 두게 된 것을, 무척 자랑스러워했으며 멋진 아이들이라고 마음에 깊이 새겼다.

대청마루는 한동안 시끌벅적하더니 좌중은 갑자기 쥐 죽은 듯이 조용해졌다. 그때, 잠시 뜸을 들이다가 가장 연세가 많으신 노인께서 입을 여셨다.

"아무나 할 수 없는 두려운 일에 용기를 내어 모험을 감행했다니 참으로 장하고 기특하구나."라고 하시며

"마을에서는 이 아이들을 앞세워, 당장 내일이라도 날이 밝으면 전설의 섬으로 가서, 생존자의 정체를 확인하거라. 우리 마을에 닥친 어려운 국면을 타개하기 위해, 마을 사람들은 모두 자신의 몸을 희생하는 살신성인(殺身成仁)의 각오로 임하라."라고 하셨다. 목마른 놈이 우물 판다고 상황이 뒤바뀌져서 이제 마음이 급한 쪽은 마을 어른들이었다. 연로하신 노인의 말씀에 따라 마을 사람들은 모두 섬으로 가는 일에 온 힘을 다해 발 벗고 나섰다. 마을에서는 곧바로 생존자를 수색하기 위해 전설의 섬으로 떠날 채비를 하였다. 나룻배는 세 척으로 꾸려 선두에는 탐험대 아이들이 타고, 나머지 두 척에는 마을 어른들과 장정들이 타기로 대충 가닥을 잡았다.

다음 날 아침, 날이 밝았다. 만일의 사태에 대비하여 무기가 될 만한 농기구도 싣고, 생존자를 만나게 되면 건네줄 막걸리통도 한 통 실었다. 마을 사람들은 인원을 점검한 뒤, 탐사선 세 척에 나눠 타고 출발하였다. 어른들이 탄 배에는 소녀의 외할아버지도 함께 탔다. 단의 할머니께도 생존자를 확인하러 같이 가 보자고 설득했으나 가슴이 떨려서 가지 못하겠다면서 극구 사양하셨다. 이웃에 사는 사람들 말로는, 생존자에 대한 전언을 들은 단의 할머니께서 그만 식음을 전폐하시고, 놀란 나머지 며칠째 곡기를 끊어 몸져누우셨다는 소식을 전해주기도 했다.

수십 년간 굳게 닫혔던 신비의 섬은 오랜 기간 인간의 발길이 닿지 않고, 벌목이나 산림 훼손 흔적이 없어 울창한 수목이 자연 그대로 보존되고 있었다. 각종 야생 동물과 희귀식물의 서식지로 탈바꿈하여 옛날과는 완전히 다른 섬이 되어 있었다. 사람들의 발길이 끊긴지 아득하여,

아름다운 모래와 자갈 등 자연환경은 태고의 신비감을 자아내기도 하였다. 탐사선이 섬에 접근할수록 여기저기서 감탄사를 연발하기도 했다. 배에 탄 사람들은 이국적인 남국의 정취 속으로 빠져들며, 순식간에 섬의 아름다운 풍광에 도취 되어 탄성이 절로 터져 나왔다. 나이가 일흔이 넘은 할아버지 몇 분을 빼고는 다들 처음 와보는 섬이었다.

아이들이 탄 배가 먼저 도착하여, 얼마 전에 상륙했던 지점에 탐사선을 접안시켰다. 나머지 배들도 옆에 나란히 접안시킨 후, 사람들은 준비한 장비를 챙겨 모두 하선하였다. 섬에 상륙한 뒤, 아이들은 사람의 흔적이라고 여겨졌던 조개 무더기와 불을 피운 흔적이 있었던 곳으로 마을 사람들을 안내하였다. 어른들은 그곳으로 이동하여, 조개껍데기와 그을음을 직접 살피더니 다들 눈이 동그래지며 크게 놀랐다. 며칠 전에 누군가가 있었던 흔적이라며 쑥덕거리기도 했다. 이제 어른들은 탐험대 아이들의 말이라면 팥으로 메주를 쑨다 해도 곧이곧대로 믿을 것만 같았다.

마을 사람들은 단과 소녀가 앞장서서 가는 오솔길을 따라 살금살금 이동하여 고갯마루에 올라섰다. 쪽빛 바다에 점점이 보석처럼 빛나는 섬들은 태양에 반사되어 은빛 바다 위를 떠다니는 조각배처럼 보였다. 사람들은 드넓은 바다를 바라보며 탄성을 지르려고 하다가도 갑자기 입을 손바닥으로 가리며 멈췄다. 아름다운 절경에 취해 자신들이 섬에 온 목적을 잊기라도 했던 것 같았다. 괴생명체를 놀라게 하는 일은 금물이었다. 섬에 상륙한 사람들은 조심하고, 또 조심했다. 고갯마루에서 탐험대 아이들은 손가락으로 동굴이 있는 곳을 가리켰다. 사람들은 일제히 그쪽을 조망하다가 바다에서 조업할 때 동굴을 본 적이 있다고 하는 사람들도 있었다.

　소녀의 외할아버지께서 동굴 쪽을 쳐다보시며 물어보셨다.
　"저기, 저 동굴에 짐승 같은 것이 있는 걸 봤다고?"
　"무서워서 동굴 안은 못 봤어요."
　"저 동굴 쪽에서 짐승 같은 게 나와 산마루 쪽으로 올라왔어요."라며, 아이들은 자신들이 직접 본 대로 얘기했다.
　"그럼, 이 지점에서부터 조심해야겠구나."라고 하시며, 소녀의 외할아버지께서는 긴장된 표정으로 주의를 당부하셨다.
　"만일, 저 동굴 속의 괴생명체가 실종된 당사자라면, 내가 직접 가서 확인하는 게 좋겠구나."라고 하셨다. 실종자인 단이 할아버지를 아는 사람은 소녀의 외할아버지와 또 다른 마을 노인 한 분뿐이었다. 괴생명체의 정체를 확인하기 위해, 동굴 입구까지는 할아버지들과 장골 두 사람을 포함해 모두 네 명만 내려가 보기로 했다. 나머지 사람들은 옛날 막걸리통을 쌓아놓은 곳에 숨어서 지켜보기로 했다.

　고갯마루를 넘어 내려가니, 언덕 아래쪽에 옛날 막걸리통들이 보이기 시작했다. 마을 사람들은 모두 움찔하며 놀랐다. 자신들이 해신제를 지낼 때 바다에 떠내려 보낸, 그 막걸리통들이 여기 언덕 아래에 옮겨져 있는 게 아닌가. 불가사의한 일이었다. 마을 사람들은 막걸리통이 그곳에 쌓여 있는 엄연한 현실 앞에, 도저히 믿기지 않는다는 표정이 역력했다. 막걸리통이 쌓인 곳을 지나, 가까이에 내려가기로 정한 네 사람만 조심스럽게 동굴 쪽으로 접근해 갔다. 생존자가 흥분하거나 놀라지 않도록 다들 한 마음이 되어 조심하였다. 돌다리도 두들겨보고 건너라는 말이 떠올랐다. 만일의 사태에 대비하여 젊은 장골들은 무기가 될 만한 것을 쥐고 안전에도 신경을 썼다. 얼마나 시간이 흘렀을까. 우거진 수풀 속에서 몸을 낮추고 동굴 입구를 지켜보던 선발대 사람들의 움직임이 바빠졌다. 누군가 동굴 입구에서 밖으로 천천히 걸어 나오는 것 같았다.

처음에는 눈치를 채지 못하다가 어느 순간, 외부인들의 침입을 감지했는지 괴생명체는 고함을 쳤다. 그러더니 자신의 가슴팍을 두 주먹으로 두드리기 시작했다. 꼭 화가 난 오랑우탄이나 침팬지를 보는 것 같았다. 동굴 주변에서는 메아리처럼 괴성도 흘러나왔다. 그 소리는 해안가를 쩌렁쩌렁 울렸으며, 어부들이 조업 중에 들었다는 괴성과 유사하였다. 막걸리통 쪽에서 대기하던 사람들은 고개를 빼고, 한순간 동굴 쪽에 일제히 시선을 멈췄다. 아이들이 표현한 대로, 그 소리는 섬의 절벽에 부딪혀 되돌아오는 메아리와 어우러져 정말 짐승이 포효하는 듯하였다. 잠시 뒤, 그는 기어 나오는 듯하다가 두 발로 벌떡 일어섰다. 동굴 근처에서 직접 목격한 선발대는 그가 두 발로 섰을 때 분명 사람에 가깝다는 생각이 들었다. 머리칼은 헝클어져 있었고, 얼굴에는 덥수룩하게 털이 뒤덮여 있었다. 사람의 형색이 분명한 것 같았다. 이제 그가 사고 해역에서 실종된 그 사람인지 확인하는 일만 남게 되었다.

소녀의 외할아버지는 친구의 이름을 불렀다.
"은로야! 은로야!"하고, 단이 할아버지 이름을 고함치듯이 불렀다. 동굴에서 나온 짐승은 고함치는 소리가 들리는 쪽으로 슬그머니 고개를 돌렸다. 그러더니 다시 바다를 향해 괴성을 지르며, 두 주먹으로 가슴을 거칠게 쳤다. 분노의 표시였을까. 말 자체를 잃어버린 사람 같았다. 마음에 들지 않아 기분이 심하게 상한 듯한 몸짓이 역력했다. 소녀의 외할아버지는 너무 멀리 떨어져 있어, 그의 정체를 정확히 파악하기 어렵다는 듯이 혼잣말을 내뱉기도 했다. 선발대 청년들은 다 함께 이름을 불러보자고 했다.

선발대 네 명이 목청을 높여 합창으로 이름을 불렀다.

"목은로씨! 목은로씨!"
"은로야! 은로야!"하고 고함을 쳤다. 동굴까지 흘러간 목소리는 메아리가 되어 되돌아왔다.

"목은로씨! 목은로씨!"
"은로야! 은로야!"

그때 무슨 소리를 들었는지, 동굴 앞에서 괴생명체는 선발대가 있는 쪽으로 고개를 천천히 돌렸다. 소리의 정체를 찾기라도 할 양 막걸리통이 쌓여 있는 쪽으로 발을 몇 걸음 내디뎠다. 괴생명체가 작은 움직임을 보일 때, 바람이 해안에서 산 위로 갑자기 불었다. 돌풍과 같은 세찬 바람에 탐험대 사람들의 모자가 날려가기도 하였다. 동굴에서 나온 짐승 같은 사람의 머리카락도 휘날렸다. 그 순간, 괴생명체의 이목구비가 살짝 보였다. 뚜렷한 눈매와 오똑 솟은 콧날이 약간 드러났다. 얼굴에는 광대뼈가 선명하게 보이기도 했다. 수염만 덥수룩할 뿐, 영락없는 사람의 얼굴이었다.

엉겁결에 그의 얼굴을 확인한 소녀의 외할아버지는 별안간 울부짖듯이 목청을 드높였다. 실종자의 정체를 확인하기 위해 물불을 가리지 않는 눈치였다.

"은로야! 은로야!"라고 하며, 친구의 이름을 다시 부르기 시작했다. 그는 긴 머리칼을 휘날리며 오솔길을 따라 올라오려고 했다. 그러자 막걸리통 옆에 숨어 있던 사람들이 놀라서 일어서며 도망을 치려고 했다. 장정들과 아이들이 모두 일어서니 열대여섯 명은 족히 되어 보였다. 사람들이 무리 지어 서 있는 걸 보더니, 그는 놀란 듯이 오솔길로 올라오던 발걸음을 갑자기 멈추었다. 이어서 몇 걸음 뒤로 물러서더니, 다시 괴성을 지르다가 동굴 쪽으로 천천히 사라졌다.

탐험대의 어린 조무래기들만 왔을 때는 분노에 차서 쫓아왔었다. 마을 사람들과 장정들이 많이 보여 겁이 났거나 동굴을 지키려고 그러는지, 그는 동굴 속으로 다리를 절뚝거리며 들어가 버렸다. 한동안 동굴에서 나오지 않았다. 동굴 쪽을 지켜보던 탐사대는 일제히 철수하여 산등성이 쪽으로 올라왔다. 탐사대 사람들은 잠깐 구석진 곳에 모여서 노인을 어떻게 구조할 것인지를 의논해야 했다. 가까이서 지켜본 선발대 사람들은 그가 짐승이 아니고 사람임이 분명했다고 했다. 자신도 모르게 친구의 이름을 부른 소녀의 외할아버지는 그가 늙었지만 바람에 얼굴이 드러났을 때, 친구의 모습처럼 보였다고 했다. 소녀의 외할아버지는 연신 흐르는 콧물을 훔치기도 하고, 눈시울을 붉혔다. 그가 자기 이름도 망각한 채 험한 세월을 모질게 살아왔다면서 땅을 치며 통곡했다. 단의 손을 붙잡으며 실종되었으나 너희 할아버지는 천우신조(天佑神助)로 바닷속에서 뭍으로 나와 생명을 구한 것 같다며, 부둥켜안고 등을 토닥거리며 위로해 주기도 했다. 단은 차마 볼 수 없는 비참하고 참혹한 참경(慘景) 앞에 가슴이 찢어지는 듯한 고통으로 망연자실(茫然自失)했다. 눈물 한줄기가 단의 뺨을 타고 천천히 흘러내려 입가에서 멈췄다.

생존자, 당장 구조해야 할까?

탐사대는 이제 어떻게 해야 할지 결정해야 했다. 당장 구조해야 하는지, 그대로 두고 마을로 돌아가야 하는지 정해야 했다. 단은 눈물을 흘리며, 지금 당장 자기 할아버지를 구조해달라고 하소연했다. 아이들도 모두 구조를 해야 한다며 이구동성으로 애걸하듯이 매달렸다. 어른들은 잠시 아이들을 두고, 풀숲으로 들어가서 머리를 맞대어 의논하더니 돌아왔다.

소녀의 외할아버지께서는

"그는 우리를 알아보지 못했다. 지금 바로 구조를 하는 것은 무리인 것 같다. 시간을 두고 천천히 생각해야 할 문제인 것 같다."라고 조심스럽게 말씀하셨다. 안타깝지만 어쩔 수 없이 노인을 무인도에 남겨두고 가는 고육지책(苦肉之策)이었다. 지금 당장 구조를 감행하는 일이 어렵다는 취지로 들렸다.

그러자 아이들은 또 아우성을 쳤다.

"단이 할아버지를 당장 구조해주세요."라고 하며, 애걸하듯이 조르기 시작했다. 어른들이 보기에 하나만 알고 둘은 모르는 아이들의 태도가 영 마뜩잖았으나 전설의 섬 탐사를 힘들게 해 온 아이들 편에서 보면, 그렇게 엉뚱한 주장도 아니었다. 그때, 옆에 서 있던 다른 노인 한 분이 아이들을 조곤조곤 타이르셨다.

"수십 년간 혼자서 살아왔는데 갑작스럽게 구조를 하여, 삶의 환경이 바뀌게 되면 더 위험해질 수도 있단다."라고 하시며, 아이들을 진정시켰다. 또 다른 장정들도

"소용돌이치는 바닷속에서 살아 돌아올 때, 상처를 입어 기억이 없을 수도 있단다. 그렇지 않았다면, 왜 우리 마을을 찾지 않고 동굴 속에서 살고 있었겠니?"라고 하시며, 마을 어른들의 결정을 따르자고 아이들의 마음을 다독였다. 어른들은 눈앞의 작은 이익을 탐하다가 큰 손실을 본다는 뜻의 소탐대실(小貪大失)을 염려하고 있는 것 같았다. 노인을 구조하는 일이 당장 필요한 것처럼 보여도, 어쩌면 무모한 구조 활동이 노인의 생명에 더 큰 위협이 될 수도 있었다.

이전에도 어른들이 마을을 위해 어떻게 역병을 관리하는지를 잘 지켜보아 왔다. 아이들은 어른들의 말을 따르면 손해보다는 늘 이득이 되었던 기억을 떠올렸다. 우리 속담에 어른 말을 들으면 자다가도 떡이 생긴다는 말도 있지 않던가. 우리는 세상을 살아가면서 너무 길게 생각하며 머뭇거리다가 용기를 잃을 수도 있고, 짧은 생각으로 서두르다 때로는 우를 범할 수도 있다. 중요한 일에 맞닥뜨렸을 때는 순간순간 판단을 잘해야만 했다.

생존자의 구조에 대해 어른들은 조심스럽고 신중했으며, 아이들은 눈앞에 벌어진 일을 보고 너무 쉽게 생각하는 것 같았다. 둘 다 장단점이 있겠지만, 수십 년 동안 혼자 사는데 길들어진 생존자가 갑자기 구조되어, 삶의 환경이 바뀌는 것이 노인에게 좋은 일일까. 노파심인지는 몰라

도 마을 어른들은, 그 점을 더 염려하고 있었다. 당사자에게 직접 묻고 싶었지만 그럴 수가 없는 처지였다. 아이들이 구조하자고 조르며 억지를 부리는 까닭을 잘 알았으나 어른들은 생존자인 노인의 안위를 더 생각하는 것 같았다. 우선 생존해 있는 단이 할아버지의 육체적 심리적 건강 상태를 확인하는 일이 무엇보다 급선무였다.

소녀의 외할아버지는 사고 해역에서 실종된 사람이 생존해 있다는 것과, 또 섬에 살아있는 그 사람이 단이 할아버지라는 사실을 어렴풋이 확인한 것만 해도, 이번 탐사대의 큰 성과라고 격려해주셨다. 그러면서 오늘은 여기서 돌아가야 하니, 장정들을 시켜 배에 실어둔 막걸리통이나 지고 오라고 하셨다. 잠시 후에 탐사대는 장정들이 지고 올라온 막걸리통을 동굴 입구에 가져다 두고, 오솔길을 따라 고개를 넘어 배가 정박해 있는 곳으로 되돌아왔다.

전설의 섬은 신비의 섬, 무인도가 아니라 생존자가 살고 있는 섬이었다. 그는 아무것도 알아보지 못했다. 사람들을 반기지도 않았다. 지난날의 모든 험한 기억을 지우고 싶었던 것일까. 기억 상실증에라도 걸린 사람처럼 속세와 떨어져 지낸 탓에 완전히 다른 사람이 되어 있었다. 숲속의 인간 오랑우탄과 같은 자연인 그 자체였다. 자세히 보니 다리 한쪽이 부자연스러운 것처럼 보이기도 했다. 아마도 바다에서 실종되었다가 뭍으로 나오는 도중에 머리를 바위에 부딪혔거나 큰 사고로 다리에 골절상을 입었던 것 같기도 했다.

마을 사람들은 하는 수 없이 동굴 앞에 막걸리통과 먹거리를 두고 마을로 되돌아가야만 했다. 수십 년 동안 속세와 차단된 고독한 삶 속에서 지내다 보니, 세상의 모든 것들이 낯설고 어색한 것 같았다. 바다를 불법적으로 점령해 눈살을 찌푸리게 했던 도굴꾼들의 음모와 노략질의 희생양이 된 것 같아 안타까울 뿐이었다. 가진 걸 모두 잃고 몸만 살아있었다. 그를 바라보는 마을 사람들은 가슴이 먹먹해 오는 감정의 굴절을 느꼈다. 단은 속으로 피눈물이 나는 아픔에 치를 떨었다. 도저히 상상할 수 없는 비참한 광경을 목도(目睹)하며, 소녀는 신비의 섬이 친근한 섬이 되었으면 좋겠다는 막연한 생각을 하기도 했다. 그것이 마을로 돌아올 수 없는 단이 할아버지를 위한 최선의 길이라 여겼다.

탐사선은 전설의 섬을 뒤로하고 모래톱 마을을 향해 출발했다. 생존자는 어쩔 수 없이 섬에 그대로 남겨두고 가야만 했다. 몹시 끔찍하고 참혹한 결정이었다. 소녀의 외할아버지 얼굴에는 만감이 교차하는 듯한 표정이 스쳐 지나갔다. 망연자실한 마을 사람들은 무참한 상황이, 워낙 비현실적이고 예측하지 못한 일이어서 마치 악몽이라도 꾸고 있는 듯하였다. 소녀의 외할아버지는 떠나는 나룻배 위에서 섬을 바라보며 눈을 지그시 감았다.

수십 년 전으로 기억을 되돌리고 있었던 것일까. 70대 중반의 노인이었지만 마음은 언제나 청춘이었다. 입술을 잃으면 이가 시리다는 말이 있듯이 두 노인은 어린 시절부터 함께 붙어 다니기로 유명했다. 둘은 너무 친해 서로 떨어져 지낼 수 없는 순망치한(脣亡齒寒)의 관계였다. 어린 시절 물장구를 치며 놀았던 기억이 되살아나기라도 했던 것일까. 소녀와 단을 바라보며, 그 옛날 어린 시절 자장가에서 들었던 구름 너머 달 저편으로 상상의 나래를 펼치고 있었던 건 아닐까. '기다리면 조만간 필연코 사필귀정(事必歸正)이 될 걸세.'라고 되뇌며, 지금 당장 눈앞에 펼쳐진 안타까운 모든 일은 반드시 바른길로 돌아가게 마련이라는 걸 굳게 믿고 있는 눈치였다. 소녀의 외할아버지는 섬에 남은 친구를 위해 무엇을 해야 할지, 또 어떤 도움이 될 수 있는지 골똘히 고민하는 것 같기도 했다.

나룻배는 물살을 헤치며 미끄러지듯이 거침없이 앞으로 나아갔다. 섬은 까마득하게 멀어지더니 작은 돛단배처럼 가물가물해졌다. 전설의 섬에서 생존자의 정체는 확인했으나 아스라이 멀어져만 가는 신비의 섬은, 마을 사람들에게 어려운 숙제 하나를 던져주었다. 섬은 짙은 안갯속으로 묻히고 있었다.

36화 부모님과의 재회

우연한 기회에
시골 마을로 내려온 소녀는
한동안 부모님과 떨어져 지내게 되었다.
마을 분교 아이들과 여름을 보내고 있었던 소녀는
긴 기다림 끝에 모래톱 마을로 다시 내려온
부모님과 반가운 재회를 했다.

소녀는 부모님께서 해외 연수를 무사히 마치고 서울로 돌아왔다는 전갈을 받았다. 사랑하는 부모님과 떨어져 지내면서 많이 보고 싶었지만 대견하게 꾹 참아왔던 소녀였다. 수시로 그리운 마음을 편지에 담아 서로 주고받기도 했었다. 하지만 막상 귀국하였다 하니 당장이라도 달려가 부모님 품에 안기고 싶었다. 당당하고 자신감 넘치게 시골 생활에서 자신의 역할을 오롯이 다했던 소녀도, 부모님이라는 말을 듣는 순간 갑자기 눈물이 핑 돌았다. 아이들은 다 그런 것 같았다. 혼자서 자기 일을 잘하다가도 부모님 앞에서는 늘 어리광을 부리기도 하고, 어린아이로 변해버리는 것 같았다. 그런 면에서 소녀도 영락없는 평범한 어린아이에 지나지 않았다.

방학이 시작되면, 소녀는 자신이 평소 관심을 가졌던 역사 기행을 부모님과 함께 떠나고 싶었다. 부모님의 갑작스러운 해외 출장으로 기회를 놓친 것을 소녀는 못내 아쉬워했다. 부모님께서 휴가차 시골에서 며칠 머물 수 있게 된다면 남도 지방의 역사 기행을 짧게라도 다녀오고 싶었다. 저녁때쯤에 소녀가 지내는 기와집에 부모님께서 내려오시기로 되어 있었다. 해외 연수를 마치고 직장에서 며칠간의 말미를 얻어 휴가차 시골 마을에 들린다고 하셨다. 오늘따라 왜 이렇게 시간이 더디게 가는지, 도무지 그 까닭을 알 수가 없었다. 어린아이들이 오일장에 읍내 시장에 다녀오는 엄마를 눈이 빠지게 기다리듯이, 소녀도 다시 만나게 될 부모님을 하루 종일 손꼽아 기다리고 있었다. 부모란 자라나는 아이들에게 늘 그런 다정다감하고 애틋한 존재인지도 모른다.

아이들과 탐험대를 꾸려 시작한 탐사 활동은 긴장감 속에 가까스로 마무리되어 가고 있었다. 그토록 무서웠던 도깨비불이며, 전설의 섬에 있는 동굴에서 들려온다는 소름 돋게 했던 괴성의 비밀도 모두 밝혀졌다. 마을 사람들을 긴장시키고 겁을 주었던 전설의 섬은 이제는 무인도가 아니었다. 단이 할아버지께서 살고 계셨다. 보물선과 해저 유물을 둘러싼 음모와 노략질로 고대구리 배들이 장기간 설쳐, 섬 주변 어종의 씨를 말렸었다. 그 당시 조업에 애로를 겪었던 마을은 심각한 타격을 받았다는 것도 알게 되었다. 그런 와중에 사고로 단이 할아버지께서는 실종되었으며, 가까스로 생존자로 발견되었으나 기억을 잃은 채 사랑하는 가족들과 떨어져 수십 년을 고통 속에서 살아오고 있는 것 같았다. 단이 할아버지께서는 험한 세상의 모든 소리에 귀를 닫고, 마음마저 걸어 잠그고 싶었던 것이었을까.

모래톱 마을과 전설의 섬 주변의 불가사의한 어두운 그림자들은 서서히 걷히고 있는 것 같았다. 온 천지를 초토화(焦土化)하며 혼돈 속으로 몰아넣었던 역병이 어느 순간 소리 없이 물러났듯이, 마을에 드리워진 암울한 그림자들도 하나둘 사라지고 있었다. 우연한 기회로 시골에 내려온 소녀는 모래톱 마을이 안고 있었던 풀지 못한 어두운 그림자와 대면했었다. 지금도 여전히 풀지 못한 수수께끼가 소녀에게는 아직도 남아 있었다. 자신에게만 들렸던 "도와주세요! 도와주세요!"라는 가느다란 목소리의 비밀이다. 그 희미한 소리는 상상만 해도 소녀에게는 늘 무섭고 소름 끼치는 일이었다. 한시라도 빨리 불가사의한 미스터리에서 벗어나고 싶었다.

시골 마을에 내려온 소녀는 왜, 단이라는 아이를 만났으며, 또 그의 할아버지의 생존을 확인하는 일에 엮이게 되었는지, 그런 불가사의한 의문들이 소녀를 더욱 혼란스럽게 했다. 세상에 존재하는 온 천지간의 만물을 지배하는 알 수 없는 어떤 힘이 작용하기라도 했단 말인가. 인간의 자각이나 의식은 빙산의 일각이요, 무의식이 인간을 지배한다는 설도 있다고 하니 세상일은 아무도 모를 일이었다.

소녀를 둘러싼 신비스럽기만 한 의문들이 여전히 남아 있었지만 이제 곧 시골을 떠나 서울로 돌아가야만 했다. 시간은 시나브로 흘러 여름 방학의 마지막 휴가 기간도 얼마 남지 않게 되었다. 모든 일이 순조롭게 어느 정도 마무리되는 시점에 때마침 부모님께서 시골 마을에서 휴가를 보내게 되었다고 하셨다. 소녀는 예전에 꿈꿨던 남도 지방의 역사 기행이 성사될지는 미지수였지만 그래도 희망을 품는다는 건, 또 다른 내일에 대한 기대를 주어 좋았다. 부모님께서는 읍내에서 나룻배를 타고 시골 마을로 오신다고 들었다. 아침 일찍 일어나 강나루를 서성이다가 점심을 먹고 다시 나루터로 나왔다. 부모님을 한시라도 빨리 보고 싶은 마음에, 소녀는 한나절 내내 강나루를 서성이며, 이런저런 생각에 잠겨 시간을 보내고 있었다. 하루 종일 일이 손에 잡히지 않았다.

그때, 단이가 갈림길 쪽에서 걸어오고 있었다. 단이는 자기 할아버지의 생사를 확인하고 엉겁결에 먼발치로 대면하긴 했었지만, 너무나 뜻밖의 일이라 도무지 실감이 나지 않는 눈치였다. 요 며칠 단은 가끔 강나루를 거닐다가 혼자서 오도카니 서 있기도 하며, 뭔가에 홀린 아이처럼 지내고 있었다. 그런 얼굴로 지내는 단이에게 아이들이 찾아가서 어려운 숙제를 도와달라고 하거나 같이 놀자고 해도 "내 코가 석 자"라는 말만 되풀이했다. 평소 단은 달면 삼키고 쓰면 뱉는 경솔하고 의리 없는 성격이 아니라 자신의 이익에 앞서 신의를 중시했던 아이였다. 며칠 전 자기 할아버지를 대면한 후, 단은 다른 일에 신경 쓸 겨를이 없는 것 같았다. 단의 입장에서는 마을의 문제들은 나름대로 해결되고 있었지만, 다른 한편으로 자기 할아버지의 일이 커다란 숙제로 남아 있었다. 마을로 모시는 것도 문제요, 그대로 섬에서 홀로 사시게 하는 것도 문제였다.

단은 강나루 쪽으로 걸어오다가 소녀와 눈이 마주치자 손을 흔들어 보이며 달려왔다.

"여기서 뭐 하고 있니? 아침부터 서성이는 것 같더니⋯."

"응, 뭐 좀 생각할 것도 있고⋯. 우리 부모님께서 오신다고 해서 마중 나왔어."

"부모님께서 우리 마을에?"

"응, 오늘 저녁에 오시기로 되어 있어."

"그럼, 곧 서울로 가게 되는 거니?"

"응, 아마 그럴 것 같아."

소녀와 단은 서로의 이별을 예감하고 있는 것 같았다. 여름방학이 끝나기 전에 헤어져야 할지도 몰랐다. 아직 며칠 남았지만 둘은 벌써 허전하고 쓸쓸하여, 그래서 더욱 외롭고 슬퍼질 것만 같았다. 아이들의 눈가는 미소로 가려져 있었으나 마음속에는 눈물 자국이 희미하게 배어 나오는 것 같았다.

단은 소녀에게 궁금한 것이 여전히 많았다.

"부모님께서 며칠간 시골에 머무시게 되면 뭘 할 거니?"

"아마, 예전에도 관심이 있었던 남도 기행, 역사 이야기를 따라 길을 걷는 것을 할지도 몰라."

"어디로?"

"조선시대 부산포가 임진왜란의 격전지였다는데 그쪽으로 가서 견문을 넓히고 싶어. 서울에서는 멀어서 좀처럼 가기 어려운 곳이니, 이곳에 내려와 있을 때."

"교통편은?"

"아마 경전선 철도를 이용할 것 같아."

"경전선? 경부선과 호남선을 연결하는 철도?"

"응, 그래."

"부산포에서 찾아가고 싶은 곳은 정해져 있어?"

"아마도, 부산항과 절영도가 바라다보이는 부산진성에 오를 것 같아."

"부산진성? 그 근처에는 조선통신사에 관한 시설도 있다고 하던데…."

"아빠께서 영가대(永嘉臺)란 곳이 유명하다고 했어."

"영가대?"

"응, 영가대는 일본에 파견되었던 조선통신사 사신들과 관련이 있다고 하시던데…."

"그런 곳이 부산포에 있단 말이야?"

"응, 일본으로 출발하기 전에 대한해협을 건너야 하는 조선통신사 행렬의 안전 항해와 무사 귀환을 비는 해신제를 올렸던 곳이라고 들었어."

"해신제를 올렸다고?"

"응, 단이 네가 그전에 모래톱 마을에서도 그런 제사를 지내기도 했다고 했잖아."

"그래, 맞아. 바다에서 그런 제사를 지내는 걸 본 적이 있었어. 아하, 그런 곳에 가다니, 역사 공부가 많이 되겠구나. 다른 유명한 곳에도 들를 거니?"

"으, 응, 시간이 남으면 임진왜란의 영웅이기도 한 송상현공(宋象賢公)을 모신 충렬사도 참배하려고 해."

"충렬사?"

"응, 우리가 가볼 곳은 부산 동래읍성과 붙어 있는 충렬사야. 임진왜란의 호국영령들을 모신 곳으로 유명하다고 했어. 그곳에서 송상현공이 죽음을 무릅쓰고 남겼던 유명한 말, 전사이가도난(戰死易假道難)이 적힌 명언비를 꼭 보고 싶어."

"그래? 여행 얘기를 들으니 함께 못 가는 아쉬움이 점점 커지네. 나도 이번에 우리가 함께했던 탐험대 활동으로 보물선이나 해저 유물에 관한 기록을 찾아보며, 역사에 나오는 인물들의 발자취에도 흥미를 갖게 됐어."

"그래? 다음에 기회가 되면 함께 가보기로 하자."

"으, 응, 그럴 수만 있다면 좋을 텐데…."

대화를 이어 가던 둘은, 한동안 말이 없었다. 분위기가 다소 무거워졌다. 예전에는 경험하지 못했던 긴 침묵이 흘러가고 있었다. 그러자 단은 머뭇거리며, 조금 어색한 표정으로 또 물었다.

"역사 기행을 마치고, 바로 서울로 가는 거니?"

"으응, 그럴 수도 있고…."라고 하며, 소녀는 말끝을 흐렸다. 단은 소녀의 대답이 끝나기가 무섭게 말을 이었다.

"아이들이 너랑 헤어지는 게 서운할 것 같은데…. 그냥 헤어지게 되면…."이라 하며, 이별에 대한 아쉬운 감정을 드러내었다.

소녀는 단의 표정을 살피더니 갑자기 어떤 생각이 떠올랐는지 한 가지 제안을 하였다.

"그럼, 역사 기행은 우리 아빠랑 다녀올 건데…."

"며칠이나?"

"당일치기로. 그리고 한 며칠 여유가 있긴 하지만…….."

"며, 며칠? 여유?"

"응, 확실한 건 아닌데…. 아마, 우리 가족들이 외할아버지랑 함께 휴가를 떠날지도 몰라. 그때 마을 아이들도 같이 가서 우리끼리 야영 같은 거 하는 건 어때?"

"그러면, 아이들이 좀 덜 섭섭해할까?"라고 하며 단을 쳐다봤다. 단은 어쨌든 그냥 헤어지기는 너무 아쉬웠다. 자기 할아버지를 찾는 일에 온 힘과 정성을 다했던 소녀를, 그렇게 쓸쓸하게 보내고 싶지는 않았던 것 같았다. 단은 소녀에게 언질을 주었다.

"이번 주말에 아이들의 스케줄을 알아보고 의견을 말해줄게."라고 하며, 기분이 다소 풀린 듯이 말했다.

그런 얘기들을 하는 사이, 나룻배가 건너편에서 강나루 쪽으로 서서히 다가오고 있었다. 단은 그전에도 한두 번 본 적이 있었던 소녀의 부모님께 인사를 드리고 가야 해서, 나룻배가 선착장에 도착할 때까지 기다렸다. 다시 시골 마을에 오신 부모님께서 강나루에 내렸을 때, 소녀는 급히 달려가 부모님 품에 안겼다. 눈에 넣어도 아프지 않을 금지옥엽(金枝玉葉)처럼 귀하게 키운 여식이었다. 고슴도치도 제 새끼는 함함하다고 하듯이 어머니께서는 무탈하게 시골에서 혼자 지낸 소녀를 대견하다며 꼭 안아 주었다. 옆에서 지켜보던 아빠는 모녀간의 포옹을 바라보며 입이 귀에 걸린 것 같았다. 단이가 예의를 갖추어 공손히 인사를 드리자 소녀의 어머니께서는 단의 손을 붙잡고, 할머니 안부며 가족들의 근황을 물어보셨다. 모래톱 마을에서 설이와 친하게 지내준 단에게도 고마운 마음을 전하였다. 단은 소녀의 어머니로부터 칭찬을 듣고 몸 둘 바를 몰라 했다. 나룻배를 타고 온 손님들이 배에서 내려 뿔뿔이 흩어질 때, 소녀와 부모님은 기와집 쪽으로 가고, 단은 갈림길에서 헤어졌다.

소녀와 부모님은 강나루 황톳길을 따라 기와집으로 걸어갔다. 손에 손을 잡은 채 한가로이 걸어가는 한 가족의 행복한 웃음소리가 바람결에 전해졌다. 화목한 웃음꽃이 피어나는 얼굴 하나하나가 모여 한 편의 아름다운 그림을 만들고 있었다. 마중을 나오신 외할아버지께서 대문 앞에서 기다리고 계셨다. 먼길을 다녀온 큰딸과 사위를 보시더니 건강하게 돌아와 다행이라며 마음이 놓이는지 편안한 미소를 지어 보이셨다. 역병이 물러갔다고는 하지만 여전히 고통 속에 힘들어하는 사람들도 있었다. 외할아버지께서는 소녀는 시골에서 제 역할을 다하며 대견하게 잘 지냈다고 하시며, 작은딸네 집의 안부를 묻기도 하셨다. 눈앞에 없는 자식들이 눈에 밟히는지 걱정하시는 눈치였다. 부모에게는 어느 한 자식만 소중한 것이 아니다. 열 손가락 깨물어 안 아픈 손가락 없다는 말처럼, 모든 자식은 꼭 같이 소중한 존재였다.

37화 서울로 간 소녀

우리는, 늘 새로운 자극을
갈망하지만 그것에 곧 무감각해지기 마련이다.
하지만 하루가 다르게 성장하고 성숙해가는 아이들에게는
사소한 자극이 모험심을 불러일으키기도 하고
새로운 도전을 위한 동력이 되기도 했다.

어른들도 그렇지만, 아이들은 더욱더 새로운 자극에 곧 무감각해지는 존재인지도 모른다. 하지만 같은 무감각이지만 모두에게 똑같이 무의미한 것은 아닌 것 같았다. 새로 경험하는 자극에 대한 아이들의 무감각은 성장이고 성숙이었다. 흥미롭거나 호기심을 불러일으키는 자극에 대한 아이들의 기억 강도는 어른들과는 차이가 있었다. 아이들의 뇌에서는 쾌락 호르몬인 "도파민"이 더 많이 분비되어, 신경회로에 가해지는 자극이 강해지고, 강한 기억도 많이 만들어낼 수가 있다. 뇌의 정보 처리 속도가 빠를 뿐만 아니라, 아이들은 같은 시간 속에서 어른들보다 훨씬 더 많은 양의 정보를 받아들일 수 있는 존재이기 때문이다.

　어른들의 무감각과 아이들의 무감각은 그런 면에서 서로 크게 달랐다. 어떤 경험에 대한 어른들의 무감각은 쉽게 익숙해지는 것을 의미했지만, 아이들에게 그것은 성장이나 도약을 위한 소중한 자산이 되고 지렛대가 되기도 했다. 그해 여름, 숱한 자극에 노출되었던 아이들은, 그런 경험을 자신들도 모르게 승화시켜 하루가 다르게 성장하고 성숙해갔다. 이제 아이들은 각자 새로운 자극이나 또 다른 경험을 갈망하고 있는지도 몰랐다. 그래서 아이들이고, 그래서 무럭무럭 자라나게 되는 존재인 것 같았다.

　어린 시절을 겪고 어른이 되었기에 자만심에 찬 어른들은, 아이들을 함부로 대하기도 하고, 어린 마음을 속속들이 잘 안다고 착각하는 일도 가끔 있는 것 같았다. 하지만 아이와 어른은 엄연히 서로 다른 점도 많이 있다. 예를 들면, 평소 어른들이 아리송하게 여기는 의문들 가운데 "시간은 왜 나이 들수록 빨리 가는 걸까?"에 대한 것이 있다. 이러한 의문은 그냥 막연한 상상이 아니라 과학적인 사실이라고 한다. 사람은 오감으로 받아들인 정보를 통해 시간을 인지하며, 감각 정보를 모아 통합된 사건으로 만든 뒤, 시간 간격에 따라 배치한다. 소설 작법 중에 서사를 사건에 따라 하나하나 순서대로 배열하는 것과 유사한 느낌마저 든다. 시간이 흐르는 속도란 이렇게 나열된 사건에 대한 주관적인 느낌이라 할 수 있다. 그런데 시간이 점점 빨리 가는 것처럼 느껴지는 이유는, 나이가 들수록 아이 때와 달리 신경회로에 가해지는 자극과 기억 강도가 모두 약해져서 흐릿한 기억만 나열되게 된다는 것이다. 그렇다 보니 어른들은 강한 기억이 배열되는 어린 시절이나 청소년 때보다 훨씬 더 시간이 빨리 가는 것처럼 느끼게 되는 것이다. 평소 똑같은 일상이 반복될 때 시간이 빨리 간다고 느끼는 것과 비슷한 원리라고 할 수 있다. 인간의 뇌는 오묘하여 흥미롭거나 인상적인 일은 오래 기억하지만, 익숙한 일에는 크게 반응하지 않는 특성도 있다. 따라서 시간을 좀 더 느리게 살아가고 싶거나, 세월을 늘이고 싶은 사람들은 귀담아들어야 할지도 모를 일이다.

소녀는 남도 기행을 마치고 돌아왔다. 외할아버지께서는 가족들이 모인 자리에서 서울 직장의 휴가가 며칠까지인지 물어보셨다. 그러시더니 우리 가족끼리 가까운 해변으로 가서 머리를 식히자고 하셨다. 소녀의 부모님께서도 휴가 기간 중 조용한 곳에 가서 쉬다가 왔으면 했다. 소녀의 외할아버지께서는 손녀에게 시골 생활을 하느라 수고가 많았다며, 가보고 싶은 곳을 정해보라고 하셨다. 소녀는 시골 지리에 대해 많이 알지 못해, 단이 가족이 다녀온 은모래 빛 해변이 좋다는 말을 들은 적이 있다고 추천하였다.

간단한 가족회의를 통해 기와집 가족들은, 주말에 소녀가 말한 해변으로 휴가를 떠나기로 했다. 휴가 얘기를 마친 외할아버지께서 일어서려고 하실 때, 소녀는 전설의 섬 탐험대에서 활동한 아이들이 애를 많이 썼다며, 소녀의 가족과 동행하는 것에 대한 의견을 여쭤봤다. 그랬더니 외할아버지께서는 단이랑 같이 가는지 물으시고는 그렇다고 하니, 아이들 부모님들이 허락하면 같이 가자고 하셨다. 섬으로 가는 배편은 별장에 있는 목선을 잠시 이용할 예정이라는 말씀을 남기시고, 외할아버지께서는 마실 가신다며 일어나 나가셨다.

소녀는 다음날 강나루 쉼터에서 아이들과 만났다. 소녀가 보내고 있는 그해 여름의 끝자락은 빠르게 흘러가고 있었다. 째깍째깍 초침이 쉴 새 없이 움직여 가듯이, 소녀의 남은 시골 생활도 속절없이 지나가고 있었다. 가을의 문턱인 입추는 지난 지 오래고, 곧 다가오는 처서가 지나면 소녀는 서울로 돌아갈 것이라고 했다. 처서는 아침저녁으로 가을바람이 불어오고, 늦여름 더위도 물러가게 되는 24절기 중의 하나였다.

아이들은 소녀가 조만간 서울로 돌아가야 한다고 하니 섭섭하다며, 추억이 될 만한 일을 하자고 했다. 소녀는 단이와 며칠 전에 얘기했었던 캠핑 이야기를 꺼냈다. 미리 눈치를 챈 아이들은, 부모님께 허락받고는 캠핑을 떠날 생각에 들뜬 기분이 되어 있었다. 이번 주말에 가게 될 휴가는, 소녀의 외할아버지가 소유하고 있는 목선을 이용할 것이라고 살짝 귀띔해주었다. 아이들은 주말 캠핑에 대한 계획을 미리 짜서, 다들 추억을 많이 남길 수 있기를 바랐다.

아이들은 강나루 쉼터는 사람들이 오가서 시끄러우니 연못가에 있는 원두막으로 가서 의논하자고 하였다. 어느새 원두막은 아이들의 아지트가 된 것 같았다. 원두막에 도착한 아이들은 2층으로 올라가고, 석이와 윤택이는 과수원으로 수박 한 덩이를 따러 갔다. 얼마 전 과수원에 물이 차오른다고 알려주어 농사 피해를 막았다며, 석이 부모님께서 수박을 따서 먹으라고 한 것 같았다. 과수원에서 수박이나 참외를 서리해서 먹으면 더 맛있다는 농담도 하며, 수박을 주먹으로 깨어 나누어 먹었다.

소녀는 이번에 휴가를 떠나면 어른들과 식구들은 민박집에서 지내기로 했다며, 아이들은 어떻게 지낼지 의논하자고 했다. 아이들끼리 해변에서 야영하자는 의견도 나오고, 민박집을 이용하자는 말도 나왔다. 일전에 다녀온 적이 있는 단이는, 해변이 조용하고 좋았다면서 바닷가에서 텐트를 치고 야영하는 게 어떠냐고 물었다. 모처럼 바닷가에서 야영하며 파도 소리도 듣고, 밤하늘의 별을 보며 잠들고 싶다는 아이들이 많았다. 별을 보며 파도 소리를 들으려면 비박을 해보는 것도 괜찮을 거라고도 했다. 단이는 지난번 휴가 때, 그곳에서 마을 사람들이 선창에서 돗자리만 깔고 잠을 자기도 하는 것을 본 적이 있다고 했다.

비박은 일반적으로 텐트를 사용하지 않고 동굴이나 바위, 큰 나무 따위를 이용하여 하룻밤을 보내는 것을 의미했다. 시끌벅적한 가운데 아이들은 구체적인 야영 계획을 짜보자고 했다.
"비박을 하되 하룻밤을 온통 비박으로 할 건지, 텐트를 준비하여 자정이 되면 텐트 안에서 지낼 것인지 궁금해."
"텐트 없이 밤을 지새우는 것은 무서워."

"텐트를 준비하되 팀별로 알아서 하는 게 어때?"라고 하며, 아이들은 너도나도 의견을 내었다.

"그럼, 팀을 짜야겠네."

"응, 2인 1조로 팀을 짜는 게 어때?"

"그래, 좋아, 좋아!"

"여자애들은 2명이니 한 팀이 되고, 남자애들은 두 사람씩 나누면 되겠네."

"응, 내가 창의랑 같은 팀을 할 테니, 단이랑 석이가 한 팀이 되면 어떨까?"라고 윤택이가 말했다.

아이들은 팀도 짜고, 이제는 야영 준비물을 의논할 차례가 되었다. 야영을 많이 해본 석이가 야영에 필요한 준비물을 이것저것 알려줬다.

·취침도구 : 텐트, 침낭(모포), 돗자리 등

·취사도구 : 코펠, 버너, 수저, 식수통 등

·식재료 : 쌀, 라면, 김치, 간식 등

·세면도구 : 치약, 칫솔, 수건, 비누, 샴푸 등

·기타 : 손전등, 카메라, 물놀이용품, 모기향 등

비박을 해본 적이 없는 애들은 텐트를 치지 않고 밤을 지새우는 것에 궁금한 게 많았다.

"비박은 어떻게 하는 거야?"

"예전에 비박할 때는 미션을 주기도 했어. 예를 들면 옥수수 같은 먹거리 재료와 불을 피울 수 있는 도구를 주면서, 하룻밤을 자고 일어나서 아침밥을 해결한 뒤, 정해진 시간까지 메모지를 보고 돌아오는 미션도 있었어."라고 하며, 석이가 형들과 함께 캠핑했던 경험담을 전해주었다.

"그러니까, 비박 캠핑은 위기에 대비하는 야영 훈련 같은 거라고 할 수 있겠구나."

"응, 그래, 야영하다 보면 위기 상황이 생길 수도 있잖아. 그런 상황에 대비하는 훈련같이 캠핑을 진행하기도 했었어."

"아하, 그거 재밌겠다. 우리도 그렇게 해볼까? 미션을 정해서 팀별로 그걸 수행하는 거지."

"좋아, 그럼, 그날 해변에 가서 야영할 때 구체적으로 정하기로 하자."

석이와 함께 야영에 대한 이런저런 의논을 마치자, 윤택이는 취사도구는 자기가 준비해올 테니 다른 준비물들은 팀별로 챙겨 오라고 했다. 아이들은 휴가지에서 야영할 일을 생각하니, 당장 오늘 밤에 야영이라도 할 것처럼 들뜬 기분이 되었다.

주말 아침 일찍, 기와집 식구들과 아이들은 목선을 타고 은모래 빛 해변으로 휴가를 떠났다. 아이들은 1박 2일간 텐트를 치고 야영 겸 비박을 하기로 했다. 한여름철이라 날씨는 무더웠으나 아침저녁으로는 간간이 시원한 바람이 불어오기도 하였다. 아이들은 모처럼의 추억 여행에 한껏 가슴이 부풀어 올랐다. 목선은 은모래 빛 해변 마을에 도착하여 사람들을 내려주고, 다음 날 다시 오기로 하고 떠났다. 은모래 빛 해변은 이제 아이들의 몫이 된 것 같았다. 주변 지역의 마을들에서 조금 멀리 떨어진 외진 작은 해변이라, 다른 휴가객들은 그날따라 거의 없었다. 조용해서 아이들이 하룻밤을 보내기에는 안성맞춤이었다.

어른들은 민박집으로 가고, 아이들은 청정 은모래 빛 해변에서 캠핑

도구들을 풀었다. 우선 텐트를 먼저 설치하기로 했다. 그런데 윤택이 팀에서 창의가 준비하기로 했던 텐트를 깜박하고 가져오지 못했다고 했다. 윤택이는 지나가는 말로 "까마귀 고기를 먹었는지 어떻게 며칠 전에 한 약속을 잊어버릴 수 있냐?"며 빈정댔다. 그러더니 약간 심술궂은 표정으로 여자팀에 가서 지내라며 손짓했다. 웃는 낯에 침 못 뱉는다고, 옆에 있던 아이들은 머리를 긁적거리며 멋쩍어하는 창의에게 다가가 석이가 준비해온 텐트를 함께 이용하자고 했다. 아이들은 친구에 대한 아량과 의리가 있었다. 밀물과 썰물의 흐름을 미리 알아보고, 안전한 곳에 텐트를 설치했다. 아이들은 모두 수영복으로 급히 갈아입고 해변으로 나왔다. 텐트 안에 각자 챙겨 온 준비물을 대충 던져놓고, 너도나도 서둘러 바다에 뛰어들었다. 먼저 나온 남자아이들은 바닷물에 들어가서 서로 밀치기도 하고, 몇몇은 둥글고 얄팍한 돌로 수면 위로 스치듯이 뛰기는 물수제비 뜨기를 하며, 누가 더 많이 뛰기나 내기를 하기도 했다.

소녀와 리솔이는 수경과 수모를 착용하고, 수영복 차림에 긴 비치 타월을 걸치고 나타났다. 아이들은 모두 놀라며 멋지다는 말을 연발하기도 했다. 물가에 나온 여자애들이 준비운동도 안 하고 바다에 뛰어들었다며 남자아이들을 나무랐다. 바다가 아무리 좋더라도 안전 수칙은 지켜야 했다. 준비운동을 마친 아이들은, 먼저 바다에 떠 있는 안전 튜브까지 갔다 온다며 헤엄을 쳐서 나아갔다. 소녀와 리솔이도 뒤따라 수영으로 튜브까지 헤엄쳐서 갔다가 돌아왔다. 바다 수영에 자신이 없었던 소녀는, 별장 섬에서 며칠간 해녀들과 바다에 적응한 보람이 있었던지, 전혀 무섭지 않다면서 자유자재로 수영을 즐겼다. 한바탕 물놀이를 하고 뭍에 올라온 아이들은, 배가 출출하다면서 서둘러 여자 텐트와 남자 텐트 어간에, 버너와 코펠을 설치하여 밥을 짓자고 했다.

텐트와 텐트 사이에 취사도구를 설치한 아이들은, 민박집에서 페트병으로 식수를 몇 병 떠와서 쌀을 씻었다. 씻은 쌀은 코펠에 넣어 버너에 불을 붙이고, 밥이 될 때까지 기다렸다. 그 사이 김치나 장아찌 등 각자 가져온 반찬통과 음식 재료를 꺼내어 놓았다. 점심때 국물은 라면으로 정했다. 버너로 밥을 짓고 있는 사이, 아이들은 야영 미션을 정하기로 했다. 은모래 빛 해변에 온 기념으로, 오후에는 조개껍데기로 장신구 만들기를 하고, 밤에는 돗자리를 펴고 비박을 하며 별자리 찾기 놀이도 하자고 하였다.

미션을 정하고 있는 사이 코펠에서 김이 모락모락 새어 나왔다. 석이와 윤택이가 달려가서 해변에 있던 몽돌을 몇 개 주워와서 코펠 위에 올려놓았다. 높은 산에 등산을 갔을 때, 산 위에서 밥을 지었던 경험을 떠올렸다. 어른들이 그랬다면서, 무거운 돌을 코펠 위에 올려놓으면 압력밥솥처럼 밥이 잘된다고도 했다. 밥솥 뚜껑을 공기가 누르고 있는데, 몽돌을 뚜껑 위에 올려놓으면 누르는 압력이 세져 밥이 잘되는 것 같았다. 모처럼 휴가 나온 아이들이, 어디서 주워들은 자질구레한 야영이나 캠핑 경험담을 늘어놓는 걸 듣고 있는 것도 재미가 솔솔 했다.

밥 짓기가 다 되어 밥을 먹고 난 뒤, 라면 국물에 흰밥을 말아먹기도 하였다. 아이들끼리 함께 먹는 밥은 눈 깜빡할 새 동이 났다. 점심을 먹은 후, 아이들은 정해진 프로그램에 따라 장신구 만들기를 하였다. 단이는 여기 왔을 때 은모래 빛 해변에서 목걸이를 조개껍데기로 만들어 본 경험이 있었다. 아이들은 각자 해변에서 쉽게 구할 수 있는 조개껍데 기나 고동 같은 것을 주워 장신구 만들기를 시작했다. 소녀는 목걸이를 고동과 조개껍데기를 주워 모아 만들고 있었는데, 여름방학이 끝나면 서울에 가서 친구들에게 자랑할 생각에 신이 난 표정이었다. 아이들은 만든 장신구를 서로 교환하기도 하고, 배낭에 챙겨 넣기도 하였다.

저녁때까지 시간이 남아 있어 백사장에서 안전하게 할 수 있는 놀이 도 했다. 서로 넘어뜨리며 공격과 수비를 하는 놀이로, 모래밭에서 하기 에 안성맞춤인 "오징어 달구지" 게임을 하자고 했다. 백사장에 오징어 모양의 도형을 그린 후, 세 명씩 편을 갈라 놀이를 신나게 했다. 넓은 백 사장과 얕은 바닷가를 이용해 "무궁화꽃이 피었습니다" 놀이도 하였다. 먼저, 술래를 바닷물이 허리쯤 정도 오는 곳에 세워두고 "무궁화꽃이 피었습니다"를 다섯 번이나 열 번 셀 때까지 들키지 않고, 술래보다 더 먼 바닷물 쪽으로 가는 놀이였다.

또한, 오랜만에 서로 어울리는 아이들은 소풍 갔을 때 가끔 즐겼던 놀 이 가운데 "보물찾기"도 새로운 방법으로 변형시켜서 해보기도 했다. 옛날 속담이나 수수께끼를 적은 쪽지를 백사장 모래 속에 각자 서로 모 르게 몇 개씩 숨겨 두고 찾는 놀이였다. 흔히 보물찾기는 숨겨진 쪽지 를 찾으면 그만이지만, 아이들이 하게 된 놀이 규칙은 보물을 찾은 뒤, 쪽지에 적힌 속담의 뜻이나 수수께끼의 답도 맞혀야 하는 놀이였다. 아 이들은 창의성을 살려, 조금씩 놀이 규칙을 바꾸기도 하며 즐겁게 시간 을 보내었다.

해거름이 되어 노을이 지자 아이들은 저녁을 먹고 비박 준비를 하기 시작했다. 밤하늘에 박혀 있는 여름철 별자리를 찾으며, 별자리 이름 만들기 놀이를 하기도 했다. 각자 찾은 별자리 모양에 이름을 붙이고, 별자리의 전설을 꾸미면서 이야기해주는 놀이였다. 그때, 민박집에서 머물고 있던 가족들과 동네 사람들이 횃불을 들고 바닷가로 내려왔다. 갯가의 물때를 봐서 횃불로 유인해서 밤 낙지잡이를 하려고 하는 것 같았다. 아이들은 너도나도 우르르 몰려가 낙지잡이에 기웃거리며 어떻게 낙지를 잡는지 체험도 하였다. 낙지는 야행성이라 밤에 먹이 활동을 하러 갯벌 구멍에서 나와 밀물과 썰물에 따라 헤엄쳐 다녔다. 어두운 밤에 횃불을 비춰서 물 위에 떠다니는 낙지를 손이나 뜰채로 잡는다고 했다. 아이들은 신기해하며 낙지잡이에 한동안 빠져 있었다. 무릎이 찰 정도의 수면에서 밀물을 따라 들어오거나 썰물을 따라 물이 내려가면, 낙지들이 머리를 쫑긋하게 들고 서 있다가 쏜살같이 달아나곤 했다. 재빨리 가래로 덮어씌우거나 손으로 낚아채서 잡는 사람도 보였다.

탐험대 아이들은 계획에 없었던 낙지잡이 체험을 끝낸 뒤에, 미리 준비한 비박 프로그램에 따라 돗자리에 누워 밤하늘의 별자리 찾기도 하고, 무서운 이야기도 하며 한여름 밤을 보내었다. 아이들은 별자리에 얽힌 이야기를 그럴듯하게 꾸미기도 하며 지내다가, 자정 무렵이 되어서야 모두 각자의 텐트로 들어갔다. 아이들의 추억 만들기는 끝이 보이지 않았지만 잠도 자야 했다.

다음 날 점심을 먹고 나서, 통통통 기계음이 들려 고개를 빼고 보니, 목선이 선창에 도착해 있었다. 소녀와 아이들은 은모래 빛 해변에서 잊지 못할 아름다운 추억을 간직한 채 마을로 돌아갔다. 소녀는 내일과 모레 시골 마을에서 쉬고, 글피 아침에 부모님과 같이 서울로 돌아갈 예정이라고 했다. 소녀가 시골 마을에 머물 날도 이제 사흘밖에 남지 않았다.

 드디어 소녀의 가족들이 마을을 떠나는 날이 되었다. 다른 날과 달리 나룻배가 떠나는 강나루는 부산스러웠다. 기와집에서 사람들이 나와 배웅하고 있었다. 아이들도 아침 일찍부터 나와 끼리끼리 모여, 서로 이런저런 귓속말을 나누기도 했다. 잠시 후, 나룻배는 소녀를 싣고 물살을 가르며 시골 마을을 떠났다. 아이들은 모두 손을 흔들었고, 소녀도 나룻배에서 일어나서 손을 흔들어 주었다. 배는 떠나고, 아이들은 모두 집으로 돌아갔다. 단은 가던 길을 되돌아와 강나루에 서서, 소녀가 탄 나룻배가 사라질 때까지 무심히 지켜보았다.

 소녀는 서울로 돌아갔다. 이제 모래톱 마을에는 아이들의 시선을 한몸에 받았던 소녀는 없었다. 혼자 남은 단은 그 빈자리를 다시 느끼고 있었다. 소녀가 떠난 빈자리는 너무 컸다. 마음 한구석이 텅 빈 듯했다. 며칠 전 해변에서 함께 놀았던 아이들의 얼굴이 스쳐 지나갔다. 소녀의 환한 미소 위에 단의 마음은 머물고 있었다. 잊고 싶지 않은 순간들이었다. 한동안 단은 꼼짝도 하지 않고, 멍하니 하늘만 바라보고 서 있었다. 나룻배가 지나간 자리엔 청둥오리 한 마리가 물살을 만들어내며, 어디론가 헤엄쳐가고 있었다. 혼자라는 게 오늘따라 왠지 외롭고 쓸쓸해 보였다. 짚신도 제짝이 있다는데….

38화 설(雪)과 단(丹)

시골에 머물렀던 소녀는
모래톱 마을을 떠나 서울로 돌아가고 있었다.
가족들과 함께 기차여행으로 휴식을 취하며
가벼운 담소를 나누기도 했다.
며칠간의 휴가로 인해 나른한 몸이 된 소녀는
이상한 꿈속으로 빠져들었다.

소녀는 기차를 타고 서울로 가는 길에, 파노라마처럼 스쳐 지나가는 그해 여름을 떠올려 보았다. 아름답고 신비스러운 장면들이 그림처럼 지나갔다. 그해 여름의 숱한 기억들은 한 편의 영화처럼 변화무쌍하였다. 소녀는 잠결에 눈 앞에 펼쳐지는 놓치고 싶지 않은 장면들을 손으로 잡으려다 허공만 휘젓기도 했다. 도깨비불을 피해 높은 언덕을 한순간에 뛰어넘어 내달렸던 순간이나, 별이 내리는 하늘이 너무 아름다워 멍하니 밤하늘을 바라보았던 장면도 지나갔다. 혼자서 바다 수영을 하던 날, 어둠이 내려앉을 때 "도와주세요! 도와주세요!"라는 희미한 목소리에 등골이 오싹했던 순간도 지나갔다. 그때 동굴 위에서, 소녀의 외할아버지께서 "은로야! 은로야!"하고, 단이 할아버지 이름을 고함치며 불렀다. 그 소리에 놀라 소녀는 벌떡 눈을 떴다. 기차 안에서 세상 모르게 자고 있다가 꿈속에서 외할아버지의 고함치는 소리에 그만 잠에서 깼다.

꿈이었다.

잠에서 깨어난 소녀는 "은로야! 은로야!"하고, 크게 귓가에 들려온 그 이름을 다시 곱씹어 보았다. 갑자기 이상한 생각이 들었다. 단이 할아버지 이름인 "은로(銀露)" 속에 무슨 비밀이라도 숨어 있는 것일까? "로단(露丹)"의 이름은 단이 할아버지로부터 생긴 것일까? 그렇다면 "은(銀)" 자를 이름으로 하는 다른 아이도 있단 말인가? 이런저런 의문들이 섬광처럼 번쩍이며 머리를 스쳐 갔다. 기차는 아련한 추억을 뒤로한 채 서울로 달리고 있었다. 너른 들이 눈에 들어왔다. 충청남북도의 경계 지점 부근인 조치원을 지나고 있었다. 소녀는 부모님께 자신의 이름을 "은설(銀雪)"이라고 지은 내력을 여쭈어봤다. 부모님께서는 소녀에게 외할아버지께서 귀하게 지어 주신 거라고 하시며, 소녀의 이름이 지어진 내력을 들려주셨다.

　부모님이 소녀를 가졌을 때, 외할아버지께서 어떤 꿈을 꾸었다고 하셨다. 그때가 오월인데도 불구하고, 골짜기에 하얀 눈이 쌓여 있는 것을 태몽으로 꾸었고, 그 태몽에 따라 소녀의 이름에 "눈 설(雪)" 자를 붙이게 되었다는 이야기였다. 소녀는 "은(銀)" 자는 어떻게 하여 붙이게 되었는지도 여쭤어봤다.
　그랬더니 소녀의 어머니께서는
　"하얀 눈의 색깔이 은빛이고, 또…."라고 하시면서 말끝을 흐렸다. 소녀는 또 다른 까닭이 있는 것 같기도 해 재차 여쭤봤다. 그러자 어머니께서는 잠시 머뭇거리시더니 이야기를 이어 갔다.

　어머니는 외할아버지께서 하신 말씀을 소녀에게 전해주었다.
　"사실은 단이가 먼저 태어나고 네가 태어났어. 단이 할머니께서는 귀하게 태어난 손자의 이름을 지어달라고 외할아버지께 부탁하셨다네. 외할아버지께서는 단짝 친구인 단이 할아버지의 실종을 비통해하며, 그를 기리기 위해 '은로(銀露)'라는 이름 속에 있는 '로(露)' 자를 따와서, 신비의 섬이 있는 서쪽 하늘의 붉은 기운을 상징하는 '단(丹)'을 합쳐 '로단(露丹)'이라고 지어 주었다네."라고 하셨다.
　"그런 후 몇 달이 지난 뒤, 오월에 너를 낳게 되었어. 그때 피부가 백옥같이 하얗게 태어난 너에게, 하얀색을 상징하는 '눈 설(雪)'과 은빛과 달빛을 상징하기도 했던 단짝 친구인 단의 할아버지 이름에서 '은(銀)' 자를 가져와, 너의 이름을 '은설(銀雪)'로 짓게 되었단다."라고 하셨다.

소녀는 어머니를 통해 자신의 이름이 지어진 내력을 듣더니, 눈을 크게 뜨며 벌어진 입을 다물지 못했다. '이건 미스터리야!'라는 말만 속으로 되뇌었다. 결국, 설과 단의 이름 어딘가에 신비의 섬에서 실종됐다가 되살아난 단이 할아버지 이름인 "은로(銀露)"가 들어있었던 것이었다. 보이지 않는 어떤 끈 같은 것이 얽히고설켜 있는 것이 아닌가. 그 속에는 "은설(銀雪)"과 "로단(露丹)"이라는 이름도 희미한 연결고리로 이어져 있었다. 소녀는 자신이 우연히 시골 마을에 내려와서, 왜 신비의 섬의 어두운 그림자에 대해 의문을 가지게 되었는지 고개를 갸우뚱했다. 소녀의 귓전에 "도와주세요! 도와주세요!"라는 가느다란 목소리는 또, 왜 자신에게만 들렸었는지도 의문을 품었다. 그 희미한 소리는 여름 내내 밤마다 신경을 곤두서게 했었다.

　소녀가 서울에 올라오고 며칠이 지난 뒤, 학교에서 돌아왔을 때였다. 자기 집 우편함에 단으로부터 온 편지 한 통이 꽂혀 있었다. 반가운 마음에 소녀는 책가방을 멘 채로 편지를 황급히 뜯어보았다. 단의 편지에는 그해 여름의 아름다운 날들을 추억하며 잊지 않고 기다리고 있을 테니, 꼭 다시 모래톱 마을로 내려오기를 바란다는 사연이 담겨 있었다. 그 내용이 끝이 아니었다. 편지 끝부분에 단은 자신이 소녀를 만나기 전 어느 날 오후, 원두막에서 잠깐 낮잠이 들었는데, 그때 꿈속에서 소녀를 본 것 같다고 씌어 있었다. 그 말이 너무나 얼떨떨하고 황당무계하여 편지를 급히 더 읽어 내려가니, 단의 "어떤 꿈" 이야기가 자세히 적혀 있었다. 단은 마을 어귀 느티나무 쪽에서 소녀를 처음 봤을 때, 어디선가 본 듯한 얼굴이어서 무척 궁금했었다며, 곰곰이 생각해 보니 자신이 꾸었던 꿈속에서 본 것 같았다고도 했다.

소녀는 단의 꿈 이야기를 읽어 내려가며, 외할아버지께서 자신의 이름을 작명한 연유에 대해, 어머니께 들은 기억이 떠올라 갑자기 섬뜩한 생각이 들었다. 소녀는 '이런 불가사의한 일도 있단 말인가.'라고 되뇌며, 한동안 우편함 앞에서 떠나지 못하고 멍하니 서 있었다. 꿈인지 생신지 긴가민가하는 눈치였다. 자신이 단의 꿈에 나타났다니, 이런 황당한 일이 어찌 있을 수 있단 말인가. 시골 마을에 내려가기 전에는 한 번도 만난 적이 없었던 아이였는데, 어찌하여 그런 일이 일어날 수 있을까 하고 의문을 품게 되었다.

신기한 일이 아닐 수 없었다. 단이 할아버지의 이름 속에 소녀와 단의 이름이 사슬처럼 연결되어 있다는 것도 너무나 이상했다. 소녀는 그해 여름에 있었던 일들을 떠올려 보며, 풀리지 않은 의문들을 파헤쳐보고 싶다는 생각이 불현듯 들었다. 그 의문은 소녀의 맘속에 잠복해 있던 호기심을 자극하기에 부족함이 없었다. 서울에 올라 온 후, 잊어버리면 그만이라고 생각하며 지냈던 의문들이었다. 식은땀을 흘리게 하고, 가슴 조마조마하게 했던 그 목소리도 불가사의한 일이었다. "도와주세요! 도와주세요!"라는 가늘고도 희미한 울림은 소녀의 귀에만 들렸단 말인가. 그 이상한 소리의 정체도, 소년의 꿈과 연관이 있는 것은 아닌지 의심스럽기만 했다.

소녀가 모래톱 마을에 내려오기 며칠 전, 단의 꿈에 자신이 나타났다거나 무지개를 타고 내려온 선인이 소녀에게 물을 얻어먹었다는 말들이 꾸며낸 이야기처럼 들렸다. 마치 신화나 설화를 읽고 있다는 착각 같은 것이 이런 느낌은 아닐까. 어릴 때 그림책으로 보았던 삼국유사에 담긴 신비스럽기만 했던 단군신화가 떠오르기도 했다.

"옛날, 하느님인 환인의 아들 환웅이 인간 세상을 다스리길 원하였다. 그러자 환인은 아들의 뜻을 알고는 환웅에게 바람, 비, 구름을 관장했던 풍백(風伯), 우사(雨師), 운사(雲師)를 비롯한 삼천 명의 수하를 거느리고 태백산 정상 신단수 아래로 내려가게 했다. 그때, 곰과 호랑이가 환웅에게 찾아와 인간이 되게 해달라고 간청하였다. 이들의 간청을 들은 환웅은 쑥 한 자루와 마늘 스무 쪽을 주면서, 그것을 먹고 100일 동안 햇빛을 보지 않으면 사람이 될 수 있다고 하였다. 곰은 시키는 대로 하여 삼칠일 만에 여자로 변하였으나 호랑이는 참지 못하고 뛰쳐나가 사람이 되지 못하였다는 설화였다. 곰 여인인 웅녀는 혼인하여 아기를 갖고자 간절히 기원하자 환웅이 잠시 인간으로 환생해 웅녀와 혼인하였다. 결국, 웅녀는 아들을 낳았는데 그가 단군왕검으로 기원전 2333년에 고조선을 건국했다는 불가사의한 이야기가 바로 단군신화(檀君神話)였다."

그런데 단의 꿈 이야기가 꼭 그 짝이었다. 미스터리한 신화에 나오는 설화와 다를 바가 없었다. 선인은 왜 소녀를 뚫어지게 쳐다봤을까. 단순히 미모 때문만은 아니었던 것 같았다. 온 천지간의 기운과 정기를 관장했던 선인은 과연 누구였으며, 전지전능한 그가 소녀의 영특함을 미리 알아보기라도 했었단 말인가.

소녀는 예전에 보았던 영화 속에서 빙의라는 장면을 본 적이 있었다. 그때 본 기억을 떠올려 보니, 빙의(憑依)는 다른 것에 몸이나 마음을 기대거나 영혼이 옮겨붙는 현상이었다. 모래톱 마을에서 만난 소녀와 소년을, 무지개를 타고 내려온 선인이 의도적으로 만나게 했다는 말인가. 단군신화에서 하느님의 아들 환웅과 웅녀를 서로 만나게 했듯이, 꿈속의 선인은 소녀와 소년이 서로가 서로에게 믿음을 돈독히 하여, 전설의 섬 동굴 속에 있었던 단의 할아버지를 구하도록 이끌었는지도 모를 일이었다. 주마등처럼 지나가는 그해 여름, 시골 마을에서의 일들이 모두 신화나 설화처럼 비현실적으로만 다가왔다.

소녀는 그해 여름에 일어났던 일들을 곰곰이 회상해보았다. 마치 불가사의한 꿈이라도 꾼 것처럼 모든 게 이상하고도 신비스럽기만 해 소녀는 고개를 절레절레 흔들었다. 예부터 전해 내려오는 말에 천우신조(天佑神助)라는 말이 있다. 온 우주와 하늘과 신령의 도움이 있으면 간절히 바라는 일이 이루어진다고도 했던가. 단군신화에서 곰이 웅녀로 환생하고, 웅녀의 간절함은 환웅과 혼인하여 단군왕검을 잉태했듯이, 실현 불가능한 소망들도 간절히 바라면 이루어질 수 있단 말인가. 지극한 정성이면 하늘도 감동한다는 지성감천(至誠感天)이라는 말도 있지 않던가. 신비스럽고 불가사의한 일들이라 놀라울 뿐이었다.

예전에 부모님께서 읽고 있었던, 코엘료(P. Coelho)의 "연금술사"라는 책을 어깨너머로 슬쩍 본 적이 있었다. 그때 그 표지에, 사람이 무엇인가를 간절히 바라고 또 바라면 반드시 그 소망은 이루어진다는 메시지를 담고 있었던 것 같았다. 그것은 광활한 우주에서부터 비롯된 "위대한 진실"에 관한 이야기였다. 신비의 섬 해역에서 실종되었다가 생존하게 된 노인은, 온 우주와 하늘과 신령의 도움이 있었음이 분명했다. 그러지 않고서야 어떻게 그 심해 해구의 소용돌이 속에서 살아남을 수가 있었으며, 또 그렇게 모진 고통과 고독을 이겨 내고, 동굴에서 고단한 삶을 살아낼 수가 있었단 말인가.

"어떤 꿈" 이야기를 적어 놓은 단의 편지를 꺼내어 다시 읽어 보았다. 편지를 손에 쥐고 한 자, 또 한 자 천천히 음미했다. 소녀의 귓전에 울렸던 "도와주세요! 도와주세요!"라는 목소리는 영적인 힘의 작용으로, 누군가가 소녀에게 구원을 청한 것일지도 모른다는 생각이 스쳐 지나갔다. 이제는 시골을 떠나 서울에 올라와 있었으나 그해 여름에 겪었던 일들은 풀기 어려운 미스터리일 뿐만 아니라, 여전히 의문투성이로 남아 눈덩이처럼 부풀어가고 있었다.

소녀는 세상의 이치와 모든 현상이 과학으로 증명된다고 믿어왔다. 그런데 지금 자신의 주변에서 일어나고 있는 일들이나 소년의 이상한 꿈에 관한 이야기는 과학과는 거리가 멀어도 너무 먼 것이었다. 숲속의 인간 오랑우탄이 1킬로미터 전방까지 자신의 영역을 암시하는 신호를 보낼 수 있다고 하니, 만일 어떤 인간이 간절히 바라는 것이 있다면 도저히 상상할 수 없는 일인들 일어나지 말란 법도 없을 것 같았다.

과학과 영적인 힘의 경계란 정말 존재하는 것일까. 만일 그런 경계가 존재한다면 그것은 무엇일까. 사람에 따라 그 간극(間隙)이 좁혀질 수도 있거나 그런 경계를 자유자재(自由自在)로 넘나들 수 있는 인간도 있을 수 있단 말인가. 우주 안에 있는 온 천지간의 만물과 자연현상이 정기를 한곳으로 모으면, 누구든지 원하는 바를 이룰 수 있다는 말도 있으니, 어쩌면 그럴 수 있을지도 모를 일이었다. 끝도 모를 의문은 소녀의 마음속에서 미스터리가 되어 꼬리에 꼬리를 물고 이어졌다.

그해 여름!

소녀는 자신이 영적인 어떤 힘을 빌려 전설의 섬에 대한 의문을 풀어
간 것은 아닌지, 지난 일들을 하나하나 되돌리며 다시 깊은 생각 속으로
빠져들었다. 단이 할아버지를 구조할 수 있게 된 것도 과학으로 증명할
수 없는 어떤 힘과 연관된 것은 아닐까. 그해 여름을 시골 마을에서 보
내고 서울에 올라온 소녀는, 과학과 영적 세계에 대해 더 깊이 캐보고
싶어졌다. 바쁜 일상을 제쳐두고 짬을 낸 소녀는, 가까운 도서관을 찾
아 영적 세계에 관련된 문헌에서 "영혼"이라는 것을 찾아보았다.

도서관에서 본 책에는 "영혼(靈魂)"이란 "정신(精神)"과 구별되는 일
종의 생명 원리, 살아 있는 사람의 육신에 깃들어서 생명을 지탱해준다
고 믿기도 하는 기(氣), 육신의 죽음과 무관하게 그 자체의 실체를 존속
시킬 수 있는 능력 등을 의미하며, 영혼은 초월성을 지닌다고 되어 있었
다. 그 옆에는 같은 뜻으로 혼·혼령·혼백·얼·넋 등을 제시하고 있
었다. 소녀는 이러한 영적 표현과 모래톱 마을에서 행해지고 있었던 장
승제나 해신제의 의미도 되새겨 보았다. 시골 마을에서 주기적으로 행
해지고 있었던 제사와 같은 행사는 영적인 것과 연관이 있단 말인가.

한편, 마음의 이치를 탐구했던 심리학자 칼 융(Carl G. Jung)은 영혼을
인간의 외부에서 내부로 들어와 생명의 원리로 작용하는 실체로 보고,
정신과는 다른 것이라고 했다. 그에 따르면 영혼은 스스로 자발적인 운
동과 활동을 하고, 감각적인 지각에 의존하지 않고 이미지를 만들 수 있
는 능력이 있으며, 이러한 이미지들을 자율적으로 조절할 수 있다고 하
였다. 따라서 영혼은 인간의 창조물이 아니며, 오히려 인간은 영혼의 활

동을 통하여 창조적인 능력을 부여받게 된다고 하였다.

결국, 인간의 창조적 능력은 초월성을 지니는 영감이나 직관력과 같은 내면에서 나오는 마음의 소리에서 비롯되는 것은 아닐까. 소녀는 어떤 영적인 힘의 작용으로 모래톱 마을에 내려오게 되었고, 전설의 섬을 탐험하는 창조적 능력을 부여받기라도 했단 말인가. 삼라만상 우주 속에 인간의 눈에 보이는 태양과 같은 별은 4%에 지나지 않는다는 가설도 있다니, 우주 전체를 봤을 때 세상을 보는 기준이란 천차만별일 수밖에 없는 일이다. 소녀는 그해 여름에 겪게 된 다양한 경험들과 새로운 자극들을 편견 없이 받아들이려고 애썼다. 도서관에서 이런저런 책들을 뒤져 보았으나 불가사의한 의문들은 여전히 풀리지 않고, 창밖은 석양이 넘어가 어둑어둑 땅거미가 지고 있었다. 고개를 들어 밤하늘을 쳐다보니 구름 사이로 작은 별들이 띄엄띄엄 눈에 들어왔다. 단이와 함께 그해 여름 밤길을 걸으며 음미했던, 별이 내리던 고요한 하늘이 떠올랐다. 끝도 없이 무한히 펼쳐져 있는 우주와 그 속의 작은 별인 지구, 그리고 거기서 만물의 영장이라 믿으며 살아가고 있는, 한낱 피조물에 지나지 않는 인간을 생각하며, 소녀는 도서관 문을 나섰다.

캄캄한 어둠 속에서도 길은 존재한다. 우리는 더없는 행복으로 가는 자신만의 길을 찾아야 한다. 진정으로 마음과 영혼을 쏟아부을 수 있는 길은 어디에 있는 것일까. 자기 자신이 잘하는 것, 좋아하는 것이 무엇인지 스스로 발견해야 한다. 자신을 믿지 않는다면 영감도, 창조도, 희망도 있을 수 없다. 자신이 가진 힘과 가능성을 깨닫고 하루하루의 삶에 더 집중할 때, 우리는 원하는 삶에 한 발짝 더 가까워질 수가 있다.

설령, 허상일지라도 영혼의 목소리를 듣고 그 부름에 따른다면, 영감을 얻을 수도, 어두운 그림자를 밀어낼 수도 있다는 것을 소녀는 어렴풋이 느끼고 있는 것 같았다. 그런 소녀를 보니, 사람들에게 내면의 목소리에 귀를 기울여야 한다는 강렬한 메시지를 던졌던 에머슨(R. W. Emerson)의 자기 신뢰(self-reliance)의 한 구절이 떠올랐다. "인생의 모든 답은 내 안에 있다."라는 가르침이다. 그는 "나를 만드는 것은 무엇이고, 나를 이끌어가는 힘은 어디에서 오는가?"라는 우리 삶의 본질적인 물음에 대해, "자기 신뢰"라는 해답을 제시하였다. 한 줄기 빛과 같은 울림이었다. 우리는 자기 자신을 들여다보고 스스로 믿어야 한다. 인생에서 성장을 위해 필요하고, 길잡이가 되어 줄 모든 것은 이미 내 안에 존재하기 때문이다. 자기 신뢰의 힘은 스스로 주인이 되도록 돕는다. 자의식이라는 감옥에 갇혀있지 않으려면, 우리는 고요히 반짝이는 밤하늘의 별이나 대자연과 끊임없는 교감을 통해, 숭고한 마음과 신념에 찬 의지는 물론, 사물의 본질을 한눈에 꿰뚫어 볼 수 있는 직관력을 키워가야 한다.

　소녀는 그해 여름 모래톱 마을에서 우여곡절을 겪으며, 마음 깊숙한 곳에 움트고 있는 자기 신뢰의 힘을 희미하게 알아채고 있었다. 스스로 삶의 주인이 되어, 자신의 삶을 주도하는 과정을 통해, 우리는 끊임없이 학습하고 성장해나갈 수 있다. 소녀는 시골 마을에서 무수한 시련과 도전에 맞닥뜨렸지만, 그 과정에서 던졌던 숱한 의문과 질문은 자신의 삶과 성장을 위한 길에 커다란 교훈이 되었다. 모래톱 아이들은 우연히 시골 마을에 내려온 소녀와 함께 어울리며, 스스로 삶의 주인이 되는 길과 자신들의 성장을 주도하는 힘에 눈을 뜨게 된 것 같았다. 위대한 사상가

들이나 철학자들은 한결같이 우리의 마음이 현실을 만들어낸다고 하지 않았던가. 로마 제국을 통치한 마르쿠스 아우렐리우스도 "우리 삶은 우리의 생각이 만들어내는 것이다."라고 설파했다. 우리는 마음을 바꿈으로써 자신이 원하는 현실을 만들어낼 수가 있는 것이다.

39화 중학생이 되다

"그해 여름"을 건너
반년이 지나고 아이들은 모두 중학생이 되었다.
아이들은 그냥 자라는 것이 아니었으며
그냥 키우는 것이 아니었다.
그들은 스스로 자랄 뿐만 아니라,
부모와 함께 자라고 모두가 함께 키우는 것이었다.

아이를 키우는 일이 힘에 부치고 귀찮아져서, 그 일에 지치게 된다면 결국 지는 것이다. 그런 환경 속에서는 아이들이 제대로 자랄 수도, 제대로 뻗어 나갈 수도 없기 때문이다. 아직 영글지 않고 보드라운 솜털 같은 아이들은 그런 존재이다. 자라는 아이들을 바라보는 부모나 어른들에게 여유가 느껴지고 행복감이 우러나올 때, 아이들은 비로소 커 가고 뻗고 단단해지게 된다.

하나의 마디를 만들고, 또다시 단단한 마디 하나를 만들면서, 아이들은 그렇게 성장하고 성숙해가게 된다. 모래톱 마을 어른들은 아이들이 커 가는 모습을 지켜보며 매일매일 행복했고, 아이들이 뻗어 나가도록 이끄는 일은 언제나 즐거움이 되었다. 그런 환경 속에서 자라는 아이들은, 스스로 타고난 꿈과 끼를 발휘하며 무럭무럭 자라났다.

그해 여름, 모래톱 아이들은 그렇게 단단한 마디 하나를 만들었다. 그들은 또 다른 마디 하나를 준비하고 있는 것 같기도 했다. 코흘리개라 놀림을 받고 꼬맹이라고 얕잡아보던 젖내 나는 초등생을 지나, 모래톱 아이들은 이제 어엿한 중학생이 되었다. 소녀도 중학생이 되었다. 그해 여름을 아련한 추억으로 간직한 채 시간은 벌써 반년이나 흘러갔다. 단은 가끔 아이들의 근황을 알렸고, 소녀도 간간이 소식을 전하며 그리운 마음을 삭이고 있었다. 전설의 섬에서 뭍으로 나오지 못했던 단이 할아버지의 근황도 때때로 전해주었다. 소녀가 시골 마을에서 서울로 돌아간 그해 여름의 끝자락에, 전설의 섬에는 모래톱 마을이 바라다보이는 곳에, 없던 움막 하나가 새로이 생겼다.

꿈속에서도 그리워할 모래톱 마을을, 노인은 언제쯤 알아볼 수 있을까. 천신만고 끝에 생존한 노인이, 그곳 전설의 섬에서 모래톱 마을을 바라보며, 어린 시절을 회상할 수 있게 하였다. 단이 할아버지와 소녀의 외할아버지는 바다를 사이에 두고 어린 시절을 떠올리며 서로 마주 볼 수 있게 되었다. 오솔길을 넘어 해산물을 따러 고갯마루를 넘어오지 않아도 되도록, 마을에서는 노인을 배려했다. 갯가의 움막은 한동안 빈 채로 아무도 살지 않는 것 같았다.

얼마 전 지난겨울이었다. 북풍이 몰아치는 거센 한파가 십여 일이나 전국에 맹위를 떨쳤고, 섬과 마을 사이의 바다는 그 일부가 얼어붙었을 정도로 추위가 극심했다. 그런 혹한의 나날이 지나고 난 뒤 어느 날, 소녀의 외할아버지는 어장을 관리하러 바다에 나갔었다. 그때였다. 섬을 바라보다 양지바른 움막 앞에 쪼그리고 앉아 있는 단이 할아버지를 우연히 발견했다고 하였다. 등잔 밑이 어둡다는 말도 있지 않던가. 맹위를 떨쳤던 혹한을 피해 마을 앞 움막으로 피신했던 단이 할아버지를, 그 전까지는 누구도 눈치채지 못한 것 같았다.

그 광경은, 마을 사람들의 정성이 드디어 단이 할아버지께 전해지고 있다는 좋은 징조였을까. 단이 할아버지께서 마을에서 마련해놓은 갯가의 움막을 이용하고 있었다니 천만다행(千萬多幸)이었다. 자발적인 노인의 움막 생활 장면은, 탐험대가 전설의 섬으로 떠났던 목적 중에 가장 중요한 퍼즐 하나를 완벽하게 끝내는 마침표와 다름없었다. 그 장면은, 무슨 일을 하는 데 가장 중요한 부분을 완전히 갖추게 한다는 것을 의미하는 화룡점정(畵龍點睛) 그 자체였다.

그런 일이 있고 난 후, 단이 할아버지는 동굴 생활에서 벗어나 매일매일 모래톱 마을 맞은편에서 움막 생활을 이어 가고 있는 것 같았다. 비록 전설의 섬에 여전히 홀로 남아 있었으나 노인은 마을을 바라보며 이른 아침에 잠에서 깨고, 밤이 되면 마을의 불빛을 바라보며 마을 사람들과 함께 잠이 드는 것 같았다. 그는 떨어져 있었지만 조금씩 달라지고 있었다. 혹한에 얼어붙은 빙하가 녹아내리듯이 노인의 닫혔던 마음은 서서히 열리고 있는 것처럼 보였다. 참혹한 동굴 생활로 굳게 닫혔던 마음과 고독으로부터 해방되어 마침내 마을을 알아보기 시작하였다. 사람들을 반기기 시작했다. 급기야 새봄을 맞이하면서는 사람들이 섬에 상륙하는 것조차 노인은 두려워하지 않게 되었다. 아이들의 웃음소리에 놀라지도 않았다. 그의 고독과 닫힌 마음은 그렇게 서서히, 아주 느리게 속세의 사람들과 동화되어 가고 있었다.

노인도 어린 시절 자장가에서나 들었던, 구름 너머 무지개를 지나 달 저편에 있는 아름다운 세상을 꿈꾸고 있었던 것일까. 소녀의 외할아버지는, 가끔 노를 저어 섬 앞에 있는 가까운 바다로 나갔다. 노인이 보이는 곳에, 나룻배를 띄워 놓고 낚시도 하고 그물도 건져 올렸다. 두 노인은 바다를 사이에 두고 있었지만, 둘은 같이 물질을 하고 있다는 착각 속에 빠질 정도였다. 그들은 함께 어린 시절의 추억 속으로 천천히 돌아가고 있었던 것일까. 낚싯줄에 고기가 낚이면 몸은 서로 떨어져 있었지만 두 노인은 함께 웃었다. 그물을 건져 올릴 때도 마찬가지였다. 어린 시절로 돌아가기라도 한 듯, 움막에 앉아서 바다를 바라보는 노인과 물질을 하는 노인은 눈으로, 또 가슴으로 대화를 이어 가는 것 같았다.

그렇게 시간은 흐르고 또 흘러갔다. 모래톱 마을과 신비의 섬은 이제 서로서로 필요로 하고 갈망하는 관계로 변화를 꾀하는 듯했다. 모든 일은 아이들이 차근차근 자라며 커 가듯이 자연스러웠고 순조롭게 흘러갔다. 노인은 그런 눈에 보이지 않는 섬세한 자극과 자극 속에서 망각이라는 두꺼운 껍질에 금을 하나 만들고 있었던 것 같았다. 굳게 닫힌 마음과 기억 속에서 시작도 끝도 없는 조용한 파문이 일고 있었던 것일까. 노인이 기억을 회복하는 속도에 비례하여 신비의 섬은 지상낙원으로 변해갔다. 전설의 섬은 마을의 휴식처며 안식처로 거듭나고 있었다.

마을 사람들은 서두르는 법이 없었다. 그들은 조심스러웠고 지혜로웠으며, 무엇보다 앞일을 내다볼 줄 알았다. 역병이 퍼져 내려올 때도 그랬고, 아이들이 밤새 폭풍우 속에서 마을에 돌아오지 않을 때도 그랬으며, 비행을 저지른 아이들을 훈계할 때도 그랬다. 동굴 속 노인을 서둘러 구조하지 않은 일이나 마을에 바로 모셔 오지 않은 일도 그와 같은 맥락이지 않았을까. 아이들은 어른들의 일거수일투족을 빤히 쳐다보며 배우기도 하고, 또 자신들의 생각을 맘껏 펼치기도 하였다. 어쩌면 모래톱 마을 어른들과 아이들의 모습이, 자장가에서나 나오는 겹겹이 쌓인 구름을 지나 무지개 너머 달 저편의 아름다운 세상은 아닐까. 아름다운 상상이 현실이 되고, 모든 일이 순조롭게 이루어지는 행복한 세상!

소년은 누구보다 기뻤다. 할아버지가 기억을 되찾아 갈수록 소년은 그만큼 더 기뻤다. 그 기쁨을 나누기 위해 그리운 마음을 담아 소녀에게 편지를 썼다. 소년은 그에게 다가오는 기쁨의 무게만큼이나 소녀를 향한 애틋함도 그만큼 더 사무쳐갔다. 소년은 자기 할아버지를 지옥 같은 동굴에서 빛을 보게 해준 사람이 소녀라고 여기고 있었다. 그런 소녀의 은혜를 어찌 잊을 수 있겠는가. 죽은 뒤에라도 은혜를 잊지 않고 갚아야 한다는 결초보은(結草報恩)이라는 말이 불쑥 떠올랐다. 소년의 할아버지를 구한 사람이 "어떤 꿈"에서 잠깐 보였던 목선이 아름다운 가녀린 그 소녀라고 여겼다. 그해 여름을 떠올리며 애틋한 마음도, 그리운 마음도 근근이 삭이며, 스스로 해야 할 일을 해나가고 있었다. 사랑에 대한 처방은 오직 더 많이 사랑하는 것밖에 없다는 말도 있지 않던가. 소녀와 소년의 꿈과 우정은 여전히 진행형이었고, 각자의 위치에서 또 다른 내일의 도약도 준비하고 있었다. 두 아이는 아름답고 소중한 추억을 영원히 잊지 않기 위해, 정성을 기울이며 진지한 마음으로 지난 시간을 되새겨 보기도 했다.

중학생이 된 소녀는 서울 생활을 편지로 적었다. 전국의 역사지도를 그림으로 그리기도 하고, 역사 이야기를 따라 직접 체험하며 걷고 또 걸었다. 얼마 전에는, 머리도 식힐 겸 경주에 내려와 천고마비(天高馬肥)의 계절, 가을을 만끽하며 첨성대와 보문호수 주변을 걸었다고 했다. 완연한 가을이라 그런지 바람결에 풀벌레 소리도 묻어오고, 달빛도 은은하여 붉게 물든 홍엽(紅葉)도 감상하기 좋은 밤이라고 자랑했다. 소녀는 밤하늘의 별을 보며, 경주 야경 중에 으뜸으로 꼽히는 안압지 연못에서 "달빛에 비치는 그리운 얼굴을 떠올리기도⋯."라고, 예쁜 글씨로 소년의 편지에 화답하기도 했다.

소녀는 전 세계를 통틀어서도 매우 드문 일인, 우리나라가 분단국가라는 사실에 대해 늘 안타까워했다. 역사의 현장인 비무장지대(非武裝

地帶)와 독도(獨島)의 자연환경을 눈으로 확인하기 위해 아빠와 함께 그곳을 방문한 사실도 전해주었다. 국토 분단의 실상에 관심이 있는 사람들이 주로 찾는 임진각과 도라산 전망대 등을 방문한 사실도 적었다. 비무장지대는 분단되어 대치하고 있는 남과 북의 무력 충돌을 막으려고 만든 지역으로 군사 활동이 금지되어 있었다. 비무장지대(DMZ: Demilitarized Zone)의 폭은 휴전선으로부터 남북으로 각각 2km씩 총 4km이며, 길이는 248km이다. 그곳은 여러 야생 동식물의 서식처이며, 선사시대 유적을 포함한 다양한 문화 유적이 있는 공간이기도 했다.

더 나아가 독도 근해 방문을 통해, 독도는 독특한 지형과 경관을 지닌 화산섬임을 확인했다고 전했다. 섬은 경사가 급하고 대부분 암석이지만 다양한 동식물이 서식하는 생태계의 보고이기도 하여, 독도를 천연기념물 제336호로 지정해 보호하고 있었다. 우리나라는 옛날부터 독도를 지키려고 노력을 많이 해왔다. 독도에 대해 알아보다가 현존하는 인쇄본 단독 지도 중에 독도가 처음으로 등장하는 최초의 지도는 "팔도총도(八道總圖)"라는 것도 알았다고 했다. 팔도총도는 신증동국여지승람의 동람도(東覽圖)에 수록되어 있는데, 조선 전기 사회 및 지리적 사항을 편찬한 동국여지승람을 수정 보완한 지도였다. 특히, 조선 숙종 때 부산 동래에 살았던 안용복이라는 인물이, 독도를 지키기 위해 앞장섰던 사실을 알게 되면서, 그를 소개하고 있는 위인전을 찾아 읽어 보고 있다는 소식도 전해주었다.

시골 마을을 잊지 못하고 있는 소녀는, 여름방학이 돌아오면 모래톱 마을에 내려가고 싶다고 했다. 그때 내려가면 다시 은모래 빛 해변을 방문할 것이라고도 했다. 아이들과 함께 보냈던 즐거웠던 추억이 새록새록 떠오른다거나 소년이 전해준 조개껍데기로 만든 손때 묻은 목걸이는 잘 간직하고 있다는 둥 아련한 추억들을 소환하기도 했다. 두 아이는 멀리 떨어져 있었으나 그해 여름으로의 시간여행을 즐겼다. 소년도 소녀에게 애틋한 마음을 담아 답장을 보내었다. 울적하고 힘든 날은 소녀와 나룻배를 타고 바다로 나갔던 갈대숲을 혼자서 다시 나가보기도 한다고 했다. 또, 그해 여름 산사에서 함께 보았던 연노랑 목화꽃이, 며칠 전 할머니와 함께 산사에 가보니 하얀 목화 솜털로 변해 장관을 이루고 있었다는 얘기도 전해주었다. 쓸쓸한 밤에는 언제나 소년의 곁에 있는 소녀를 떠올린다거나 소녀를 꿈속에서라도 만나기 위해 자주 긴 잠을 청한다는 둥 그리움에 사무친 애틋한 사연을 적기도 했다.

소녀가 시골 마을을 떠나 서울로 올라가던 날을 회상해보았다. 서울로 떠나던 날 아침, 소년의 표정은 무척 어두웠다. 소년은 소녀가 없는 내일을 맞을 자신이 없었으며 두려웠다. 소녀는 그날, 뱃머리에서 다른 사람들이 보지 않을 때 단에게 가까이 다가갔다.

"단! 자고 일어나면 다 괜찮아질 거야."라고 하며, 소년의 손을 꼭 잡아 주었다.

소년은 이를 악물고 이별의 슬픔을 참는 것 같았다. 그 모습을 눈치챈 소녀는 소년을 위로했다.

"지내다가 힘들거나 참았던 눈물이 울컥 쏟아지는 날엔, 날 생각해. 그리고 편지를 해."라고 하며, 살짝이 아이들 눈치 못 채게 애틋한 정을 나누기도 했다.

"내일 자고 일어나면, 설이가 없는 시골 마을이 두려워."

"혼자 떠나지만 내 마음은 언제나 너의 곁에 있을 거야."

"나를 쓸쓸하게도 하고, 행복하게도 했던 널 언제나 기억할게."

"나도 우리가 함께 불렀던 노래, 무지개 너머를 떠올리며 널 추억할게."

"그래, 무지개 너머 달 저편에 있는 아름다운 세상……."

"잘 있어. 머지않아 다시 내려올 테니."

"그래, 잘 가."라고 하며, 나룻배가 떠나기 전에 소녀와 소년은 둘의 진정한 우정을 서로 확인하였다.

모래톱 마을 아이들은 중학생이 되었어도, 서울에서 내려온 소녀와 함께 어린 시절 몸소 체득한 모험심과 도전 정신은 멈추지 않았다. 한 번 일어난 일은 다시는 일어나지 않을 수도 있다. 그러나 두 번 일어난 일은 반드시 다시 일어난다는 말이 있다. 모래톱 아이들의 주도적인 삶과 성장은 앞으로도 지속되어갈 것 같았다. 머리가 커지고 생각이 깊어진 아이들은, 모래톱 마을과 신비의 섬을 이어주는 징검다리 역할도 하며 섬에 자주 들락거렸다. 단이 할아버지는 가끔 소녀의 외할아버지와 함께 "노인과 바다"에 나오는 그 노인처럼 낚시를 즐기기도 하였다.

한층 의젓해진 아이들을 바라보는 어른들은 안심이 되었다. 마을 어른들은 "아이들의 커 가는 모습을 바라보며 안심이 된다면, 그 아이들은 바르게 성장하는 것이다."라는 말을 믿고 있는 것 같았다. "기적처럼"이란 말이 있으나 반드시 기적을 요란스럽게 꿈꿀 필요는 없는 것 같았다. 마을 아이들은 너나 할 것 없이 평범한 나날 속에서 하루하루를 충실하게 보내며, 또 다른 내일의 기적을 준비하고 있는지도 몰랐다.

40화 다시 모래톱 마을에

그해 여름을
보낸 지도 벌써 한 해가 지나갔다.
아이들의 삶 속에 한동안 여백이 있었다.
인간의 삶은 비워야 채워진다고 했던가.
그리움을 간직한 아이들은 그해 여름을 추억하며
다시 모래톱 마을에 모였다.

인간의 감정은 누군가를 만날 때와 헤어질 때, 가장 순수하며 빛난다고 했다. 만남과 헤어짐을 통해, 아이들은 이별의 아픔 속에서 우정의 깊이를 더해가고 있었다. 누군가는 인생을 긴 기다림이라 하지 않았던가. 소녀는 그해 여름을 보낸 시골의 모습을 그리워하며, 그곳 아이들을 다시 볼 날을 손꼽아 기다렸다. 중학생이 된 소녀는, 기다림 끝에 여름방학을 맞아 다시 모래톱 마을을 찾았다.

시골 분교에 다니던 아이들은 대부분 읍내 중학교로 진학했고, 간혹 대처로 나가 직장생활로 자리를 잡은 아이들도 있었다. 방학을 맞아 마을에서 가족들과 더위를 피하며 휴가를 보내거나 가까운 여행지에서 돌아온 아이들도 보였다. 소녀는 소년과의 편지 왕래로, 그해 여름 이후의 모래톱 아이들과 시골 마을의 소식을 간간이 들어왔다. 역병이 무섭게 창궐했다가 물러가고, 한 해가 지난 뒤 다시 모래톱 마을에 내려온 소녀는, 학교를 졸업한 친구들과 반창회를 하기도 하고, 외할아버지도 찾아뵈려고 했다.

그해 여름!
시골 마을에 처음 내려온 소녀는, 모래톱 마을의 전통적인 관습이나 의식에 얽매이지 않고, 시골의 풍요로운 대자연과 끊임없는 교감을 통해, 자기 내면의 목소리에 귀를 기울이곤 했었다. 낯선 마을에서 불가사의한 시련이 닥칠 때마다, 소녀는 자기 내부의 깊숙한 곳에서 우러나는 고요한 울림을 신뢰하였다. 외부가 아닌, 자기 마음이 내는 목소리를 믿었다. 소녀는 우여곡절을 겪으며 영감을 얻기도 하고, 자기 스스로 주인이 되어 마을에 드리운 어두운 그림자에 다가서기도 했다. 천진난만한 아이들의 모험심과 도전 정신은, 시골 마을 사람들의 고정관념과 미신을 타파하고, 모래톱 마을에 새로운 희망과 기대를 안겨주었다.

예전에 모래톱 마을에 어두운 그림자를 드리웠던 전설의 섬은 이제 친근한 섬이 되어가고 있었다. 실종 상태에서 생존자로 신분이 바뀐 단이 할아버지는, 마을이 바라다보이는 섬에서 움막 생활을 하며 모래톱 마을에 한 번씩 나들이도 하였다. 가끔 섬에서 뭍으로 나오는 날에는, 단이 할머니랑 함께 지내기도 하고, 먹거리를 싸서 다시 섬으로 돌아가기도 하였다. 마을 사람들은, 마지막 여생을 전설의 섬에서 보내고 싶다는 노인의 소원을 들어드리고 있었다. 하지만 연로하여 점점 기력도 쇠약해지고 거동도 힘들어져서, 조만간 모래톱 마을로 거처를 옮겨야 할 거라는 소문도 나돌고 있었다.

아이들은 여름방학을 맞아 그해 여름, 그 당시 같이 생활했던 정든 교실에서 만나기로 했다. 수많은 추억을 남겨놓고 떠나야 했던 정든 교정에 다시 들어서니 감회가 새로웠다. 소녀는 잠깐 다닌 학교였지만, 그해 여름을 보낸 아이들과 분교에서의 여러 가지 행사들에 참여하며 몹시 정이 들었던 교정이었다. 정든 교실에 들어서는 순간 "이젠 졸업인가요. 떠나야만 하나요."라며 졸업식을 마치고 여기저기서 훌쩍거리며, 작별 인사를 나누었던 친구들의 목소리가 들리는 듯하였다.

교실에서는 "이대로 정말 가야 한다면 다시 먼 훗날 찾아올게요. 안녕 후배들이여. 선생님 안녕히 계세요. 그날까지 안녕히 안녕."이라는 졸업식 때 불렀던 노래도 흘러나왔다. 순식간에 교실은 정든 그날의 추억 속으로 속절없이 빠져들었다. 왜 반창회란 것은 모교의 그 교실에서 하게 되는지, 그 까닭도 조금은 알 것 같았다. 교실에 들어선 아이들은, 너도나도 졸업의 아쉬움과 다시 만남을 기약했었던 그때 그 노래 "우리 다시"라는 노래를 흥얼거리기 시작했다.

헤어지는 시간이 또 어느새 이렇게 우리 곁에 왔는데
정든 선생님 친구들 언제인지 기약할 수 없지만 이제는 안녕
함께 했었던 너무 따스한 기억 다시 돌아보면 소중했던 추억들
우리 다시 만날 때까지 아름다웠던 우리의 추억 기억해
언젠간 모두 변하겠지만 지금 이대로 사랑했던 친구여 안녕
언젠가는 모두 다 변해 있겠지만 다시 만날 때까지 친구여 안녕

교실에 모인 아이들은, 그해 여름에 있었던 일들을 하나하나 회상해보기도 했다. 그 당시 소녀가 모래톱 마을에 내려왔을 때, 작은 시골 분교에 등교하여 아이들과 함께 방학 기념 책거리와 장기자랑을 했던 기억도 났다. 단이가 먼저, 지난 그해 여름에 있었던 얘기를 꺼냈다.

"설이가 졸라서 도깨비불을 보러 학교 뒷산에 갔다가 식겁을 하고 죽을 뻔했었지. 하하하."

단이가 죽을 뻔했다는 소리를 할 때 배꼽을 잡고 웃던 석이는

"설이 아이디어로 여러 가지 체험도 많이 했잖아. 우연히 바다에 나가 적조 현상을 보기도 했고, 인간의 환경오염이 어떤 화를 부르는지에 대해서 생각도 해보고…."라고 하며, 모두에게 청정 쪽빛 바다가 붉게 변했던 안타까운 광경을 떠올리게 했다.

아이들은 전설의 섬과 관련한 어두운 그림자에 의문을 품고 숱한 질문을 던지며, 신비의 섬에 상륙했었던 일도 이제는 웃으며 이야기할 수 있었다.

"그곳에서 사나운 짐승을 만나 쫓길 때를 생각하니 지금도 소름이 돋아."

"어디, 그것뿐이야? 폭풍우를 만나 생사의 기로(岐路)에 섰던 일은 어쩌고…."

"나는 그게 생각나. 무인도에 정박해 하룻밤을 보낼 때, 별장지기와 해녀들로부터 섬 주변에 보물선과 해저 유물 도굴꾼들이 출몰했었다는 소문을 들은 일 말이야."라고 하며, 그 당시 마을에 내우외환(內憂外患)이 심각했었다는 걸 소녀는 상기시켰다. 다들 그때 전해 들은 소문이 전설의 섬의 열쇠를 풀어갈 때 많은 도움이 되었다고 생각하는 것 같았다. 아이들은 그해 여름에 기억나는 일들이 너무 많다며, 다시 그때로 돌아가기라도 한 것처럼, 지난날을 추억하며 한바탕 소란스럽게 떠들고 놀았다.

무인도에서 하룻밤을 지내고 구사일생(九死一生)으로 마을에 돌아온 아이들은, 단의 기지로 위기를 모면했었던 일도 떠올렸다.

"그때, 대청마루에서 어른들이 선반에 고이 모셔놓은 회초리 상자를 꺼내올 때 너무 긴장돼서 오금이 저렸어. 하마터면 오줌도 쌀뻔했어."라고 창의가 말하자, 모인 아이들은 박장대소를 하며 책상을 세게 두드리기도 하여, 교실은 기차 화통을 삶아 먹은 것처럼 시끌벅적했다.

"마을 어른들 앞에서 회초리를 맞을까 봐 두려움에 떨며, 머리를 조아리고 있었을 때, 갑자기 등장한 단이의 모습은, 꼭 하늘에서 선인이 내려와 아이들을 구해 주는 것 같았어."라고 하며, 그 당시 단의 용기 있고 지혜로운 처신을 떠올리기도 했다. 시간이 많이 지난 과거의 추억 담이지만, 모두는 서로에게 찬사를 아끼지 않았다.

사람들의 혼을 빼놓았던 무서운 역병이 물러나고, 마을 사람들이 일상적인 생활을 회복했을 때, 아이들은 수수께끼나 도깨비 이야기를 하며 놀았던 즐거운 한때도 추억하였다. 특히, 석이의 "검은 망토 이야기"는 두고두고 아이들 입에 회자(膾炙)가 되기도 했다. 비가 오는 날이면 무서운 이야기의 주인공이 되기라도 한 것처럼, 일부러 검은 비옷을 입고 학교에 나타나는 아이들도 있었다. 그 당시 "검은손! 검은 망토!"라고 하며, 갑자기 나타나 친구들을 놀라게 하는 일이 한때는 유행처럼 퍼지기도 했었다. 그때마다 아이들은 무섭기도 했고, 배를 잡고 크게 웃었던 기억도 떠올렸다.

아이들의 이야기를 듣고 있던 소녀와 단은, 실종자를 확인하러 읍내 도서관에 간 날을 소환했다. 나룻배를 놓쳐 징검다리도 못 건너고 산사로 갔었던 일이며, 개기월식이던 날 밤길을 걸었을 때 말하지 않은 에피소드도 있다며 너스레를 떨었다. 아이들은 무슨 비밀인지 듣고 싶다며 계속 조르기도 했다. 숨겨진 큰 비밀이라도 있는 것처럼 의미심장한 미소를 보이며 소녀가 말문을 열었다.

"그날, 밤길이 너무 무서워 내가 단이 손을 꼭 붙잡고 걸었어."라고 하자 아이들은

"에이, 단이가 설이 손을 잡았겠지. 히히히, 웃긴다, 웃겨."라고 하며 놀렸다. 그러자 단이는 아이들을 더 꼴려주려고

"보름달이 갑자기 사라지고 칠흑 같은 어둠이 찾아와 엉금엉금 걷고

있었는데, 장끼와 까투리가 자고 있다가 우리와 부딪혀 소리치며 날아올랐어. 그때 어떤 일이 벌어졌을까?"라고 하며, 아이들에게 답을 알아맞혀 보라는 시늉을 했다. 그러자 아이들은 한 마디씩 상상력을 발휘해 추리했다.

"우리 예쁜 설이는 아마 기절했을 거야. 어이구, 너무 불쌍해."

"아니, 단이가 기절하지 않았을까? 설이는 간이 크고 겁이 없는 아이잖아. 하하하."

"잘 모르겠는데, 정답이 뭐야. 빨리 얘기해봐. 응응."

아이들이 애걸복걸하며 조르자 소녀가 다시 힌트를 줬다.

"야, 내가 단이 손을 꽉 쥐고 걸어가는데 갑자기 꿩이 날아올랐어. 그것도 눈 깜짝할 사이에. 엉겁결에 놀랐으니 어찌 됐을까? 힌트야."

"꿩? 수컷은 장끼고, 암컷은 까투리잖아."

"아냐, 아냐, '꿩 대신 닭?'이나 '꿩 먹고 알 먹고?' 같은 속담이 정답 아닐까?"

소녀와 단은 답답하다는 듯이 가볍게 가슴을 치며

"아니, 그런 꿩과 관련된 속담 말고, 손을 잡고 가던 우리가 어떻게 했겠냐고?"

"으응, 이제 알겠다. 설이 너 단이랑 포옹?"이라고 하며, 리솔이가 생각이 번쩍 떠오른 것처럼 말했다. 아이들은 갑자기 킥킥거리며, 여기저기서 또 책상을 치며 난리법석을 떨었다.

"야야, 너희들 상상에 맡길게. 궁금하면 내년 여름에 다시 만나자. 그때 만나면 말해줄게. 이건 미성년자 관람 불가라서……."라고 하며, 개기월식 때 밤길을 걸었던 얘기를 시끌벅적한 가운데 여운을 남기며 마무리했다.

아이들은 공부가 되었던 일들도 빼놓지 않고 얘기를 이어 갔다. 지난 여름에는 같이 놀기도 하면서 공부도 많이 한 것 같다고 다들 이구동성(異口同聲)으로 얘기했다.

"밀물, 썰물, 만조(滿潮), 간조(干潮), 조수간만의 차 그리고 사리, 조금 등에 대해 평소에 어른들이 하는 얘기를 듣기도 하고, 책에서도 배우긴 했으나 사실은 잘 몰랐어. 그런데 우리가 함께 체험하면서 잘 이해하게 된 것 같아."

"신문이나 뉴스에 대조기, 소조기라는 말도 나오던데……."

"조기? 생선은 아니지? 하하하."

"아마, 사리 때를 대조기라 하고, 조금 때를 소조기라고 하는 것 같아."

"그래, 그래, 맞아. 그리고 들물과 날물이 태양보다 더 달과 관련이 깊다는 것도 그때 알았어."

"들물, 날물이 뭐지?"

"밀물, 썰물을 그렇게 칭하기도 하잖아."

"그리고, 설이의 맹꽁이 울음소리 얘기도 생생하게 기억에 남아 있어."

"그럼, 공부는 책으로만 하는 게 아니네?"

"교실이나 책에서 배운 것들을 직접 체험해보기도 하고, 서로 이야기를 나눠보니 더 쉽게 이해가 되었던 것 같아."

"아하, 설이가 서울로 떠나기 전에 추억 쌓기로 우리가 다 함께 갔었던 은모래 빛 해변 캠핑도 있잖아."

"그때 비박이라는 것도 하고, 라면 국물에 밥을 말아 먹을 때 정말 꿀맛이었지…."

"백사장에서 했던 '오징어 달구지' 게임과 바다에 술래를 세워두고 '무궁화꽃이 피었습니다' 놀이를 했던 일, '물수제비 뜨기'로 내기한 기억도 새록새록 나네."

아이들은 그런 놀이를 언제 한 번 더 해보고 싶다며, 오후에 캠핑을 가면 다시 해보면 어떻겠냐는 얘기도 나왔다.

소녀와 단은 징검다리를 건너며, 우연히 관찰했던 하천의 모습과 개기월식도 많은 생각을 주었으며, 공부에도 도움이 되었다고 했다.

"모래톱 마을이 어떻게 생겨났는지, 지난번 폭우로 하천에서 급류에 돌과 자갈들이 하류로 운반되어 내려갈 때 이해하게 되었어."

"높은 산 위에서 바위가 구르면서 운반될 때, 큰 돌들이 깨져 닳고 닳아서 자갈이나 모래가 되고, 모래톱은 이때 생긴 잔모래들이 강 하류에서 바다에 막혀 더 먼 곳으로 운반되지 못해 생기는 것 같았어."

"우리 모래톱 마을에 퇴적암이 많을 수밖에 없는 까닭도 쉽게 이해되었고…. 특히, 퇴적물이 쌓일 때 생물의 유해나 흔적이 같이 퇴적되어 화석(化石)이 되는 원리도 발견했어. 운반되어 온 자갈, 모래, 진흙이 쌓이는 걸 쳐다보는 것만으로 자연히 알 수 있었거든."

"전설의 섬은 모래톱 마을과 달리 화산활동으로 생긴 섬이다 보니, 산 정상에는 화강암이 치솟아 있고, 동굴이 있는 해안가에는 현무암이 널려있잖아. 정말 신비스러운 섬인 것 같아!"

"개기월식은 '태양-지구-달'이 일직선이 될 때 생기는 현상이잖아. 지구 그림자에 달이 조금씩 가려져 보름달이 완전히 사라졌다가 점점 그림자에서 벗어나는 것을 직접 봤을 때, 너무 신기해서 눈을 뗄 수가 없었어."

"우연히 개기월식을 관찰하면서 지구와 달의 움직임뿐만 아니라, 태양계의 여러 가지 과학적 현상에 관해서도 관심을 가지는 계기가 되었던 것 같아."

"우와! 너희들 도서관에서 기록 찾는 것보다, 밤하늘이나 대자연과의 교감으로 더 많은 공부를 했구나. 월식 말고 일식이란 말도 있던데…."

아이들이 궁금하게 여겼던 개기일식은 그림자에 태양이 가려지는 현상이었다. 과학에 관심이 많았던 소녀는 개기일식에 대해서도 간략히 알려주었다.

"개기일식은 달이 태양과 지구 사이에서 태양을 전부 가릴 때 발생하는 천문현상이야. 개기월식과 달리 '태양-달-지구'가 일직선상에 있을 때 발생하는데, 월식과 달리 일식을 관찰할 때는 맨눈으로 직접 태양을 쳐다보면 안 돼. 태양의 표면에서 나오는 자외선과 가시광선으로 인해 눈의 망막이 손상될 수도 있다고 들었어."

"아하, 공부라는 게 참 신기하네. 책상 앞에 앉아서 하는 것만 공부인 줄 알고, 죽자 살자 외우려 드는 아이들도 있잖아. 그런데 그게 아니네."

"힘들고 하기 싫은 공부라는 것도, 우리가 생각만 바꾸면 땅 짚고 헤엄치기처럼 쉬울 수도 있겠구나."

"그래, 맞아. 우리 주변에서 일어나는 사소한 일들에 흥미나 관심을 가지고 대화를 많이 나누며, 어떻게 탐구하느냐에 따라 저절로 유익한 공부가 되기도 하니……."

일 년 전만 하더라도 공부는 귀찮고 까다로운 것인 줄로만 알고 지내 왔었다. 다시 만난 아이들에게 "공부"라는 것이 "식은 죽 먹기"나 "누워서 떡 먹기"와 같은 표현과 어울리는 쉬운 것이 될 줄이야. 통지표에 '양가'만 받아 공부 얘기만 나오면 늘 기가 죽었던 윤택이도 공부 못한다는 꼬리표를 드뎌 떼고 홀가분한 표정이었다. 아이들은 윤택이를 쳐다보며 우스갯소리처럼 "세상 참 오래 살고 볼 일이네."라고 의미심장한 말도 내뱉으며, 크게 성장한 자신들의 달라진 모습에서 격세지감(隔世之感)을 느끼는 것 같았다.

누구든지 자신이 잘하는 일을 하며 살아가야 한다. 그래야 뭐든지 잘하게 되는 사람이 되기 때문이다. 삶과 성장의 길에서 자신감을 품는 것보다 더 큰 힘이 되는 일도 있을까. 그해 여름, 모래톱 아이들은 자신들의 이야기를 들어줄 친구들이 곁에 있었기에 자신감으로 충만했고, 시시때때로 시련도 맞닥뜨렸으나 하는 일마다 신바람이 났다. "나에 대한 자신감을 잃으면 온 세상이 나의 적이 된다."라는 말도 있지 않던가. 자신감은 자기 신뢰 곧, 자기 자신을 믿는 데서 비롯된다. 꿈과 모험으로 공부에 자신감을 얻게 된 모래톱 아이들의 앞날은, 창창하고 전도양양해 보였다.

아이들에게 있어 대자연은 하나의 거대한 학습장이나 다름없었다. 하늘과 별과 달과 바람은 물론이고, 무서운 밤마저도 그랬다. 우리가 배우는 공부라는 것이 우리 주변에서 다 찾을 수 있고, 이리저리 거미줄처럼 이어져 있다는 게 너무나 신기했다. 우리의 삶 속에 성장과 배움의 즐거움이 널려있다는 걸 예전에는 왜 몰랐을까. 딱딱한 책상 앞에 앉아, 의미도 없이 따로따로 떼어 내어, 뭔가에 몰두하는 아이들을 생각하니 가엾기만 했다. 억지로 외우기도 하고, 힘들고 싫은 기억을 심어 주는 숨이 막힐 듯한 공간에 갇혀, 우물 안 개구리처럼 지내는 현실이 옳은 일일까. 생각만 해도 답답했다. 그 속에서 자라는 아이들이, 어찌 거친 세상과 변화무쌍한 풍파를 헤치고, 앞으로 나아갈 수가 있단 말인가.

모래톱 마을 아이들은 그해 여름, 대자연과 소통하며 공부의 내용뿐만 아니라, 학습의 방법이나 요령에 대해서도 새롭게 눈을 뜨기 시작한 것 같았다. 아이들끼리 놀고 서로 어울리는 것에 대해 색안경을 끼고 보는 어른들도 있으나 아이들이 아이들을 키운다는 말도 떠올랐다. 그해 여름, 아이들은 새로 알게 되고 배운 게 너무 많다면서, 중학생이 되었지만 지금 그 시절로 돌아간다면, 그런 체험을 다시 해보고 싶다고 했다. 함께 즐겁게 어울리며 체험하고 익혔던 지나간 시간이, 중학교 생활에도 큰 도움이 되는 것 같았다. 또 어떤 아이들은 중학교뿐만 아니라, 고교나 대학에 진학하더라도 흥미진진한 체험은 많을 거라며, 기대에 부푼 꿈을 쏟아내기도 했다.

중학생이 되어 만난 반창회 모임이 마무리되어 갈 때쯤, 아이들은 지난해 여름 무척 궁금했었다며, 단에게 질문 하나를 불쑥 던졌다. "그 당시 소녀를 좋아한 거 아니었어?"라며 짓궂게 물었다. 그러자 단은 잠시 머뭇거리더니 이제 어엿한 중학생도 되었으니 말할 수 있다며 입을 뗐다. 지켜보던 아이들은 모두 숨을 죽이고 단과 소녀를 번갈아 쳐다보았다. 단은 놀라운 말을 거침없이 쏟아내었다. "여전히 소녀의 매력에 눈이 부신다!"라며 당당히 고백했다. 그러고는 쑥스러운 듯이 불그레한 자기 뺨을 슬쩍 어루만지더니 다시 한 마디 더했다. "그해 여름, 소녀가 나를 놀라게 하지 않은 날은 단 하루도 없었어!"라고 회상하는 것이 아닌가. 단이가 무슨 말을 할지 귀를 쫑긋 세우고 듣고 있던 아이들은, 지난 그해 여름, 대청마루에서 노인들 앞에서 자신들의 위기를 모면하게 해주었던 단의 용기 있었던 모습이 오버랩되어 떠올랐다. 교실에 모인 아이들은, 소녀와 단을 향해 이구동성으로 "멋지다!"란 말과 함께 엄지를 치켜세웠다. 아이들은 다들 소녀와 소년의 우정이 영원하길 소망하는 것 같았다. 그 광경을 옆에서 아무 말 없이 지켜보고 있던 소녀는, 입 밖에 내지는 않았으나 옅은 미소와 함께 '그해 여름, 단은 내 마음속의 어진 신사였어!'라는 말을 맘속으로 되뇌었다.

교실에서 모임을 마친 아이들은, 모두 전설의 섬으로 캠핑을 떠날 때 "지난해 여름은 우리 모두를 크게 성장시키는 나날이었어."라며, 여러 가지 체험으로 두루 섭렵(涉獵)했었던 순간들을 회고했다. 과거를 답습하거나 현실에 안주하고 있었더라면 도저히 꿈도 꿀 수 없는 일이었다. 모래톱 아이들은 달랐다. 마을이 안고 있었던 고민이나 그들 앞에 닥쳤던 산적한 의문들을, 머리를 맞대고 슬기롭게 헤쳐 나아갔다. 숱한 우여곡절(迂餘曲折)을 겪으며 아이들은 하루하루 단단하게 성장해왔다. 아이들은 아이들이었다. 때로는 좌충우돌(左衝右突)하였으나 지혜로웠고, 무엇보다 마음이 열려 있었다.

이제, 그해 여름에 겪었던 두려움이나 어두운 그림자는 기억 속에서 사라진 지 오래였다. 신비의 섬은 말 그대로 신비스러운 낙원을 제공하였고, 전설의 섬의 터줏대감이 된 노인은 섬 곳곳을 안내하는 도우미가 되어 있었다. 노인은 어린아이들과 어울리며 삶에 대한 작은 보람 같은 걸 느끼고 있는 것 같았다. 아이들은 전설의 섬의 동식물 자료를 수집하기도 하고, 관련 지도를 만들기 위해 단이 할아버지와 함께 섬을 샅샅이 들여다보고 있었다. 섬에는 크고 작은 동굴이 세 개나 있었다. 남도의 섬을 주름잡았던 팔색조를 비롯한 새들의 서식지와 생태에 관한 조사도 흥미를 더해주었다.

전설의 섬은 같은 섬인데도 불구하고 다른 섬이 되어가고 있었다. 세상은 요지경이라는 말도 있으나 전설의 섬은 달라져도 너무 달라져 가고 있었다. 한 사람의 삶도 같은 사람인데 다른 인생을 살아갈 수도 있단 말인가. 대자연 속의 아이들은, 도자기를 빚는 장인의 손안에 든 진흙처럼 무엇으로든지 빚어질 수가 있는 존재처럼 보였다. 이런 극명한 대비들은 아이들에게 때때로 혼란을 주기도 했으나 또 한편으로는, 새로운 생각을 열어가는 힘이 되어 주는 것 같았다.

모래톱 아이들은 앞으로 섬에 서식하는 희귀 동식물들의 지도를 완성할 계획을 세우고 있었다. 소녀는 아이들의 계획을 접하고, 자신이 직접 체험했던 비무장지대나 독도의 자연환경을 예로 들며, 전설의 섬의 동식물에 관한 생태 보고서를 작성해보고 싶다는 포부를 피력하기도 했다. 지난해 소녀와 함께 전설의 섬을 탐사하는 동안, 모래톱 아이들은 자신들의 삶과 성장의 주인이 되는 법을 스스로 터득해 온 것 같기도 했다. 한해가 지난 뒤, 다시 교실에 모인 꼬맹이들은 크게 달라져 있었다. 예전의 그 아이들이 아니었다. 그해 여름, 아이들은 숱한 의문을 품은 채 끊임없는 질문들을 쏟아내기도 했다. 주도적인 삶을 통해 학습의 중요성을 깨달은 아이들은, 이제 어떻게 자신들의 미래를 더 나은 방향으로 인도할 수 있는지를 직접 행동으로 보여 주고 있었다.

소녀가 처음 시골 마을로 내려왔을 때, 모래톱 마을 사람들은 과거의 어둡고 두려운 운명의 굴레에서 벗어날 수 없다는 무력감에 빠져 있었다. 모래톱 마을이 암울한 섬의 저주를 극복한다는 것은 누구도 상상할 수 없었으며, 계란으로 바위 치기라는 인식이 팽배했었다. 오랜 세월 어둠의 땅이었던 전설의 섬에 관심을 기울이기 시작하자, "도와주세요! 도와주세요!"라는 희미한 소리가 소녀의 귓전을 때렸다. 그때, 소녀는 모든 관심을 끊어버리고, 소녀 자신도 그 무시무시한 어둠과 거리를 두고 싶었다. 온몸이 파르르 떨려오는 극도의 공포감으로 신경이 곤두설 때면, 어둠을 걷어내어야 한다는 자신의 꿈도 포기하고 멀리 달아나려는 생각뿐이었다.

하지만 하늘의 별과 대화하고, 생명력으로 충만한 대자연의 소리와 교감하며, 마음이 고요히 되는 순간, 다시 귀를 기울였을 때였다. 맑은 속삭임이 들려왔다. 그 어둠을 회피하거나 달아나서는 안 된다는 내면의 소리였다. 각성(覺醒)의 일섬(一閃)이 소녀의 머릿속을 스쳐 갔다. 그것은 하나의 깨달음이고 울림이었다. 그런 소녀를 보니, 대자연과 함께하며 삶의 깨달음을 얻었던 소로(H. D. Thoreau)의 담담한 이야기 "월든 : 숲속의 생활"이 연상되었다. "잘 닦인 길만 바라보고 가지 말자. 새로운 길을 걸을 때, 사람의 가슴은 두근거린다. 눈앞에 숲이 있다. 그곳에 자신만의 길을 만들어 가는 과정이 그대를 기쁘게 한다."

소녀는 자신의 두 가지 마음 가운데, 고요한 마음에서 우러나오는 그 소리가 자신이 바라는 진심이라는 생각이 어렴풋이 들었다. 진실로 가야 할 길, 가고 싶은 길은 내 마음속의 길이니까. 그 마음의 속삭임이 자신의 진정한 내면의 소리라고 확신했다. 남을 속일 수는 있으나 자신의 속마음을 스스로 속이는 일은 어렵기 때문이다. 그때, 소녀는 흔들리는 마음을 다잡았다. 그리고 고요한 내면의 소리에 귀 기울이며, 스스로 주인이 되기 위한 길로 들어섰다. 그 길은 진정으로 "위대한 진실"이며, 온 세상에 빛과 희망의 울림을 안겨줄 것으로 확신하였다.

우리는 삶과 성장의 길에서 언제든지 고난과 역경에 직면할 수가 있다. 그런 순간마다 마음의 소리에 귀 기울이며, 스스로 자신의 자아를 찾아 나서야 하는 이유를 소녀는 온몸으로 "그해 여름"을 통해 보여 주었다. 그 처음은, 고요한 가운데 자기 내부의 맑은 목소리를 듣는 것이다. 그다음은, 자기 자신을 신뢰하며 용기를 내어 마음의 소리를 따라 행동으로 옮기는 것이다. 설령, 시작이야 미미할지언정 그것은, 우리의 "삶과 성장" 그 자체를 바꾸는 일이 될 수가 있다.

이른 새벽, 찬 서리가 내린 횃대 위에 서서 요란하게 떠들어대는 수탉처럼, 잠들어 있던 순박한 시골 아이들을 깨우고 싶었던 것일까. 소녀는 자신의 마음에서 우러나오는 목소리를 따라 길을 나섰다. 그 길은 어둡고 두려운 길이었다. 누구나 갈 수 있는 길은 아니었다. 하지만 자기 내면의 소리에 귀 기울이며 스스로 주인이 된 소녀는, 자신은 물론이고 모래톱 아이들을 꿈과 모험이 만나는 길로 이끌었다. 그리하여 소녀는, 모래톱 마을 사람들과 아이들이 진정으로 가고 싶은 길로 인도하지 않았던가.

이제 새로운 세상을 맞아, 소녀는 가슴이 벅차오르는 전율 같은 걸 느끼고 있었다. 누구나 자기 자신을 믿으며 스스로 주인이 되어, 마음 깊숙한 곳에서 나오는 내면의 소리에 귀를 기울이며 살아가야 한다. 소녀는 모래톱 마을에서 온갖 고난과 역경을 견뎌내며, 주도적인 삶과 성장의 기틀이 되는 "자기 신뢰의 힘"으로 시골 마을이 안고 있었던 두려움과 어둠을 말끔히 걷어내었다.

신비스러운 전설의 섬은 자장가에서 나오기도 하는 상상 속의 땅이었던 것일까. 겹겹이 쌓인 구름 너머 달 저편의 아름다운 세상, 그런 행복한 세상은 정말 존재하는 것일까. 천혜의 자연환경은 물론이고, 숲과 야생의 동식물을 간직한 신비의 섬, 그 섬은 자장가에서 나오는 아름답고 행복한 세상으로 탈바꿈하며 아이들 곁으로 소리 없이 다가오고 있었다. 태양도, 바다도, 소녀와 소년의 만남을 기뻐하며, 신묘한 기운으로 온 세상에 화답했다. 오늘 하루, 하늘과 바다는 극명한 대비를 이루며, 이제껏 한 번도 세상에 그 모습을 드러내지 않았던 장관을 연출하고 있었다.

붉은 태양은 하얀 안개와 뭉게구름을 뚫고 은빛 바다를 선물하였다. 한동안 푸른 바다는 은물결을 일렁이며, 하얀 눈이 내려앉은 설원으로 거듭났다. 대자연과 소통하며 내면의 목소리에 귀를 기울였던, 아름답고 순수한 영혼을 지녔던 소녀의 해맑은 모습을 연출하였다.

해질녘이 되자 은빛 바다는 황금빛 꽃가루라도 뿌린 것처럼 붉디붉은 저녁을 선사했다. 불그레 물들기 시작한 바다는, 마치 비단을 수놓은 듯했다. 노을로 물든 서녘 하늘은, 생각이 깊고 담대했던 소년을 온몸으로 보여 주고 있었다.

이토록 아름다운 세상도 있단 말인가. 겹겹이 쌓인 구름 너머 무지개를 건너 달 저편 먼 곳에나 있을 법한 세상! 이전에는 감히 상상도 할 수 없었던 아름다운 세상, 행복한 세상이 바로 눈앞에 펼쳐지고 있었다,

친구란 답답한 삶의 일상에서 벗어나게 하는 유일한 수단이라 하면 맞는 말일까. 소녀와 소년은 눈을 지그시 감은 채 지난 "그해 여름"을 회상해보았다. 별이 내리는 아름다운 하늘도 떠올리며 "꿈과 우정"의 의미도 추억해 보았다. "친구란 또 다른 나 자신이다."라는 말이 스쳐 지나갔다. 둘은 마음을 나눌 진정한 친구를 두었으니 얼마나 행복한 일인가. 험난한 세상 속에서도 자신의 길을 믿고 담대하게 걸어가라. 그 길에서 지칠 때마다, 신비스러운 전설의 섬을 떠올리며, 자신의 주인이 되어, 누구의 틀에도 갇히지 않는 자유의 새가 되어라. 자신에게 주어진 삶과 성장을 주도하며, 끊임없이 나아가는 소녀와 소년의 모습을 상상하리라.

한나절까지 은빛 물결이었던 바다는 저녁노을이 스며들며 붉게 변해갔다. 은빛 설원을 닮았던 소녀와 붉은 서녘 하늘을 상징했던 소년에게, 온 천지간의 알 수 없는 어떤 힘이 신기루처럼 손짓하는 듯했다. 우주 속에 존재하는 삼라만상(森羅萬象)은 소녀와 소년에게 또 다른 내일의 "어떤 꿈"을 약속이라도 하고 있었던 것일까.

소녀와 소년은 저녁노을로 붉어진 바다를 말없이 바라보았다. 서로 마주 보는 두 아이의 뺨은, 온 세상을 따스하게 물들이는 노을빛을 닮은 듯 아름답게 빛나고 있었다. 희망을 잃어버리지 않는 한 아이들의 꿈은 멈추지 않는다!

그렇게
그해 여름도 저물어가고 있었다.
그해 여름!
그해 여름이여, 안녕!

그해 여름

꿈과 모험이 만나다

발행일 ㅣ 2024년 3월 19일

지은이 ㅣ 김홍태
펴낸이 ㅣ 마형민
기　획 ㅣ 이동엽
디자인 ㅣ 김안석
편　집 ㅣ 임수안 이동엽
펴낸곳 ㅣ (주)페스트북
주　소 ㅣ 경기도 안양시 안양판교로 20
홈페이지 ㅣ festbook.co.kr

ISBN 979-11-6929-460-7 03810
값 25,000원

* (주)페스트북은 '작가중심주의'를 고수합니다. 누구나 인생의 새로운 챕터를 쓰도록 돕습니다. Creative@festbook.co.kr로 자신만의 목소리를 보내주세요.